LA BÊTE NOIRE

Collection dirigée par Glenn Tavennec

L'AUTEUR

Alexis Aubenque est l'auteur de nombreuses enquêtes qui ont toutes été plébiscitées par les lecteurs. Sa première trilogie, *River Falls*, a été récompensée en 2009 par le prestigieux prix Polar du Festival de Cognac. Après sa seconde trilogie, *Nuits noires à Seattle*, les enquêtes de Tracy Bradshaw et Nimrod Russell marquent son grand retour au thriller pur et dur. Avec *Tout le monde te haïra*, Alexis Aubenque a été finaliste du prix Polar en série du festival Quais du polar 2016. Son univers a souvent été comparé à celui d'Harlan Coben pour son sens du suspense, la nervosité de son écriture et la force de ses personnages.

ALEXIS AUBENQUE

AURORE DE SANG

Une enquête de Tracy Bradshaw
et Nimrod Russell

LA BÊTE NOIRE
Robert Laffont

ISBN 978-2-221-15935-4
ISSN 2431-6385

À mes parents, Diane Boisselet
et Pierre Aubenque

Prologue

— *Je vous en supplie, arrêtez ça ! supplia Abigail.*

Elle était allongée à moitié nue sur le lit d'une chambre austère. Tout autour d'elle, des regards qui se voulaient pleins de compassion, mais elle voyait bien qu'ils prenaient plaisir à la voir souffrir. Sous leur abord respectable, ces gens étaient de véritables pervers. Comment pouvaient-ils rester insensibles devant ce qu'elle endurait ?

— Allons, calmez-vous.

Abigail endurait le martyre. Un nouvel élancement lui fit sortir des larmes. Tout son corps hurla comme si quelque chose la dévorait de l'intérieur.

— J'ai trop mal !

Elle sentit une main lui toucher le bas-ventre, et eut envie de l'arracher.

« Bande de sadiques ! » voulut-elle leur crier, mais la douleur était trop intense pour qu'elle puisse articuler le moindre mot. Elle parvint seulement à pousser des gémissements remplis de désespoir.

« Mon Dieu, je vous en supplie, faites que cela cesse », pria-t-elle en fermant les yeux.

Elle ne voulait plus voir ces visages qui regardaient son sexe comme si le diable allait en sortir.

« Vous êtes des monstres, des monstres ! » hurla-t-elle dans sa tête.

Une dernière contraction lui coupa le souffle.

— Ça y est, il arrive, dit la sage-femme.

Abigail avait tant désiré cet enfant et désormais elle le détestait plus que tout au monde. Il allait la tuer ! Jamais elle n'aurait imaginé que cela puisse être aussi douloureux.

— Encore un peu, vous y êtes presque.

Abigail se mit à pleurer et, dans un dernier effort, elle poussa aussi fort qu'elle le put jusqu'à ce qu'elle le sente quitter ses entrailles. La douleur disparut aussitôt. Elle reposa sa tête sur l'oreiller. Des larmes d'épuisement roulèrent sur ses joues.

— C'est un garçon, annonça la sage-femme.

Abigail entendit une porte s'ouvrir et vit apparaître son mari.

— Mon amour ?

Il s'approcha d'elle sans accorder un regard au bébé.

— Tu vas bien ? Tu n'as pas eu trop mal ?

Toute la colère qu'elle avait en elle sembla disparaître comme par enchantement face à ce regard aimant et attentionné. Pourtant, il était impossible qu'il n'ait pas entendu ses cris.

— Oui, tout va bien, lâcha-t-elle.

Elle ne voulait pas le culpabiliser d'avoir refusé d'assister à l'accouchement.

— Madame, voici votre enfant, intervint la sage-femme.

On lui tendit alors la plus belle chose qui soit au monde : une petite frimousse toute fripée, le corps enveloppé dans un linge blanc.

— C'est un garçon ? s'étonna le mari qui avait espéré une fille.

— Oui, c'est notre fils.

Abigail caressa le front du nouveau-né et Nimrod ouvrit les yeux.

1

Dimanche 24 août

LE SOLEIL SE COUCHAIT SUR WHITE FOREST. Situé sur les hauteurs de la ville, le cimetière était à l'abri des hordes de touristes qui se déversaient par milliers des bateaux de croisière voguant sur le canal de Gastineau.

De là où il se trouvait, Nimrod avait une vue panoramique. Une lumière spectrale illuminait tout le paysage. S'il avait eu le moindre talent artistique, il aurait aimé immortaliser ce décor sur une toile. Derrière lui, les montagnes de l'Alaska se dressaient tel un mur infranchissable. Face à lui, Douglas Island et ses collines verdoyantes qui protégeaient White Forest des grandes marées. Et tout au loin, l'océan Pacifique et son immensité.

« Si les âmes des disparus restaient près de leur dernière demeure, nul doute qu'elles résideraient jusqu'à la fin des temps dans ce cimetière », songea Nimrod en ouvrant la grille.

Comme chaque année, il s'y rendait en pèlerinage. En cette fin d'été, les visites étaient encore fréquentes et le cimetière regorgeait de couleurs chatoyantes. Couronnes, fleurs en pot ou encore bouquets venaient égayer les tombes et caveaux familiaux. Avec sa rose à la main, Nimrod se sentait observé. Sa place n'était pas ici. Pourtant, il s'avança dans la dernière allée et s'arrêta devant la tombe d'Abigail Russell. Son nom et ses dates avaient été gravés sur la pierre. Un portrait en médaillon était incrusté dans le granit. Nimrod sentit l'émotion l'envahir. Il déposa sa rose sur la tombe et dépoussiéra le médaillon avec le tranchant de la main. Le visage d'une femme pleine de vie réapparut. Il serra les dents pour ne pas craquer. Il n'avait que sept ans lorsque le drame était arrivé.

Vingt-neuf années étaient passées depuis la disparition de sa mère, mais la douleur était toujours là, tapie au fond de son cœur, prête à le submerger s'il n'y prenait garde. Il se recueillit un instant. Un cri strident lui fit tourner la tête. Un goéland. L'oiseau était posté au sommet d'un des rares arbres du cimetière. Le volatile lança un autre cri, puis s'envola dans les airs.

Selon les légendes, le goéland était porteur de mauvais présage. Nimrod esquissa un petit sourire. Il doutait de l'existence de Dieu, mais n'avait pour autant jamais prêté foi à toutes les superstitions auxquelles étaient attachés la plupart de ses contemporains. Il sortit du cimetière et regagna son side-car garé en bordure de route. Il était temps de retrouver la compagnie des vivants.

2

« DANCING IN THE DARK » de Springsteen surgit de la sono. Un hourra général retentit dans le saloon. Holly était euphorique. Elle allait exploser son chiffre d'affaires. Debout derrière le comptoir, elle servait bière sur bière. Toute son équipe était sur les rangs. La cuisine avait préparé près d'une centaine de couverts, quant au débit de boissons, elle avait cessé de compter les cadavres de bouteilles et les fûts qu'elle avait changés. C'était à chaque fois la même chose. Le départ à la retraite d'un flic était fêté au *Gold Digger*. Le père d'Holly, paix à son âme, avait instauré cette habitude avec les services de police alors qu'elle n'était qu'une enfant. Quand elle avait repris le flambeau, Holly avait perpétué la tradition pour le plus grand bonheur de tous.

— Tu me ressers ? demanda Tracy Bradshaw.

La lieutenante de trente-six ans avait les yeux qui brillaient et un sourire jusqu'aux oreilles.

— Tu ne crois pas que tu as assez bu ?

— Tu plaisantes, je commence à peine !

— Holly, dépêche-toi ! J'ai soif, moi aussi, tonna le sergent Martins qui s'accouda à son tour au comptoir.

— OK, mais aucun de vous ne sort s'il n'est pas en état de conduire.

Tracy se tourna vers Martins et ils partirent d'un grand éclat de rire.

— Arrête de dire des conneries et sers-nous ! insista Martins quand il eut repris son souffle.

Holly haussa les épaules. Autant elle se moquait de ce qui pouvait arriver aux autres flics, autant elle se sentait responsable de Tracy. Elle servit d'abord Martins et d'autres policiers avant de remplir le verre de son amie qui resta au comptoir.

— Tu trinques avec moi ? lança cette dernière en levant son verre.

— Jamais durant le service.

— Écoute, c'est bon, tu peux prendre une pause. Jim, tu veux bien tenir le bar pendant que je parle à ta patronne ?

Le bras droit d'Holly, un Noir au physique imposant, hocha la tête et appela du renfort derrière lui.

— Allez, viens, on va s'asseoir.

Holly acquiesça et attrapa une bouteille de bière avant de traverser la salle où de nombreux policiers en activité ou retraités se racontaient des histoires plus ou moins véridiques sur leurs hauts faits. Certains jouaient au billard, d'autres aux fléchettes. Mais tout le monde avait un verre à la main, sous le regard bienveillant d'une tête d'ours empaillée qui trônait sur le mur central du saloon.

— Tu devrais l'enlever, dit Tracy en prenant place à une table près d'une fenêtre.

Holly suivit son regard.

— Virer Teddy ? Jamais de la vie. Tu sais que mon père a failli mourir à cause de lui.

— Et alors ? Il n'avait qu'à pas le chasser.

— C'est toi qui me dis ça !

Tracy était une chasseuse émérite, bien plus qu'Holly. Mais l'ours demeurait une espèce protégée et Tracy avait l'impression que cet animal lui voulait du mal.

— Un point pour toi, concéda-t-elle en détournant le regard.

Dehors la nuit était tombée. Tracy pensa à sa petite famille, et remercia les cieux d'avoir trouvé un mari aussi compréhensif. Vivre avec une flic n'était pas forcément chose facile pour un conjoint. Appartenir aux forces de police, c'était comme entrer dans une seconde famille. Les liens qui les unissaient se devaient d'être très solides. Un corps de métier qui, à l'instar de celui du personnel hospitalier, ou celui de la Mafia, avait l'habitude de côtoyer la mort au quotidien.

Tracy eut un rictus triste.

— Tu ne m'en veux pas trop ? demanda-t-elle.

— De quoi ? s'étonna Holly.

— Tu sais bien. Nimrod.

— Hum, ça t'empêche de dormir ?

À la suite des événements qui s'étaient déroulés six mois plus tôt, Nimrod avait retrouvé grâce auprès des services de police. Sous l'impulsion de Tracy, le shérif lui avait proposé de réintégrer les effectifs de la ville. Nimrod avait tout d'abord refusé, mais Tracy avait réussi à le convaincre à condition qu'Holly donne son accord.

— Disons que je me demande si je n'ai pas vu mon intérêt personnel avant le tien.

Holly ouvrit de grands yeux.

— Mme Bradshaw qui s'intéresse au sort de mon couple ; j'aurai tout vu !

— Arrête, je suis sérieuse. On peut tout stopper si tu veux.

— Tu ne crois pas que c'est un peu tard pour avoir des remords ?

Holly avait bien vu que Nimrod mourait d'envie de reprendre du service. Détective privé était loin d'être la plus exaltante des professions. Suivre des époux infidèles, surveiller des employés indélicats, tel était leur lot quotidien.

— Laisse tomber. Tu as ma bénédiction. Encore une semaine et tu retrouveras ton partenaire.

— En fait, pas vraiment, lâcha Tracy, mal à l'aise.

— Comment ça ? Ne me dis pas qu'il n'est plus lieutenant. Il reprend bien le poste de Roy, non ?

— Oui, justement, c'est de ça dont je voulais te parler. Le shérif pense qu'on ne doit pas reformer notre binôme. Et j'ai accepté.

— Je ne comprends pas. Tu as tout fait pour qu'il revienne. Tu n'as pas cessé de lui rappeler le bon vieux temps, quand vous étiez la meilleure équipe du commissariat, et maintenant tu le trahis ?

— Je sais, mais ce n'est pas si facile. Il y a Scott.

Le nouveau partenaire de Tracy, qui avait pris la relève quand Nimrod avait démissionné trois ans plus tôt.

— Ne me dis pas que tu préfères ce type à Nimrod.

— Cela n'a rien à voir, mais le shérif ne veut pas dissoudre notre duo. En vérité, il a plutôt bien fonctionné et le briser pourrait envoyer un mauvais signal à Scott.

— Mais il n'est pas à la hauteur ! s'emporta Holly. Il est où ce soir ? Si c'était un bon flic, il serait avec nous en train de fêter le départ de Roy, non ?

— Il est de garde, espèce d'idiote !

— Parce que personne ne l'aime ! lui répondit Holly du tac au tac, avant d'ajouter : Nimrod est au courant ?

— Non, en fait…

Tracy ne termina pas sa phrase et finit sa bière d'un trait.

— Tu veux que ce soit moi qui le lui annonce ? s'étouffa Holly.

— Pour ne rien te cacher, c'était un peu l'idée.

Holly partit d'un grand éclat de rire.

— Tracy, si je ne t'aimais pas autant, je crois que je te tuerais !

— On est comme des sœurs, non ? Je te revaudrai ça, je te le jure, tu pourras me demander ce que tu veux.

— Tu as plutôt intérêt.

— Merci, dit Tracy soulagée.

— Mais tu me paieras ça.

Tracy lui fit son plus beau sourire.

3

AU GUIDON DE SON SIDE-CAR, Nimrod franchit le pont qui séparait White Forest de Douglas Island.

Il avait longtemps vécu dans le centre-ville, mais lorsque la possibilité d'acquérir un petit chalet situé sur l'île qui lui faisait face s'était présentée, il avait sauté sur l'occasion. Loin des touristes, Nimrod se sentait serein, même si en contrepartie il était plus éloigné du saloon d'Holly. Ils sortaient ensemble depuis quatre ans, mais cette dernière ne voulait toujours pas s'installer avec lui. Sous prétexte d'un certain besoin d'indépendance, d'éviter la routine et le train-train quotidien qui tuent les couples à petit feu. Nimrod avait depuis longtemps cessé d'insister, persuadé qu'un jour elle saurait revenir sur sa décision.

Le vent se leva. Il serra un peu plus fort le guidon. Quelques instants plus tard, il se garait devant chez lui. Une masse de poils surgit de la forêt surplombant la rue. Nimrod descendit de moto, et alla rejoindre celle qui partageait sa vie dans le chalet.

— Laïka ! Viens par ici, ma belle.

La chienne husky s'approcha de son maître en aboyant de contentement.

— Je suppose que tu as faim ?

Il l'avait laissée au petit matin, et n'était pas rentré chez lui de la journée.

Sous une lune voilée par des nuages, Nimrod ouvrit la porte et laissa passer la chienne devant lui. Il lui donnait à manger quand un coup de tonnerre retentit, suivi du lourd martèlement de la pluie qui venait s'abattre sur la fenêtre de la cuisine.

« C'était moins une », pensa Nimrod qui monta prendre une douche à l'étage. Il avait passé la journée à suivre une femme qui avait le malheur d'avoir un mari d'une jalousie maladive. L'homme, un commercial toujours sur la route, l'avait engagé pour s'assurer qu'elle ne le trompait pas. Consciencieux, Nimrod avait accepté cette dernière mission avant de réintégrer la police. Dix jours à espionner cette malheureuse qui passait son temps enfermée chez elle, assise sur son canapé à écouter de la musique ou à faire le ménage. Le regard triste et désespéré. Peut-être qu'Holly avait raison après tout, la vie de couple n'avait sûrement pas que des avantages.

Il augmenta la chaleur de l'eau et tenta d'oublier. C'en était fini de toutes ces planques, de toutes ces photos volées. Il allait enfin réintégrer la police et, quoi qu'il ait pu dire ces dernières années, il avait souffert de son éloignement bien plus qu'il ne l'avait pensé.

Au-delà de l'injustice qu'il avait subie et qui l'avait poussé à la démission, c'était aussi la sensation de devenir inutile qui l'avait profondément blessé. Il croyait en la justice et avait été fier d'en être le bras armé. Trop d'innocents subissaient tous les jours les assauts des pervers d'une société en décomposition.

Nimrod se revit enfant, humilié, frappé, fouetté, ou encore insulté par un père indigne… Il serra le poing et s'obligea à se calmer. Il ferma les yeux pendant de longues secondes en attendant que la colère passe. Quand il retrouva un semblant de calme, il éteignit le jet et attrapa une serviette qu'il noua autour de ses hanches.

La sonnerie de son Smartphone l'arracha à ces douloureuses réminiscences. Aucune envie de répondre, juste rester seul. Il se doutait que c'était Holly et faisait son possible pour lui cacher les terribles cicatrices qui lui vrillaient l'âme. Nimrod se regarda dans le miroir et fixa la marque indélébile du laser qui avait effacé le terrible tatouage inscrit sur son torse : « Tout le monde te haïra. »

Il n'avait que dix ans quand son « père » avait commis cet outrage.

— N'y pense plus, marmonna-t-il tel un leitmotiv.

Il quitta la salle de bains et retourna dans sa chambre pour s'habiller. Il sortit de la penderie la tenue qu'il comptait mettre pour son retour en grâce : blue-jean et pull-over noirs, ainsi que des bottines. Il enfila le tout, puis se regarda dans le miroir de la garde-robe.

— Mon nom est Nimrod, Nimrod Russell, dit-il avant de viser de son index tendu son propre reflet.

Il appuya sur une détente imaginaire et souffla sur un canon tout autant invisible. Un léger sourire étira ses lèvres. Il sentit la pression redescendre. Son psy lui avait appris à gérer les crises, mais chaque fois il avait l'impression qu'il n'allait pas y survivre.

Son téléphone se remit à sonner. Il l'attrapa, regarda l'écran. Numéro inconnu.

Un nouveau coup de tonnerre le fit sursauter. La pluie tombait toujours dru.

Il décrocha.

— Allô ?

— Bonsoir Nimrod. C'est bien toi ?

Nimrod tiqua. Cette voix lui évoquait un vieux souvenir, mais impossible de mettre un nom dessus.

— Oui...

Il y eut un long instant de silence avant que la personne ne se présente enfin.

— C'est Judith.

Ce fut au tour de Nimrod de garder un instant le silence.

— Qu'est-ce que tu veux ?

— J'ai besoin de ton aide. Est-ce que tu peux m'ouvrir ?

— Mais où es-tu ?

— Je suis devant chez toi.

Nimrod descendit au rez-de-chaussée et ouvrit la porte.

— Judith, lança-t-il dans un souffle en remettant son téléphone dans sa poche.

La jeune femme se tenait sous la pluie.

— Entre, dépêche-toi.

Plusieurs éclairs cisaillèrent le ciel. L'orage ne faiblissait pas.

Judith s'avança timidement.

— Tu es venue à pied ?

— Oui, je me disais qu'une balade nocturne pouvait être sympa, dit-elle en haussant les épaules.

Ses cheveux mouillés lui collaient au visage. Sa petite veste, son chemisier et sa jupe étaient trempés.

— Tu aurais pu emporter un parapluie.

Judith eut une petite moue désolée. Nimrod secoua la tête.

— Je peux sécher tes affaires pendant que tu prends une douche.

— C'est gentil.

Un aboiement résonna. Judith sursauta et un sourire illumina son visage.

— Tu as un chien ? Qu'est-ce qu'il est beau. Il s'appelle comment ?

— Laïka, c'est une chienne.

— Bonjour, Laïka.

La chienne aboya comme pour lui répondre.

— La salle de bains est à l'étage, dit Nimrod, mal à l'aise.

Judith suivit son hôte qui n'en revenait pas. Comment osait-elle passer le voir comme si de rien n'était ? Il préféra ne rien ajouter et monta silencieusement les marches de l'escalier qui craquèrent à leur passage.

— C'est hyper grand, s'enthousiasma Judith en voyant le long corridor. Ça change de notre appartement en centre-ville.

— Pas faux. Tiens, c'est la porte de droite. Laisse tes affaires près du lavabo, je viendrai les chercher pour les mettre dans le sèche-linge.

Nimrod attendit d'entendre le jet de la douche pour rouvrir la porte et venir prendre les vêtements trempés. Judith tira le rideau de douche et, d'un air ingénu, lui demanda :

— Tu n'aurais pas du shampoing avec démêlant par hasard ?

Nimrod resta figé sur place. La voir ainsi, nue, le renvoya des années en arrière. Il avait tant aimé la caresser et se coller contre ses formes voluptueuses...

— Non, je n'ai que celui-là.

— Tant pis, merci.

Nimrod secoua la tête. Elle n'avait rien à faire ici. Il fallait qu'elle parte au plus vite.

Il redescendit et ouvrit la porte de la buanderie. Il fourra le tout dans le sèche-linge et le mit en marche avant d'aller dans le salon se servir un verre de bourbon.

Son portable sonna. Il fit la grimace mais le sortit de sa poche. Holly. Un grand sourire apparut sur ses lèvres.

— Salut beauté, comment ça se passe ?

Il crut reconnaître un morceau de Fleetwood Mac en fond sonore.

— Très bien, mais je te jure que ce sont tous des pochtrons à la police de White Forest.

Nimrod regarda son verre de bourbon et se garda d'en siroter une gorgée.

— Tu surveilles Tracy. Si elle est trop ivre, tu la fais dormir chez toi, OK ?

— Oui, ne t'inquiète pas, je lui ai déjà fait la leçon. D'ailleurs, il faut que je te parle d'un truc qu'elle m'a confié.

Holly n'était pas du genre à rapporter les confidences qu'on lui faisait, à moins que ce ne soit grave.

— Elle ne savait pas comment te le dire, mais elle a refusé que tu sois son coéquipier. Elle préfère rester avec Scott.

— Quoi ! s'étrangla Nimrod.

— Elle ne veut pas donner l'impression que tu es meilleur que lui. Elle pense que ça se passera très bien avec ton nouveau partenaire.

— Mais c'est n'importe quoi ! C'est elle qui a insisté pour que je revienne.

— Je sais, et elle le sait bien aussi, c'est pour ça qu'elle n'a pas le courage de t'appeler. Tu veux lui parler ?

— Non, mais elle ne perd rien pour attendre.

Comment osait-elle lui faire un coup aussi tordu ? Décidément, ce n'était pas sa journée.

— Tu sais, si tu veux dormir au saloon, il n'y a pas de problème, mais je vais finir tard. Il faut que tout soit nickel pour demain.

— Non, c'est bon, je reste au chalet cette nuit.

— OK, à demain.

Il raccrocha et but une large lampée de bourbon. Puis il lança sa playlist de Norah Jones. Enfin, il baissa la lumière et alla s'asseoir dans le fauteuil du salon, de style colonial. Il se faisait une joie de reformer le meilleur duo de flics que White Forest n'ait jamais connu. Rien ne tourne rond dans ce monde. Le bonheur n'est qu'illusoire. « Arrête », se dit-il en s'obligeant à faire le vide. Il ferma les yeux et se laissa bercer par la voix suave de la chanteuse new-yorkaise.

★

— Tu dors ?

Nimrod rouvrit les yeux et tomba nez à nez sur une paire de seins.

— Quoi ? fit-il en se redressant dans son fauteuil.

— Désolée de t'avoir réveillé. Je t'ai emprunté ce peignoir, dit Judith en reculant.

Le triangle du décolleté laissait apparaître beaucoup trop de chair.

— Tu vas attraper froid, je vais te donner une chemise.

— C'est bon, je n'ai pas froid.

— Ce n'est pas le problème.

Judith eut un sourire pincé, et resserra les pans de son peignoir.

— Ça va mieux comme ça ? Je ne savais pas que tu étais devenu aussi prude.

— Écoute, je ne sais pas pourquoi tu es venue, mais si c'est pour être désagréable, tu peux repartir tout de suite.

— Excuse-moi, mais ça me fait tellement bizarre de te revoir, et en même temps j'ai l'impression que c'était hier.

— Ça fait huit ans, rectifia-t-il d'un ton plus sec qu'il ne l'aurait voulu.

Le regard de Judith dévia vers la bouteille de bourbon.

— Je peux ?

— Explique-moi d'abord pourquoi tu es là et, après, je t'appelle un taxi.

Le sourire candide de Judith disparut pour laisser place à une moue boudeuse.

— Ne me dis pas que tu m'en veux. C'est toi qui m'as quittée. Ne l'oublie jamais.

— C'est ainsi que tu vois les choses ? s'étonna Nimrod.

Il n'avait vraiment pas envie d'une telle discussion. À quoi bon remuer les cendres du passé ?

— Oui, bien sûr, j'avais vingt-deux ans. Je n'avais connu que toi, j'ai fait une erreur, mais je n'ai jamais voulu te quitter. C'est toi qui m'as demandé de partir.

Sa voix se fissura.

— Tu m'as trompé alors que je te faisais confiance, se défendit Nimrod.

Il se revit ouvrir la porte de la chambre d'hôtel et découvrir Judith avec un autre homme. Il n'avait pu oublier cette image. Et même si elle l'avait supplié de la reprendre, Nimrod ne lui avait pas donné de seconde chance. Il était comme ça, en amour comme en amitié.

— Et alors ? Tu n'as jamais trompé personne ? Tu es un saint peut-être ! L'homme parfait qui n'a jamais péché ! déclama Judith d'un ton mélodramatique.

Des larmes coulèrent sur ses joues. Elle tourna les talons, quitta le salon et remonta à l'étage. Nimrod entendit une porte claquer. Il secoua la tête. Il aurait aimé lui répondre que non, il n'avait jamais trompé personne, mais il n'avait pas à se justifier. Il ne lui devait rien. Absolument rien. Il se leva et partit récupérer les vêtements de la jeune femme dans la buanderie. Après s'être servi un nouveau verre, il reprit place dans son fauteuil. Quelques minutes plus tard, il l'entendit redescendre dans le salon.

— Rhabille-toi, un taxi va arriver.

La jeune femme le foudroya du regard. Elle attrapa ses affaires et s'habilla dans le couloir. Nimrod aurait voulu lui confier tout ce qu'il avait sur le cœur, mais il ne devait pas entrer dans son jeu. Il la connaissait trop bien.

— Pauvre type ! lui lança-t-elle.

Le verre de bourbon partit dans un réflexe et rata d'un cheveu le visage de Judith avant de se briser en mille morceaux contre la cloison derrière elle.

— Va-t'en ! hurla-t-il en bondissant de son fauteuil.

Il vit pour la première fois la peur dans son regard. Tétanisée, Judith ne tarda pas à se ressaisir, fit demi-tour et sortit sans demander son reste. Nimrod se leva et alla ramasser les morceaux de verre. Il savait son accès de colère disproportionné, mais ce n'était vraiment pas le jour pour venir lui chercher querelle. Judith appartenait au passé, et il s'était juré de ne jamais regarder en arrière. Il se coupa avec un bris de verre et apprécia la douleur qui le détourna de ses lugubres pensées.

4

Lundi 25 août

UN SMARTPHONE SONNA. Tracy sortit un bras du lit et s'en empara pour arrêter l'alarme. 6 h 30. Elle alluma la lampe de chevet. Vernon grogna et se retourna. Un vrai ours ! Tracy se leva et se sentit défaillir. Une barre de fer lui vrillait les tempes. « Faut que tu arrêtes de boire, ce n'est plus de ton âge », se désola-t-elle.

Elle marcha comme un zombie vers la salle de bains et, dès qu'elle fut devant le miroir, elle eut envie de le briser. « Une vraie sorcière ! » Elle entreprit dès lors les grands travaux. Une douche, un shampoing, puis une vingtaine de minutes pour se coiffer et se maquiller. Deux traits de rouge à lèvres comme touche finale. Tracy bénissait les chimistes et fabricants de cosmétiques qui passaient leur vie à confectionner des produits qui transformaient des monstres en véritables princesses ! Elle se fit un clin d'œil dans la glace. À trente-six ans, elle ne s'en sortait pas si mal.

Dans un grincement de porte, le deuxième zombie de la famille fit son apparition.

— Bjour, marmonna Alyson, le regard totalement éteint.

— Bonjour, ma puce. Je te laisse la salle de bains.

— Mmm.

Si Tracy adorait son mari, c'était aussi et surtout parce qu'il lui avait donné les plus beaux enfants du monde.

Elle enfila une tenue plutôt sombre et retourna dans sa chambre. Vernon dormait encore. Elle s'approcha de lui pour le réveiller.

— Quoi ? Tu t'en vas ?

— Oui, n'oublie pas de conduire Ridley à l'anniversaire de Jordan.

— OK, je m'en charge, dit-il en se redressant dans le lit. C'est le grand jour aujourd'hui, c'est ça ?

— Tu parles de Nimrod ?

— Oui.

Tracy prit un petit air gêné.

— Non, c'est la semaine prochaine. J'espère que ça va bien se passer.

— Évidemment, pourquoi voudrais-tu que ça se passe mal ?

— Et s'il n'aimait pas son nouveau coéquipier ?

— Tu m'as dit qu'il était plutôt sympa.

— Oui, mais il est un peu bizarre. Je ne sais pas. Bref, on verra.

— Tout va bien se passer, ne t'en fais pas.

Tracy le trouva particulièrement craquant et lui déposa un baiser sur les lèvres.

— À ce soir.

Elle quitta leur chambre et remonta le couloir pour se diriger vers celle de Ridley. Leur petit garçon de huit ans dormait d'un sommeil paisible. Tracy était tellement soulagée qu'il ait cessé de faire ses cauchemars. Mme Preston, la psy qui le suivait, lui avait dit qu'il ne fallait pas crier victoire trop tôt, mais qu'ils étaient sur la bonne voie. Elle lui remonta sa couette et l'embrassa sur la joue.

— Fais de beaux rêves mon bébé.

Cinq minutes plus tard, elle sortait enfin de chez elle. L'orage de la veille avait cédé la place à un ciel bleu. La journée allait être ensoleillée. L'été dans le Sud de l'Alaska était loin de ce qu'elle avait imaginé en quittant New York quinze ans plus tôt. La nature resplendissait. Les collines étaient peuplées de magnifiques sapins et les journées étaient raisonnablement longues à cette période de l'année.

Tracy monta dans sa voiture garée sous le portique, un Cherokee tout-terrain. Elle recula, puis passa la première et longea une allée peuplée de pavillons identiques au sien. Bâtis en bois sur un étage et tous mitoyens par le jardin. Une banlieue typique, comme ce qui se faisait dans le reste de l'Amérique. Une uniformité qui lui convenait tout à fait. Elle sortit du quartier et rejoignit la voie rapide. À l'inverse de nombreux collègues divorcés ou sans enfant, elle avait préféré emménager dans le quartier de Mendenhall situé à dix kilomètres de White Forest et de ses nuées de touristes. Personne pour venir gâcher leur cadre de vie si paisible. Elle longea le canal de Gastineau avec vue sur Douglas Island, puis atteignit les faubourgs de la ville. La circulation était plutôt calme. Elle passa devant l'enfilade de boutiques destinées aux touristes, emprunta Goldbelt Street, puis tourna sur Capitol Avenue et se retrouva devant le commissariat. Peu de voitures. Combien de collègues allaient poser leur journée pour se remettre des festivités de la veille ? Tracy sourit. Il n'y avait pas à dire, les femmes étaient tout de même bien plus résistantes que les hommes. Elle passa le porche et s'arrêta devant l'agent d'accueil.

— Salut, Sammy. Tout va bien ?

L'homme haussa les épaules.

— On a arrêté des connards d'écolos qui étaient en train de peindre des slogans sur des bâtiments publics. Font vraiment chier !

— Ils sont en cellule ?

— Oui, mais avec leur putain d'avocat, on va devoir les libérer dans la journée, râla Sammy. Je comprendrai jamais comment ces types, qui n'ont jamais travaillé, peuvent avoir autant de pognon !

Tracy ne répondit pas. Contrairement à ses collègues, elle n'avait pas d'avis tranché sur la question. Tout le monde détestait les militants issus des mouvements altermondialistes ou écologistes qui s'étaient donné rendez-vous à White Forest pour protester contre l'afflux inconsidéré de touristes venus assister aux aurores boréales du siècle. Sur le fond, Tracy n'était pas forcément en désaccord avec eux. Interpellée par le film d'Al Gore, elle avait pris conscience du risque écologique qui menaçait la planète ; néanmoins, elle croyait fermement qu'aucune forme de violence ne pouvait résoudre les problèmes. D'autant plus qu'elle était certaine que la plupart des jeunes gens qui venaient d'arriver en ville étaient surtout des fêtards et des anarchistes plutôt que de vrais militants. Jusqu'à présent, les manifestations étaient toujours bien encadrées, et aucun heurt ne les avait émaillées.

Elle avança dans le commissariat et traversa l'*open space* en saluant les rares collègues présents, puis entra dans les bureaux privés de la police. Un long couloir desservant des bureaux séparés par des cloisons en verre. Parvenue devant le sien, elle poussa la porte. Elle accrocha sa veste au portemanteau et se rendit dans la salle de pause.

— Toujours aussi matinale, fit une voix dans son dos.

— Bonjour shérif, dit Tracy en se retournant.

— Je vois que tu as bonne mine. Tout s'est bien passé hier soir ?

Trevor Reynolds était un shérif à l'ancienne, paternaliste et charmeur.

— Oui, on sait se tenir. On représente la loi et l'ordre, répondit-elle.

Trevor sourit et mit une pièce dans la machine à café.

— Tu es sûre de ton choix ? demanda-t-il.

— Un expresso.

— Mais non, Nimrod, s'en amusa le shérif qui appuya sur ledit bouton. Il est encore temps de changer d'avis. Je peux toujours dire à Scott de faire équipe avec le nouveau.

Choix cornélien. Ce n'était pas le moment de semer le doute dans son esprit. Elle avait mille fois pesé le pour et le contre et espérait avoir pris la bonne décision.

— Non, c'est mieux pour tout le monde.

Le café de Tracy était prêt. Elle prit sa tasse, tandis que Trevor remettait une pièce dans la machine.

— Je ne sais pas. Tu es celle qui le connaît le mieux et qui est la plus à même de le gérer.

Tout le monde était au courant des petits travers de Nimrod. Un homme qui pensait que prendre certaines libertés avec la loi n'était pas forcément grave si le but était noble.

— Il a changé, il a compris la leçon.

Nimrod avait été poussé à la démission après avoir tabassé un homme accusé d'inceste. L'avocat de ce dernier avait réussi à l'innocenter.

— J'espère. Il n'aura pas droit à une seconde chance.

— Il en a bien conscience.

Elle but une gorgée de café et anticipa la demande de son supérieur.

— Vous voulez que je le surveille, c'est ça ?

— Non, mais je ne veux pas de vagues. Après ce qu'il s'est passé cet hiver, je veux que le calme règne sur White

Forest. Si jamais il fait mine de s'écarter du règlement, tu viens m'en parler tout de suite.

— Bien sûr, mais ne vous inquiétez pas, je suis persuadée que tout va bien se passer.

— Bon, on se voit tout à l'heure pour le briefing.

Trevor quitta la salle de pause et Tracy retourna dans son bureau. Elle s'assit et termina son café en contemplant par la fenêtre les montagnes verdoyantes. Une bien belle matinée.

— Salut.

Scott posa ses affaires et s'assit sur le coin du bureau de Tracy.

— Alors hier soir, raconte-moi.

— Rien de spécial. Tu n'as rien raté.

— Oui, à part Harvey qui a été retrouvé dans le caniveau par une équipe de nuit, et Stanley qui a envoyé sa voiture dans le décor.

Boire ou conduire, quand on avait un insigne, le choix ne se posait pas.

— Rien de cassé ?

— Non, a priori il roulait comme un escargot. Il s'est simplement endormi et sa voiture est tombée dans un fossé.

Tracy eut un petit rire. Scott se racla la gorge et lui envoya un regard amical.

— Bon, je sais que tu ne veux plus qu'on en parle, mais c'est le moment ou jamais : est-ce que tu es vraiment certaine que tu ne veux pas retravailler avec Nimrod ?

Tracy leva les yeux au ciel. À croire que tout le monde s'était donné le mot !

— Oui, oui, et oui ! Nimrod n'est pas le problème, c'est juste qu'on fait du bon boulot tous les deux, et qu'il n'y a aucune raison que je me sépare de toi. C'est tout.

Scott apprécia la remarque. Cela faisait deux ans et demi qu'il avait quitté Anchorage pour rejoindre la police de White Forest. Autant de temps à être le partenaire de Tracy. Il l'avait tout de suite appréciée, et aurait détesté devoir se séparer d'elle.

— Merci.

Et, comme s'il avait attendu la fin de cet entretien, le téléphone fixe sonna.

— Oui ? dit Tracy en décrochant.

Scott alla à la fenêtre et sortit son paquet de cigarettes.

— Quoi ! Où ça ? s'inquiéta Tracy. OK, on arrive tout de suite. On a un cadavre, expliqua-t-elle en se levant. Tu conduis.

Scott s'empara des clés de la Ford Taurus de fonction et suivit sa partenaire.

5

NIMROD OUVRIT LES FENÊTRES ET LES VOLETS. Le soleil était en train de passer au-dessus des montagnes. Un vent chaud et sec entra dans la chambre. Il respira à pleins poumon, appréciant ce moment de pur bonheur. Pas un jour sans qu'il se réjouisse d'avoir acheté ce chalet et sa vue incroyable.

Un aboiement se fit entendre. Sortant des fourrés, Laïka vint poser l'arrière-train en bas de sa fenêtre. Sauvage, la chienne refusait de dormir à l'intérieur de la maison. Nimrod lui avait construit une niche, mais il n'était pas certain qu'elle y dormît tous les soirs. Il descendit en caleçon au rez-de-chaussée et lui ouvrit la porte. La chienne frétilla de la queue quand elle le vit remplir sa gamelle.

Un quart d'heure plus tard, Nimrod était prêt. Il attrapa sa montre. 8 h 43. C'était parti pour sa dernière semaine en tant que détective privé, ou presque. Nimrod n'avait aucunement l'intention de prendre de nouvelles affaires. Il comptait seulement terminer celles en cours – quelques filatures pour une suspicion d'adultère – et mettre ses dossiers en ordre. Il enfila une veste légère, puis sortit de chez lui.

Dans un bruit pétaradant, son side-car prit la longue route longeant le canal de Gastineau jusqu'au pont qui reliait l'île au continent. Nimrod entra dans le centre-ville de White Forest.

Les premiers touristes étaient de sortie. Avec ce que les journaux annonçaient comme les « aurores boréales du siècle », toutes les grandes compagnies maritimes avaient affrété leurs plus grands navires de croisière pour permettre à des dizaines de milliers de touristes d'assister au plus grandiose des spectacles. En temps normal, il y avait déjà trop de visiteurs au goût de Nimrod ; et avec cet afflux massif de nouveaux curieux, la ville grouillait bien plus qu'à son habitude. Le bon côté des choses était que les commerçants n'avaient jamais été aussi heureux. Holly ne savait plus où donner de la tête et ne cessait de râler contre les écologistes et autres altermondialistes qui avaient tout fait pour dissuader les gens de venir en Alaska.

« Ça se voit qu'ils n'ont pas besoin d'argent pour travailler ! » lui avait-elle dit quand il avait pris la défense des manifestants qui avaient perturbé le bon déroulement des festivités. Plus que deux jours avant la plus belle soirée, du moins si l'on en croyait les scientifiques qui analysaient les éruptions solaires. Sur ces pensées, il arriva sur Franklin Street et se gara devant le numéro 354. Son bureau était situé dans un petit bâtiment de trois étages.

« Le soleil commence à chauffer. Une belle journée d'été en Alaska », se réjouit-il.

Il entra dans le vestibule, prit l'ascenseur jusqu'au dernier étage. À peine avait-il posé un pied dans le couloir que son regard capta une silhouette devant sa porte. Judith. Il avait tout fait pour l'oublier, mais en vain. Pourquoi fallait-il qu'elle le suive jusqu'ici ? N'avait-elle aucun amour-propre ?

— Bonjour, Nimrod.

— Qu'est-ce que tu veux encore ?

La jeune femme baissa les yeux.

— Je voulais m'excuser pour hier soir.

Il soupira et décida de lui donner une dernière chance.

— OK, tu es pardonnée, si c'est ça que tu veux.

— Je n'aurais pas dû te traiter de pauvre type. Mais j'étais tellement dépitée.

Pas la peine de le lui rappeler. C'était tout Judith, une maladresse qui en devenait touchante.

— C'est bon, je te dis que c'est oublié, n'en parlons plus.

Judith eut un petit sourire. Le même qui l'avait fait craquer treize ans plus tôt. Il avait vingt-quatre ans et avait compris ce jour-là ce que signifiait l'expression « coup de foudre ».

— Ça veut dire que tu es prêt à m'aider ?

Que répondre à cela ?

— Je ne suis pas certain d'être le bon choix. Je ne suis plus détective…

— Et ça ? demanda Judith en désignant la plaque sur la porte.

— Justement, c'est le passé. Je retourne dans la police.

— C'est vrai ? J'en suis ravie pour toi, j'avais suivi ton licenciement. J'ai failli te recontacter pour te soutenir.

Les portes de l'ascenseur se rouvrirent, libérant d'autres résidents. Nimrod préféra ne pas s'attarder dans le couloir.

— Bon, je veux bien t'écouter, mais je ne te promets rien, lâcha-t-il en ouvrant la porte.

Elle passa devant lui et entra dans l'agence. Une baie vitrée donnait sur la rue et sur les montagnes en arrière-plan. Nimrod posa sa veste et s'assit directement à son bureau. Judith prit place sur le fauteuil situé face à lui.

— Je suis tout ouïe.

— En fait, c'est tout simple, on a kidnappé mon enfant et je veux le récupérer.

— Qu'est-ce que tu racontes ? Tu n'as pas l'air d'être paniquée.

— Non, mais il n'y a rien de grave. En fait, il est avec son père, précisa-t-elle. On a la garde partagée, et il ne me l'a pas ramené.

Nimrod préférait ça. Les enfants étaient sa corde sensible. Un des rares motifs qui pouvait lui faire perdre le contrôle.

— Excuse-moi mais je ne vais pas pouvoir t'aider, tu dois aller voir un juge.

— Tu penses bien que je l'ai fait, et j'ai gagné. Mon ex a reçu une injonction pour me le rendre, mais il ne veut pas s'y soumettre.

— Il est obligé, non ?

— Non, il a fait appel. Il a monté un dossier contre moi, prétextant que je suis une mauvaise mère.

La phrase dite sur un ton badin le toucha profondément.

— Ne fais pas cette tête, tu te doutes bien que je ne pourrais jamais faire de mal à Adam.

— Et sur quelles bases ton mari peut-il avoir monté un dossier ?

Judith soupira.

— Paul est quelqu'un de très important à Fairbanks.

— Paul Gibson ? Tu veux dire que tu t'es finalement mariée avec lui ?

— Oui. Tu as l'air étonné. Je ne suis pas une fille volage. Tu ne voulais plus de moi, alors je suis restée avec lui.

Aussi stupide que soit cette pensée, il se surprit à regretter de l'avoir quittée. Elle était donc restée avec l'homme avec lequel elle l'avait trompé. Une seule erreur dans sa vie. Tout le monde avait droit à l'erreur, non ? Il aurait pu lui pardonner. Il aurait eu une autre vie. Meilleure ? Il repensa à Holly et s'en voulut aussitôt.

— Tu vivais à Fairbanks depuis tout ce temps ?

Située à plus de mille kilomètres au nord de White Forest, la ville était en plein milieu de l'Alaska, dans une immense plaine qui se transformait en désert de neige la majeure partie de l'année. Fairbanks était la seule grande agglomération avant l'océan Arctique.

« Le bout du monde civilisé », avait toujours pensé Nimrod.

— Non, en fait, on s'est installés à Los Angeles, mais je n'ai pas supporté. Alors on a changé de côte et emménagé à New York. J'ai adoré, mais tu sais ce qu'on dit, d'une façon ou d'une autre l'Alaska vous rappelle toujours à lui.

Quand ils s'étaient séparés, elle lui avait martelé qu'elle partirait vivre une vie meilleure au soleil.

— Je ne crois pas aux dictons.

— Tu devrais. Paul a eu une belle proposition. Du genre qu'on ne peut pas refuser, et nous avons quitté la Grosse Pomme pour nous installer à Fairbanks. Nous avons nagé dans le bonheur pendant des années. Je suis tombée enceinte d'Adam et nous l'avons aimé comme aucun petit garçon n'a reçu d'amour en ce monde.

Nimrod sentit un pincement au cœur. Il aurait pu être ce père. Il voulait un enfant. Si seulement Holly était d'accord.

— Tout était parfait, mais les choses ont dégénéré.

— Que s'est-il passé ?

— Au fil des années, Paul est devenu distant. On avait tout pour être heureux : un petit garçon, de l'argent. Paul travaillait dans l'import-export. Je n'y connais rien, mais je sais qu'il était très demandé. Nous ne manquions de rien.

— L'argent fait le bonheur, lâche Nimrod dubitatif.

— Ce n'est pas qu'une question d'argent. Tu sais, Fairbanks est une ville incroyable. Tu n'imagines pas tout ce qu'on peut y faire.

— Non, c'est clair.

Pour rien au monde, il n'irait dans ce coin. Il avait besoin de voir l'océan tous les jours.

— Bref, si j'étais épanouie, Paul ne l'était pas. Je crois que son travail l'a rendu fou. Trop de pression. Plus ça allait, moins il restait à la maison. Il partait des jours entiers, voire des semaines. Je lui répétais pourtant que l'argent n'était pas important, que nous pouvions vivre de rien, mais il ne voulait pas s'arrêter.

— L'argent plus fort que l'amour…

— Oui, en plus je suis presque sûre qu'il me trompait sur la fin, même s'il ne l'a jamais avoué.

— Vous avez divorcé ?

— Non sans mal. Il a tout fait pour m'en dissuader, me promettant de me ruiner, m'assurant que je ne reverrais plus jamais mon fils.

La voix de Judith se mit à trembler. Elle ferma les yeux et poursuivit :

— J'ai commencé à avoir peur de lui, mais j'ai tenu bon. Et un jour j'ai demandé le divorce.

— Tu as eu beaucoup de courage.

— Des amies et des associations de femmes battues m'ont aidée.

— Il te battait ? s'étrangla Nimrod.

— Non, mais c'était tout comme, c'était du harcèlement moral. Il me parlait mal, et m'insultait, répondit Judith avant de reprendre d'un ton plus bas : Nous avons eu la garde partagée le mois dernier. Mais dès que ça a été son tour, il n'a pas voulu me rendre Adam.

Quoi qu'il pensât de Judith, Nimrod savait qu'il ne pouvait plus reculer, la vie d'un jeune garçon était en jeu.

— Parle-moi du dossier que ton ex-mari est en train de constituer sur toi.

— Je n'ai rien à me reprocher. J'ai toujours aimé mon fils. Je ne suis pas une mauvaise mère !

— Si je découvre que tu m'as menti, c'est ton fils qui risque d'en payer le prix.

— Je te jure que je te dis la vérité. Jamais je n'aurais touché à un cheveu de mon fils, jamais !

Les larmes si longtemps retenues se mirent à couler de ses yeux déjà rougis.

— D'accord, je suis prêt à t'aider, capitula-t-il.

— Merci, murmura-t-elle en se reprenant. Excuse-moi de te poser la question, mais combien ça va coûter ? Tu sais, je te paierai mais...

— Laisse tomber. J'en fais une affaire personnelle. Je vais retrouver ton fils, conclut-il en trouvant là une bonne façon de mettre un terme à sa carrière de détective privé.

6

— C'EST ENCORE LOIN ? demanda Tracy.

Avec toute la pluie tombée la veille, le sentier était très boueux. La lieutenante regretta de ne pas avoir pris ses bottes.

— Non, mais je vous avais bien dit de rester en arrière, ronchonna Al Siegfried.

L'homme était un vieux chasseur qui vivait dans la forêt montagneuse au-dessus de White Forest. Divorcé, il habitait seul dans une maison délabrée et isolée.

— Tu aurais dû écouter le monsieur, dit Scott qui fermait la marche.

Cela faisait vingt minutes qu'ils parcouraient un sentier à la pente plutôt raide, bordé de sapins. Un paysage bucolique en temps normal.

— Tais-toi, lança Tracy.

À chaque pas, elle sentait la boue se faufiler entre ses orteils. Le vieil homme se mit à siffloter. Tracy était à deux doigts de l'étrangler. Après tout, il les avait appelés pour signaler un cadavre, et jusqu'à présent, pas la moindre trace de corps.

— Ça va ? s'enquit Scott d'un ton plus sérieux.

— Oui, je fais des projets d'avenir.

— Stop ! hurla Al.

Tracy sursauta.

— C'est là, reprit le vieux chasseur en pointant son bâton de marche vers un fourré.

Scott passa devant et le petit sourire qu'il avait sur les lèvres disparut quand il distingua une masse informe à terre. L'odeur était pestilentielle. Des mouches voletaient autour. Il sortit un mouchoir de sa veste et le posa sur son nez. Un corps humain reposait près d'une souche d'arbre. Le cadavre était éventré, démembré et à moitié dévoré par les bêtes sauvages. Tracy s'avança et eut un haut-le-cœur.

— Putain ! souffla-t-elle entre ses dents.

— Je vous avais dit que c'était dégueulasse. Franchement, je trouve anormal qu'ils envoient des femmes pour récupérer un cadavre, râla Al en grattant sa longue barbe.

Avec sa salopette beige et ses airs de *redneck*, il avait le profil idéal du psychopathe forestier. Tracy regarda Scott et fut heureuse qu'il ait pensé à prendre son arme de service.

— Il ne devait pas être très comestible. Normalement, il ne reste rien, plaisanta Al.

— On vous a déjà dit que vous n'êtes pas drôle ?

— Oui, mon ex-femme. Je l'ai virée, cette salope. Mais si vous voulez, vous pouvez la remplacer.

Le vieil homme passa sa langue baveuse sur ses lèvres. Tracy ne savait pas ce qui la dégoûtait le plus, du cadavre ou du sourire édenté et salace de leur guide.

— C'est un meurtre, affirma Scott en se tournant vers eux.

— Qu'est-ce que vous en savez, Sherlock ! se moqua l'homme. Moi, je dis que ce type s'est brisé la jambe et qu'il est mort de soif ou de faim en attendant des secours qui ne sont jamais venus. Ou alors il s'est fait attaquer par un ours.

Tracy se rapprocha du cadavre.

— Vous en connaissez beaucoup, des ours qui déshabillent leur proie ?

Même s'il était évident que des animaux avaient déchiqueté la victime, quelques lambeaux de vêtements auraient dû subsister autour. Mais à première vue, il n'y en avait pas la moindre trace.

— Allez savoir ! Les animaux sont loin d'être aussi stupides que vous semblez le croire. Vous savez, ça fait trente ans que je vis dans la forêt, j'ai vu des choses que vous ne pouvez même pas imaginer.

— N'en dites pas plus, dit Tracy en prenant son portable.

Le signal était faible, mais elle réussit à joindre l'hôpital. Elle demanda une équipe pour venir relever le corps.

— Pourquoi quelqu'un l'aurait foutu à poil, ce pauvre gars ? demanda Al, grimaçant à cause de l'odeur.

— Effacer des traces, répondit Scott.

— L'ADN, hein ?

— Oui.

— À mon époque, les flics, ils préféraient utiliser ça, ajouta-t-il en montrant son cerveau.

Scott ne releva pas la remarque et prit le temps d'observer les alentours. Ils se trouvaient sur le versant ouest de la montagne. À cet endroit, la densité de sapins était plus forte. On n'y voyait pas à plus de dix mètres. Un lieu idéal pour cacher un cadavre.

— Si vous cherchez les coupables, faut pas avoir fait de longues études pour comprendre qu'ils sont partis depuis longtemps !

— Écoutez, monsieur Siegfried, on vous remercie pour le signalement, mais on ne va plus avoir besoin de vous ici, intervint Tracy. En revanche, si vous pouviez retourner au point de départ du sentier et attendre nos collègues pour les guider, ce serait très aimable de votre part.

Al Siegfried la dévisagea d'un air vexé.

— Et pourquoi je ferais ça ? Il me semble que j'ai été plutôt bon citoyen. Et tout ce que je vois, c'est que vous en avez rien à foutre de mes réflexions.

— Je vous prie de nous excuser, dit Scott.

— Passons, mais franchement la prochaine fois, je fermerai ma gueule et je le laisserai aux charognards, grommela Al en désignant le cadavre.

Tracy comprit que l'homme n'était pas un mauvais bougre, juste un pauvre type qui vivait seul depuis des années et qui avait profité de cet incident pour qu'on s'intéresse à lui.

— OK, je suis sincèrement désolée, vous nous avez été d'une très grande aide, s'excusa-t-elle en lui tendant la main.

Al la serra d'un air renfrogné. Tracy se força à sourire et regarda le vieil homme rebrousser chemin jusqu'à la route.

Un hibou hulula. Les deux lieutenants le cherchèrent des yeux, sans succès.

— Bon, qu'est-ce que tu en penses ? demanda Scott en s'écartant du cadavre.

— Aucune idée. Crime crapuleux, règlement de comptes ? Va savoir…

Un craquement d'allumette plus tard, Scott savourait une première cigarette.

— En tout cas, ce n'est pas un travail de professionnel. On n'aurait jamais dû retrouver ce corps.

— Sauf si c'était le but.

Scott examina la scène de crime. La terre avait été retournée.

— Non, il a été enterré, ou du moins ils ont essayé.

— Plusieurs personnes ? demanda Tracy.

Elle ne pouvait détacher son regard du corps ainsi exposé et atrocement mutilé.

Scott fit une moue dubitative.

— Tant qu'on n'aura pas son identité tout n'est que supputations.

— Tu as raison. Mais on n'est pas près de la trouver vu l'état de décomposition du corps.

Le visage de la victime était méconnaissable. Peau arrachée. Cartilage du nez broyé, de grands puits noirs à la place des yeux, crâne à moitié scalpé. Un vrai carnage.

— Allez, prête pour la recherche d'indices ?

— Ouais, lâcha Tracy en sortant plusieurs petits sachets en plastique de sa poche.

7

NIMROD S'ARRÊTA À UN FEU ROUGE et se tourna vers Judith.

— Ça va ?

— Oui, ça fait une drôle d'impression, mais pas désagréable, répondit Judith assise dans le side-car.

— On est presque arrivés.

Quand il lui avait demandé davantage de renseignements sur son ex-mari, elle lui avait proposé de venir à son hôtel où elle avait laissé son ordinateur avec tout ce qu'elle avait contre lui. Le feu repassa au vert et Nimrod tourna sur Glacier Avenue, avant de freiner derrière une file de voitures à l'arrêt.

— Qu'est-ce qui se passe ? demanda Judith, trop basse dans le side-car pour distinguer quelque chose.

Le détective se leva sur sa moto et comprit tout de suite le problème. Des manifestants avaient pris possession de la rue. Ils scandaient les slogans de leurs banderoles : « Liberté pour les combattants de la liberté ! » ou encore « Police corrompue, innocents en prison ».

— Des écologistes qui manifestent.

Avec les centaines d'activistes de tout bord et de tout horizon, c'était un miracle qu'il n'y ait toujours pas eu de débordements malheureux, avait-il pensé. Apparemment, les choses avaient l'air de s'aggraver. Il réussit à faire demi-tour et passa par les petites rues pour atteindre l'hôtel Westmark. Celui-ci était loin d'être le plus chic.

Judith récupéra sa clé à la réception et ils montèrent jusqu'à une petite chambre avec vue sur le mur en béton d'un immeuble voisin. Judith sortit son ordinateur et l'alluma. Quelques instants plus tard, elle ouvrait un dossier contenant des photos de famille.

— Tiens, regarde, c'est mon fils, Adam.

Nimrod se rapprocha et découvrit le visage du petit garçon. Cela provoqua en lui un sentiment ambivalent. Une joie primaire face au sourire d'un enfant et une certaine souffrance à l'idée de le savoir en danger.

— Il est mignon, commenta-t-il pour dire quelque chose de positif.

Judith sourit et fit défiler une série de photos. Toujours le même visage souriant à différents âges.

— La tour Eiffel ! s'exclama Nimrod.

Judith tenait son fils âgé de deux ans dans ses bras.

— Oui, à cette époque Paul était un mari formidable.

Elle ouvrit un autre fichier contenant des photos de Paul. Il avait le visage conquérant du businessman tiré à quatre épingles, un sourire narquois et l'air condescendant. Nimrod reconnut aussitôt Paul Gibson, l'homme qui lui avait volé Judith.

— Comment as-tu pu me tromper avec un type pareil !

— Arrête. Ce n'est pas un monstre. Je te jure qu'il était gentil, protesta-t-elle.

Elle fit défiler d'autres photos sur lesquelles on les voyait en couple ou en train de jouer avec leur enfant. Une pointe de jalousie titilla Nimrod. Ces photos formaient le portrait d'une famille modèle. Si seulement Holly voulait bien accepter l'idée d'avoir un enfant !

— Peut-être pas un monstre, mais tu ne parviendras jamais à me le rendre sympathique.

— Je ne t'en demande pas tant. De toute façon, à présent je le déteste, mais je n'oublie pas qu'il a été un type bien.

Faire la part des choses. Jamais évident dans les relations personnelles. L'aveuglement prenait souvent le dessus et masquait tous les moments de bonheur qu'il avait pu y avoir avant les affrontements. Judith ne méritait pas d'être détestée. Elle avait refait sa vie et il ne pouvait plus lui en vouloir. Elle avait raison. Ne pas oublier le bon côté de ceux que nous avons aimés.

— Attends, qu'est-ce que c'est que ça ? s'étonna Nimrod, alors que Judith était vite passée sur une photo.

— Rien.

— Si, retourne en arrière, montre-moi.

Judith rougit. De mauvaise grâce, elle afficha la photo. On y voyait Paul et Judith vêtus d'une étrange tenue. Une cérémonie religieuse ? Mais de quel genre ?

— C'est quoi, ça ?

— Rien. Une bêtise. Un truc de Paul, lâcha-t-elle encore plus embarrassée.

— Ne me dis pas que vous êtes tombés dans une secte ! Tout, mais pas ça !

Nimrod était intransigeant sur le sujet. Il n'avait pas de mots pour qualifier ceux qui profitaient de la faiblesse psychologique de personnes en difficulté afin de leur soutirer le maximum d'argent contre une promesse de vie meilleure dans l'au-delà.

— Je sais que tu détestes, mais je te jure que ce n'est pas moi. C'est Paul qui a voulu essayer.

— C'est une secte, n'est-ce pas ?

Judith hocha la tête.

— Ils s'appellent comment ?

— « La Vérité première ». Mais je t'assure que ce n'est rien. Regarde, insista Judith qui faisait défiler à nouveau les photos.

Nimrod lui saisit le bras.

— Paul fait-il encore partie de cette secte ?

— Non, on n'y est pas restés.

Judith avait toujours été naïve et manipulable. Nimrod avait espéré qu'elle changerait. Comment pouvait-elle ne pas voir que son homme l'avait trahie pour la pire des raisons ?

— Toi, tu as peut-être quitté cette secte, mais pas lui. Judith, parle-moi d'eux.

— Non, s'il te plaît, tu te trompes. Il a tout arrêté.

Nimrod lui prit l'ordinateur des mains et le posa sur ses genoux. Il entra « Secte de la Vérité première » dans le moteur de recherche. Des dizaines de résultats apparurent. Il cliqua sur la première proposition et tomba sur le visage d'un homme barbu au regard d'illuminé, typique de ce genre de gourou.

— Charles Manson, ironisa-t-il.

— Elie Jacobson, rectifia Judith. Il a fondé sa secte il y a près de trente ans.

Nimrod fit défiler les informations sur l'écran. Plus de quarante mille fidèles. L'homme aurait amassé une fortune de plusieurs millions de dollars. Provenant des dons des fidèles, selon lui. Des journalistes d'investigation avaient révélé des liens étroits avec certains milieux affairistes, et des pratiques louches dans des marchés publics. L'homme avait de nombreux appuis en Alaska. Plusieurs maires le soutenaient. Certains prétendaient même que le gouverneur en faisait partie. Nimrod n'en revenait pas. Il n'avait encore jamais entendu parler de cette secte et était stupéfait par ses nombreuses ramifications.

— Comment font-ils pour être aussi discrets ? s'interrogea-t-il.

— Aucun prosélytisme, répondit Judith. Uniquement de la cooptation. Les membres sont recrutés par des « Justes », ceux qui méritent d'être sauvés.

Nimrod eut une pensée pour les vrais « Justes » et eut envie de vomir devant ce travestissement des mots.

— N'utilise pas leur vocabulaire, s'il te plaît.

Judith baissa les yeux.

Nimrod continua ses recherches et découvrit leur mission : l'avènement du Fils de l'homme. L'Élu qui les sauverait de ce monde corrompu. Un être parfait. Un saint parmi les barbares et les pécheurs qui peuplent l'humanité.

— Un sauveur. Comme si Jésus allait revenir !

— Jésus n'était pas le Fils de l'homme, le reprit Judith en ajoutant : C'est ce qu'ils disent. Le vrai sauveur va arriver, peut-être est-il déjà parmi nous.

— Si Jésus revenait de nos jours, on le foutrait en prison avec tous les manifestants écolos, répliqua Nimrod en pensant à ces types à l'allure baba cool qui peuplaient les rues de White Forest.

« Le monde arrive à sa fin », lut-il. « Tout recommencer à zéro ». Un frisson le parcourut.

— Tes types, ce sont des apocalyptiques ?

De nombreux groupuscules sectaires finissaient souvent dans un bain de sang. « Suicide collectif » disait-on, en omettant de préciser que la plupart des membres étaient abattus de sang-froid par les plus fanatiques d'entre eux.

Est-il vraisemblable que des enfants se tirent une balle dans la tête pour rejoindre Proxima du Centaure !

— Non, bien sûr que non. Ils sont amour, nous assuraient-ils.

— Bien sûr ! ironisa Nimrod qui en avait assez lu. OK, je crois que la première chose à faire est de parler à ton mari. Avec un peu de chance, on pourra le ramener à la raison. Il n'a rien à gagner à faire obstruction à une décision de justice.

— Je voudrais bien, mais je n'ai aucune idée de l'endroit où il se trouve. Il a quitté Fairbanks sans laisser de traces. C'est pour cela que je suis venue te voir. Tu es le meilleur, et je sais que tu ne t'embarrasses pas des lois, que tu peux utiliser des méthodes radicales.

— Qu'est-ce que tu racontes ?

— C'est bien toi qui as tabassé à mort ce père de famille incestueux ?

Nimrod fit la grimace. Ne jamais sous-estimer Judith.

— Je vois que tu as suivi ma carrière de près.

— Je ne te juge pas, bien au contraire, tu as eu raison. Quand justice n'est pas rendue, il est indispensable d'avoir des justiciers comme toi.

— Je ne suis pas un partisan de l'autojustice. Je n'aurais jamais dû le battre, et d'ailleurs il n'est pas mort.

— Handicapé à vie ! Bien fait pour sa gueule.

— Ne dis pas ça. Ça ne te ressemble pas.

— Oh que si c'est moi, mais c'est toi aussi. Regarde-moi droit dans les yeux et jure-moi que tu regrettes ce que tu as fait.

Nimrod ne put se détacher de son regard. Il se rappela soudain pourquoi il avait été raide dingue de cette fille. Une écorchée vive qui avait bataillé pour avoir une vie normale. Mais derrière la mère de famille se cacherait toujours la tigresse qu'elle était depuis son enfance, si proche de la sienne.

— Allez, jure, j'attends, reprit-elle, faisant semblant de s'impatienter.

— Je ne jure jamais. Tu le sais très bien.

— Comme c'est pratique ! Mais moi, je sais que si c'était à refaire, tu referais la même chose.

Nimrod n'essaya plus d'argumenter. À quoi bon mentir. Il avait adoré le rouer de coups et, sans l'intervention de Tracy, l'homme serait mort plutôt que paralysé dans un fauteuil roulant.

— Écoute, je vais tout mettre en œuvre pour retrouver ton fils. Pour commencer, il va falloir que tu me donnes le maximum d'informations sur ton mari. L'adresse de ses employeurs, celle de ses amis les plus proches, et bien sûr celle de sa famille.

— Pas de problème, j'ai tout ce qu'il te faut. En fait, je suis persuadée que ce sont ses grands-parents qui le cachent, mais ils refusent de me voir et de me répondre au téléphone.

— T'inquiète, je vais m'en occuper. Où habitent-ils ?

— Ici, à White Forest.

— D'accord, je m'en charge, je vais les contacter.

— Si c'est un flic qui les appelle, ils risquent de prendre peur. Tu ne préfères pas les surveiller, et entrer dans leur maison en cachette ?

Nimrod eut un petit rire. Avait-elle conscience de ce qu'elle lui demandait ?

— Écoute, on va commencer par une surveillance de leur maison et après on avisera. Ça te va ?

— C'est toi le professionnel. Pas de problème, concéda Judith en retrouvant le sourire.

8

Les portes du commissariat s'ouvrirent sous un magnifique soleil. Des applaudissements éclatèrent aussitôt de la foule amassée sur le parking. Acclamés par les leurs, quatre écologistes brandirent le poing en signe de victoire. Émergeant de la foule, Sam Dafoe, leur leader activiste de cinquante ans, en profita pour se mettre en avant. L'homme s'était imposé au fil des jours comme une bête médiatique. Les journalistes se précipitèrent sur lui et lui tendirent leurs micros. Dafoe commença à critiquer les forces de police de la ville et remercia les quatre jeunes gens qui se battaient pour sauver l'Alaska de la horde de touristes et des compagnies maritimes qui dégradaient l'écosystème de la région.

— Putain, je les supporte de moins en moins, râla le sergent Pliskane derrière les vitres du commissariat. Ils peuvent pas retourner chez eux et nous foutre la paix !

— Et dans deux jours ça va être encore pire, prédit l'agent Patricia Bolsom.

Comme bon nombre de policiers, Tracy et Scott observaient la scène des fenêtres de l'*open space*. Les avocats avaient argué d'un vice de forme dans la procédure d'interpellation pour faire sortir tous leurs clients.

— Pourquoi dans deux jours ? demanda Tracy.

— Mercredi, les aurores boréales seront vraiment impressionnantes, répondit Bolsom. Ils ont prévu une manifestation encore plus importante que celle de la semaine dernière.

Tracy se souvint que presque toute la ville avait été bloquée.

— Il n'y a plus qu'à prier pour que rien ne dégénère, murmura-t-elle.

Elle sentait ses collègues très à cran. Pourvu qu'aucun ne commette une bavure. Nombre de bateaux de croisière faisaient escale à White Forest avant de partir pour le Grand Nord. Si des affrontements avaient lieu, nul doute que les compagnies éviteraient la ville et ce serait autant de manque à gagner pour le commerce.

— Allez, on est attendus, grommela Scott.

Tracy le regarda et eut envie de lui suggérer d'y aller sans elle. Ils venaient tout juste de rentrer de déjeuner, et leur prochain rendez-vous n'était pas des plus recommandés après le repas.

— Tu ne veux pas y aller seul ?

— Je peux tout faire tout seul.

Elle soupira et, conscience professionnelle oblige, se décida à le suivre.

— Tu sais, tu n'es pas obligée de venir. Tu en as assez vu ce matin.

— Oui, mais si jamais tu tombes en syncope, il faut quelqu'un pour finir le boulot.

— Très drôle !

Tracy sourit et lui lança les clés de la Ford Taurus. Ils sortirent par une porte de service pour éviter la foule des manifestants et des journalistes. Douze minutes plus tard, ils se retrouvaient à l'intérieur du Balto Hospital, devant la double porte de la morgue.

— Prête ? demanda Scott.

— Toujours, répondit Tracy en poussant le battant.

Assis à une table, un homme en blouse blanche rédigeait un rapport.

— Bonjour Joseph, le salua Tracy en se bouchant le nez.

Le docteur Paltrow, qui officiait en tant que médecin légiste dans les affaires criminelles, se leva pour les accueillir. Soixante ans, un long visage encadré de cheveux grisonnants mi-longs et en bataille. Il avait plus l'air d'un savant fou que d'un praticien réputé, pensa Scott qui n'aimait pas trop sa désinvolture. Le docteur leur présenta un baume neutralisant d'odeurs.

— Tenez.

Scott et Tracy le remercièrent et s'en passèrent sous les narines.

— C'est un bien joli spécimen que vous m'avez rapporté là, commenta Joseph en s'avançant vers la table de dissection.

Le cadavre semblait encore moins humain que le tas de chair à moitié enseveli dans la forêt.

— Je ne vais pas vous apprendre grand-chose. Je suppose que vous avez compris que ce pauvre homme s'est fait dévorer par des animaux. C'est un miracle qu'il reste autant de chair.

— Un ours ? supputa Tracy.

— Non, plutôt des loups, des rongeurs et des insectes. Il y a des centaines de petites coupures de toutes tailles.

— Quelle est la cause du décès ? demanda Scott.

— Malheureusement, je ne suis pas certain de pouvoir vous répondre, mais je peux vous préciser de quoi il n'est pas mort, et encore…

— C'est-à-dire ?

— Aucun enfoncement crânien ou contusion ayant pu entraîner la mort. J'ai passé le corps au scanner, pas de métal. Donc pas de meurtre par balle, sauf si elle lui a traversé le corps, expliqua Joseph en se tournant vers Tracy.

— À l'heure où l'on parle, nos agents procèdent à l'examen des lieux. Ils passent le terrain au détecteur de métaux. Mais tu sais ce que c'est…

Joseph hocha la tête. Il n'y avait que dans les séries télévisées que les experts scientifiques retrouvaient une balle tirée dans une forêt.

— Quant à une strangulation, impossible de savoir, soupira le légiste qui montra la tête à moitié détachée du corps.

— Bref, on n'est pas plus avancés.

— Désolé, je fais ce que je peux. J'ai aussi effectué des prélèvements sanguins pour une analyse toxicologique. Peut-être a-t-il été empoisonné ailleurs et déposé ensuite dans la forêt. Je peux tout de même vous donner le jour de sa mort, continua Paltrow. Grâce au développement des œufs des insectes nécrophages, je suis en mesure de vous assurer que votre homme est mort il y a trois jours.

— Vous pensez pouvoir procéder à une reconstitution faciale ?

— Je suis doué, mais pas à ce point-là. Il faudrait voir avec la police scientifique. Je peux envoyer des clichés du crâne ou le crâne en entier à Anchorage.

— Oui, faites les deux, dit Tracy.

White Forest était bien trop petite pour avoir du matériel digne de ce nom.

— Et sous les ongles, pas de traces de peau ? demanda Scott.

— Non, rien de probant. Avec un cadavre dans cet état, je ne vois vraiment pas ce que je peux en tirer.

— Étudiez les os. Je connais une experte qui est capable de vous trouver un coupable avec une simple entaille sur un tibia, reprit le lieutenant.

— Vous lisez trop de romans policiers ! s'amusa Joseph.

La science était bien moins efficace dans les affaires de meurtres que ce que la plupart des gens s'imaginaient.

— Bref, vous ne pouvez pas nous aider.

— Je n'ai pas dit ça.

— Dites-moi alors que vous avez une bonne nouvelle, le supplia Tracy.

Prenant un petit air de conspirateur, Joseph alla vers une autre table et prit un plateau qu'il posa près du corps.

— C'est quoi, ça ? demanda-t-elle.

— Une carte au trésor.

— C'est de la peau…, réalisa Scott en observant un petit morceau épinglé sur une plaque de bois.

— Exact, je l'ai découpé au niveau des reins.

— Ça représente quoi ?

— Je n'en sais fichtre rien. Mais à moins de penser que cet homme a mené une vie monacale, il doit bien y avoir une femme qui reconnaîtra ce tatouage.

— Ou un homme, ajouta Tracy, soulagée d'avoir enfin un indice.

— Je suis sûr que j'ai déjà vu ça quelque part, murmura Scott fasciné par l'étrange dessin.

— Qu'est-ce que je vous disais, plaisanta Tracy.

— Quoi ? fit Scott avant de comprendre l'allusion. Je voulais dire le motif, ça me parle.

— Un truc tribal, genre maori ?

— Non, je ne sais pas. Ça ne me revient pas.

— Je vais le photographier. On va bien trouver quelqu'un qui connaîtra sa signification, intervint Joseph.

— Oui, je sais qui peut nous aider.

— Qui ça ? demanda Joseph.

— Melvin, bien sûr.

Scott fit la grimace. La dernière fois qu'il avait vu le petit génie de l'informatique, il avait juste eu envie de lui coller une droite.

— Si tu le dis…

9

— VEUX-TU UN AUTRE CAFÉ ? demanda Nimrod.

Assis dans les fourrés, à l'abri des immenses sapins qui bordaient Old Road, ils venaient de passer plus de quatre heures à espionner la villa des Gibson. Un flot de souvenirs affluait dans son esprit. Six mois plus tôt, il était en planque à moins d'une centaine de mètres de là pour surveiller la villa d'une prostituée dominatrice.

— Oui, je veux bien. Je ne sais pas comment tu fais pour tenir comme ça. Je n'aurais jamais ta patience.

— C'est clair, répondit Nimrod, amusé.

Rester assis à attendre sans que rien ne se passe, tel était le quotidien d'un détective. Certains disaient qu'il valait mieux avoir une vie intérieure très riche… ou proche du néant pour ne pas mourir d'ennui !

— Je suis contente que tu sois redevenu flic. Franchement, ce n'était pas un boulot pour toi.

Qu'est-ce que tu en sais ? se retint-il de lui répliquer. Mais il n'avait pas envie d'un nouvel affrontement. Honnêtement, elle faisait tout pour lui être agréable, et c'était très bien ainsi.

— Ça me plaisait bien.

Chaque détective avait ses petites manies pour faire passer le temps. Mots croisés, sudoku, jeux sur téléphone ou encore écouter de vieux crooners passés à la postérité.

— Tu écoutes toujours Sinatra ?

— Entre autres.

— C'est pour ça que je t'ai trompé, je peux te le dire à présent, je détestais.

Elle se rendit immédiatement compte de sa maladresse.

— Je ne voulais pas dire ça, c'est juste que..., fit-elle en devenant écarlate.

Autant la veille il l'aurait très mal pris, autant aujourd'hui, il encaissa la remarque sans réagir. Judith était la reine de la bévue, une fille nature et connue pour son franc-parler.

— C'est bon, il n'y a pas de problème.

— Non, mais je plaisantais, je ne déteste pas vraiment. D'ailleurs j'aimais bien le petit Black avec sa drôle de tronche et son pote alcoolique.

— Sammy Davis Jr. et Dean Martin, traduisit Nimrod offensé par un tel manque de respect envers ses idoles.

— Oui, c'est ça.

Quel homme pouvait demeurer insensible au charme de cette fille ? Nimrod pensa aussitôt à Holly et s'en voulut d'avoir ce genre d'idées. Mais on ne balayait pas d'un trait six années de vie commune, surtout quand c'était un premier grand amour. Il s'était imaginé avoir des enfants avec elle et finir ses jours à ses côtés...

Un bruit particulier les fit se retourner vers la route. L'immense portail qui protégeait la luxueuse villa coulissait lentement. Une berline s'apprêtait à sortir.

— Attends, reste ici, ordonna-t-il en jaillissant des fourrés.

Nimrod s'était garé moins de vingt mètres plus haut. Il courut et monta sur son side-car sans prendre le temps d'enfiler son casque. Il mit le moteur à fond pour rattraper au plus vite la voiture qui venait de sortir de chez les Gibson. Il n'avait pas eu le temps de voir le visage du conducteur. Il s'en voulait d'avoir cédé à Judith qui avait tenu à être de la partie pour cette première journée de surveillance. L'art de la filature se jouait souvent à quelques secondes. La surveillance de la maison ne leur avait rien appris. Il n'avait pas vu la moindre trace d'un enfant. Peut-être qu'ils le séquestraient au rez-de-chaussée ou, pire, dans une cave...

« Tout le monde n'est pas aussi dingue que toi, papa », songea Nimrod en chassant ces mauvaises idées pour se concentrer sur la conduite.

Les belles villas laissèrent place à une zone boisée et, après un virage serré, il aperçut enfin la berline devant lui. Un sourire fugace se posa sur ses lèvres. Un tracteur déboîta brusquement d'un chemin de terre et manqua de le renverser. Il sentit son cœur s'accélérer, puis continua la filature. Quand ils arrivèrent enfin dans les faubourgs, puis dans le centre-ville, Nimrod se tenait à bonne distance du véhicule. « Peut-être est-ce simplement un employé sorti faire des courses », se dit-il en réfrénant son excitation.

Suivre une proie, qu'elle soit humaine ou animale, faisait forcément monter l'adrénaline chez tout chasseur, et même s'il n'avait pas l'intention de tuer qui que ce soit, il aimait bien l'analogie entre son métier et la chasse. La berline dépassa le quartier commerçant et continua son chemin jusqu'à Little Austria. L'architecture était typique du Tyrol alpin des premiers colons venus d'Allemagne et d'Autriche. Nimrod gara son side-car sur le parking avant la zone piétonne.

Il vit une femme d'un certain âge descendre de la berline. Mme Gibson, l'identifia-t-il. Judith lui avait montré plusieurs portraits de la famille de son ex-mari. Élancée, raffinée, joli visage. Nimrod repensa aux photos de cette femme à l'époque où elle était mannequin. Plutôt bien conservée pour son âge.

Il entra dans Little Austria et emprunta une rue pavée. Ce quartier avait tout du piège à touristes, entre les magasins de jouets prétendument fabriqués à la main, les étals de gourmandises, mais aussi les souvenirs locaux ou encore les restaurants... tout ce qu'il fallait pour vider les poches des vacanciers. De la musique folklorique se déversait des enceintes fatiguées accrochées aux façades à colombages.

Nimrod ne lâchait pas des yeux Elaine Gibson. Elle avançait d'un pas décidé, sans se retourner. Le pas d'une femme pressée. « Où allait-elle ? Rendez-vous avec un amant ? Retrouver Adam caché quelque part dans la cave d'une maison de Little Austria ? » s'interrogea Nimrod sans trop y croire.

Il arriva près de la promenade surélevée qui longeait le canal de Gastineau. Les bateaux de croisière étaient parqués à proximité. Tous les restaurants avaient dressé leurs tables dans l'attente des premiers clients du soir.

Elaine Gibson se dirigea vers un bâtiment que Nimrod n'avait jamais remarqué. La façade en bois était de belle facture et tous les volets étaient grands ouverts. Elaine ouvrit sans difficulté la porte d'entrée en bois massif.

Nimrod s'arrêta près du garde-corps de la promenade et fit semblant de contempler les eaux du canal. Il sortit son Smartphone et chercha ce qu'il pouvait bien y avoir à cette adresse. Il ne trouva aucune correspondance. Il hésita, puis décida d'aller voir. Pas de plaque, seulement un interphone anonyme.

Son doigt le démangea. Que faire ? Appuyer pour demander qui habitait là ? Mais pourquoi ? lui répondrait-on. Était-ce un établissement privé ou bien un lieu de rassemblement pour une quelconque association ? Beaucoup d'épouses de la grande bourgeoisie prenaient plaisir à tuer le temps en venant en aide aux plus démunis. Mais il n'y avait aucune mention visible sur la façade. Non, un club, sans doute. Un lieu où des femmes se réunissaient pour refaire le monde ou... tromper leurs maris !

Nimrod renonça à sonner. Pas de précipitation. Il valait mieux être prudent. Il fit demi-tour et décida de se renseigner sur ce bâtiment avant de tenter quoi que ce soit. Si Adam y était enfermé, la moindre maladresse pourrait le mettre en danger. Nimrod eut ensuite une meilleure idée. Il appela une connaissance récente qui l'avait assuré de son aide si besoin était.

10

— J'AURAIS DÛ M'EN DOUTER ! ronchonna Scott.

Des véhicules de toutes sortes étaient garés n'importe comment sur le parking de la marina. De nombreux écologistes s'y étaient installés le temps de leur séjour à White Forest.

— Camping illégal. Tu veux qu'on les arrête ? proposa Tracy.

— Laisse tomber. Le shérif a répété qu'il ne voulait pas de vagues.

Ils sortirent de leur voiture sous les regards moqueurs des manifestants et se dirigèrent vers le dernier ponton, où se trouvait un yacht qui détonnait au milieu des autres bateaux. Le *Sailor Moon* se dressait, fier et imperturbable.

— J'espère qu'il est là, dit Scott.

— Oui, il vient de m'envoyer un SMS. Il nous attend.

Ils s'avancèrent sur le ponton et montèrent à bord de l'embarcation par l'arrière avant d'emprunter une petite échelle qui menait au pont inférieur. La vitre du salon était ouverte, laissant s'échapper de la musique métal qui leur écorchèrent les oreilles.

— Je n'aurais pas dû venir, grommela Scott.

Il détestait Melvin. Le jeune hacker bedonnant et libertaire d'à peine trente ans menait grand train sur son yacht. Il travaillait aussi bien pour des entreprises privées de dimensions modestes ou des multinationales que pour des associations, mais également pour le gouvernement, ce qui lui garantissait une sorte d'immunité.

— Je n'en reviens toujours pas qu'on ait légalisé cette merde, dit Scott alors qu'une forte odeur de cannabis lui agressait les narines.

— Il faut vivre avec son temps, se moqua Tracy qui en fumait à l'occasion.

Ils s'avancèrent et entrèrent dans le salon bondé où une foule bigarrée faisait la fête.

— Putain, c'est de la flicaille, ça ! s'étonna un type au regard halluciné.

— Charly, ne parle pas ainsi de mes invités, gronda une voix venant du fond du salon.

Un jeune homme barbu vêtu d'un short et d'un T-shirt à l'effigie de Pink Floyd se détacha du groupe et s'approcha des deux policiers.

— Salut Melvin, tu vas bien ? demanda Tracy.

— Toujours, dès que je te vois, répondit le hacker, qui se tourna vers Scott. Et voilà monsieur le grincheux. La dernière fois que vous êtes venu, vous avez fait peur à mes petites invitées. Je vous prierai de bien vous tenir, sinon la porte est là.

Scott était écœuré par les manières du jeune homme. Drogue, sexe avec des mineurs et rock'n'roll. Pas vraiment son style de vie.

— On peut te parler en privé ? intervint Tracy avant que Scott ne craque.

— Bien sûr, même la NSA ne pourrait pas décoder mes brouillages. Je préparerais une bombe que personne n'en saurait rien, s'en amusa Melvin.

— Très drôle, ironisa Scott.

Melvin regarda le lieutenant dans les yeux et se retourna vers Tracy.

— Il paraît que Nimrod réintègre la police. Vivement que tu refasses équipe avec lui.

— Allez, arrête de faire ton cinéma.

Melvin les invita dans les entrailles de son yacht. Ils traversèrent deux couloirs et une coursive avant d'entrer dans un petit bureau avec vue sur Douglas Island. Les cloisons étaient lambrissées en merisier et au centre trônait une table basse en verre entourée de quatre fauteuils club.

— Tu sais, si un jour tu veux tromper ton mari, j'ai une chambre à te prêter, proposa Melvin.

— Non merci ! Tu sais bien que je suis très vieux jeu.

— Un jour, tu verras, tu y viendras toi aussi. C'est comme ça. Toutes les femmes trompent leurs maris.

Scott ne put réprimer un petit rire. Enfin une parole sensée.

— Bon, on peut être sérieux un instant ?

Melvin s'assit et alluma un joint avec un plaisir non dissimulé.

— La dernière fois que vous êtes venus, je vous avais prédit qu'un jour on aurait le droit de fumer, se vanta-t-il à l'adresse de Scott. Allez, je vous écoute. C'est quoi le problème ?

Le lieutenant posa la chemise qu'il avait dans les mains sur la table basse et l'ouvrit en grand.

— Mais c'est quoi ça ?

Scott fit défiler les photos du cadavre sous tous les angles.

— Il ne reste plus rien. Qu'est-ce qu'il lui est arrivé ?

Melvin avait vraiment l'air dégoûté. Scott se détendit un peu. Il craignait que l'homme ne jubile à la vue d'un vrai cadavre.

— On l'a trouvé dans la forêt. Apparemment, ce sont les animaux qui lui ont arraché la peau.

— Et les yeux ?

— Des oiseaux.

Melvin eut un haut-le-cœur. Il tira sur son joint et regarda par le hublot. Un petit voilier prenait le large.

— Pourquoi vous me montrez ces photos ? Je vais les avoir gravées dans ma tête.

— Je suis désolée, s'excusa Tracy, mais j'ai besoin de toi pour que tu reconstitues le visage. Tu crois pouvoir le faire ?

Melvin regarda les clichés posés sur la table en se grattant la barbe.

— Oui, c'est jouable, mais ça risque de donner un portrait qui pourrait ressembler à dix pour cent de la population. La forme du nez, la couleur des yeux. Putain d'animaux, ils l'ont pas arrangé !

— On voudrait que tu compares ce visage au fichier des personnes disparues dans la région ou même dans l'État, voire tous les États.

— OK, c'est possible. Encore faut-il que votre type ait été déclaré disparu.

— Tu peux faire ça pour quand ? demanda Tracy.

Melvin fit la moue.

— Comme tu peux le voir, en ce moment j'ai pas mal d'occupations, mais parce que c'est toi, disons demain dans la journée.

— Matin ?

— N'exagère pas. Je suis fort, mais pas à ce point.

— Je croyais que c'était des logiciels qui faisaient tout le travail ? l'attaqua Scott qui ne supportait pas ses manières.

Melvin eut un petit rire moqueur.

— Vous n'y connaissez vraiment rien ! Ça ne marche pas comme ça. Une machine aura toujours besoin d'un être humain pour la contrôler, la programmer, vérifier ce qu'elle fait...

— Une dernière chose, le coupa Tracy.

Elle sortit une photo de l'intérieur de sa veste.

— Un tatouage ? C'était sur ce type ?

— En effet, aurais-tu une idée de ce que ça pourrait être ?

— Non, aucune idée, mais avec tous les énergumènes qui traînent sur mon yacht, je vais bien trouver quelqu'un qui le reconnaîtra.

— On préférerait que tu restes discret.

— C'est noté. Je connais des gens. Faites-moi confiance. Appelez-moi demain et je vous dirai tout ce que j'aurai découvert.

11

— Tu es sûr que c'est là ? demanda Judith.

— Tout à fait.

Nimrod avait récupéré la jeune femme devant la villa des Gibson. Ils venaient d'arriver dans une zone d'activité commerciale en bordure de ville. Les bâtiments en tôle abritaient des grossistes et des petites entreprises, mais aussi les locaux du *White Forest Weekly*. Les lieux avaient un aspect peu engageant.

— C'est vraiment la crise des médias !

Nimrod n'argumenta pas. Il descendit de son side-car et se dirigea vers l'entrée du journal. Il avait contacté son directeur pour un rendez-vous. L'homme avait tout de suite accepté.

— Tu crois vraiment qu'il pourra nous aider ? Et s'il était de mèche ?

— Tu vas arrêter, un peu. Je t'ai dit de me faire confiance.

Ils pénétrèrent dans le bâtiment. Des journalistes allaient et venaient de bureau en bureau, comme des abeilles dans une ruche. L'une d'entre eux les aperçut et vint à leur rencontre.

— Bonjour, je peux vous…, commença la journaliste, avant de le reconnaître. Nimrod Russell ?

— Lui-même. J'ai rendez-vous avec votre patron.

— Suivez-moi.

Le ton était un peu sec. Peut-être parce qu'il avait été celui qui avait apporté des mauvaises nouvelles au Noël précédent. Ils montèrent à l'étage et la journaliste les installa dans une petite salle de réunion.

— Pas très sympathique, s'étonna Judith. Tu es sûr que tu as des amis ici ?

— On ne peut pas plaire à tout le monde.

— Moi, je t'aime bien, lâcha-t-elle avec un petit sourire.

Nimrod soupira et se pencha sur la bibliothèque qui lui faisait face. Elle contenait une grande diversité d'ouvrages. Des romans, mais aussi des récits de voyages, ainsi que des livres d'art.

Il en prit un pour tuer le temps.

— C'est joli, c'est où ? demanda Judith qui s'était approchée pour regarder avec lui.

— Le Montana.

Des plaines à perte de vue avec les Rocheuses à l'arrière-plan. Chevaux au galop sous un ciel bleu limpide. Le Missouri et ses nombreux affluents. Un cow-boy regroupant son bétail. Des images clichés, mais toujours attrayantes.

— On dirait une vieille pub Marlboro, plaisanta Judith.

La porte se rouvrit et Nimrod referma le livre.

— Monsieur Russell, enchanté de vous revoir, dit Liam Mortimer.

La cinquantaine, petite barbe et regard profond.

— Bonsoir, je vous présente ma cliente, Judith Gibson.

— Enchanté, répéta-t-il avant de les inviter à s'asseoir devant le large bureau en chêne.

Nimrod prit place à côté de Judith, tandis que Liam leur faisait face.

— Bien. Racontez-moi tout. Vous m'avez expliqué au téléphone que vous cherchiez des renseignements au sujet d'une bâtisse située dans Little Austria, n'est-ce pas ?

— Oui, vous avez trouvé quelque chose ?

Il lui avait envoyé une photo par MMS.

— Oui, mais auparavant, je veux tout savoir.

— Vous promettez de ne rien dire ? demanda Judith.

L'homme eut un sourire paternaliste.

— Je suis journaliste depuis plus de trente ans. Si j'avais pour habitude de trahir mes sources, cela ferait bien longtemps que j'aurais été démasqué.

— Je t'ai dit que tu pouvais compter sur lui.

Nimrod se souvenait de l'aide qu'il lui avait apportée six mois plus tôt et il encouragea Judith à commencer son récit. Le visage de Liam Mortimer se fit de plus en plus sévère au fur et à mesure qu'elle racontait son histoire. Il se mit à tapoter son bureau et Nimrod sentit qu'il était mal à l'aise. S'était-il trompé sur lui ?

— ... et c'est pour ça que j'ai décidé de venir à White Forest. Les parents de Paul sont mon seul lien avec Adam.

— Je vois, fit le directeur en s'adossant à son fauteuil. Les Gibson sont une famille très importante dans notre petite ville. Ils ont beaucoup de relations et sont très généreux avec la police, mais aussi avec diverses associations...

— Cela signifie que vous n'allez pas nous aider ? l'interrompit Nimrod.

— Non, je n'ai pas dit ça. Mais je vais devoir prendre certaines précautions. Avec tout le respect que je vous dois, rien ne me prouve que vos déclarations soient avérées.

Judith lui jeta un regard méprisant.

— Viens, on s'en va !

— Allons, madame, ne le prenez pas ainsi. Je veux juste des gages.

— Des gages ? Comment ça, des gages ? s'emporta Judith qui resta debout. Allez, viens !

Toujours ce caractère de feu ! Elle pouvait passer de la douceur à la colère en un clin d'œil.

— Rassieds-toi, et écoute ce que M. Mortimer a à nous dire, s'il te plaît, fit Nimrod sur un ton adouci.

Judith rechigna, puis consentit à reprendre sa place.

— Votre histoire m'interpelle, mais je veux être très prudent. Si les Gibson ont réellement kidnappé votre enfant, je n'hésiterai pas à en faire la une de mon journal, là-dessus vous pouvez me croire, expliqua Liam. C'est pour cela que je veux que vous travailliez en collaboration avec un de mes journalistes.

— Vous rêvez !

— Judith ! s'interposa Nimrod. Plus un mot. OK ?

La jeune femme se retenait d'intervenir.

— Je n'y vois aucun inconvénient, mais à condition qu'il soit sous mes ordres, dit Nimrod. C'est moi qui dirige mon enquête et pas l'inverse.

— Si vous voulez, concéda Liam.

— Aucun coup fourré et vous ne sortez pas d'article tant que je ne vous en donne pas l'autorisation.

— Marché conclu.

Un large sourire apparut sur le visage de Liam Mortimer, qui reprit la parole :

— À mon tour de vous faire une révélation. Je n'ai pas eu à me renseigner sur le bâtiment que vous m'avez demandé d'identifier, car je le connais très bien.

Il laissa sa phrase en suspens, ce qui permit à Judith de reprendre la parole.

— Et alors, c'est quoi ?

— Un bâtiment religieux, il appartient à l'Église de la Vérité première et ça colle avec votre récit.

— Si vous le saviez, pourquoi avoir fait comme si j'étais une menteuse ?

— Parce que j'enquête justement dessus, et je craignais que vous ne prêchiez le faux pour savoir le vrai.

Nimrod fit la grimace.

— Vous auriez pu avoir confiance en moi. Je crois avoir prouvé que j'étais un homme de parole.

— Oui, mais je ne connais pas votre cliente, et je sais que, comme dans toute secte, ils s'introduisent par des biais détournés et recherchent les points faibles.

— Ils savent que vous enquêtez sur eux ? continua Judith.

— Je ne pense pas.

— Vous croyez qu'Adam puisse être en danger ? s'inquiéta Nimrod.

— Écoutez, je ne peux rien vous dire pour l'instant. Je vais en parler à mon journaliste infiltré dans leur organisation, et lui demander s'il accepte que vous travailliez avec lui.

— Je pensais qu'on était d'accord, que c'était mon affaire.

— Oui, pour l'enlèvement du fils de madame, mais pour le reste, c'est mon journaliste qui gère. Je crains que ces tordus aient bien plus de secrets qu'un simple enlèvement d'enfant.

— Vous exagérez, et surtout rien ne prouve qu'ils détiennent Adam. Paul n'appartient plus à ce mouvement religieux, précisa Judith.

— Tu peux dire secte, reprit Nimrod. Et, crois-moi, on n'en sort pas si facilement.

Judith baissa les yeux.

— Je crains de devoir vous donner raison. Les sectes adorent élever les enfants selon leurs préceptes, fit Liam.

Nimrod vit que Judith était touchée. Un vrai petit oiseau blessé. Tellement attendrissante.

— On va retrouver Adam, aie confiance en moi.

— Oui, ayez confiance en nous. Nous ne le laisserons pas être embrigadé, renchérit le journaliste.

— Merci, souffla Judith en relevant la tête.

— Appelez-moi, conclut Nimrod en priant pour qu'ils retrouvent rapidement le fils de Judith… et qu'elle sorte au plus vite de sa vie.

12

19 h 48. Tracy quitta White Forest pour retourner dans le quartier de Mendenhall. La journée lui avait paru interminable. Entre la découverte du corps au petit matin, le briefing avec le shérif, le passage à la morgue, puis chez Melvin, sans oublier le retour par la case commissariat pour rédiger un début de rapport, elle était sur les rotules. « Plus jamais je ne boirai », se promit-elle en pensant aux excès de la veille.

Au volant de son Cherokee, Tracy regardait le soleil se coucher sur Douglas Island. Elle monta le son de la radio. Pas un mot sur le cadavre aux informations locales. C'était la bonne nouvelle du jour. Les médias avaient préféré porter leur attention sur les manifestants et les déclarations à l'emporte-pièce du plus célèbre d'entre eux, Sam Dafoe.

À quelque chose malheur est bon, songea-t-elle. Tracy quitta la voie rapide et entra dans son quartier pavillonnaire. Certains de ses voisins étaient déjà en train de dîner dans leur jardin. Elle les salua de la main, mais ne s'arrêta pas quand Peter Minsk brandit fièrement une bière dans sa direction. L'ancien fonctionnaire de mairie était un homme affable et il arrivait fréquemment qu'elle prenne l'apéritif chez lui avec Vernon. Mais pas ce soir. Juste un petit repas et au lit.

Sa maison lui apparut enfin. Des lumières à l'étage et au rez-de-chaussée. À peine avait-elle mis un pied à l'intérieur que Ridley se rua sur elle, un dessin à la main.

— C'est pour toi. C'est moi qui l'ai fait ! s'écria-t-il en le lui tendant.

On voyait une femme en uniforme de police, un gros pistolet à la main, qui tirait sur un homme à terre.

Vernon sortit de la cuisine et vint à sa rencontre.

— Ça te plaît ? demanda Ridley en attendant le verdict.

— Oui, bien sûr, mais tu sais, mon chéri, je ne tue pas les gens. C'est comme ça que tu me vois ?

Vernon fit la grimace.

— Ben non, mais ça c'est un méchant, et les méchants on peut les tuer.

— Non, on les met en prison, mon amour. On ne les tue qu'en cas de légitime défense, et encore on doit tirer dans les jambes, si possible.

— Il te plaît pas, alors ? insista Ridley d'une petite voix.

— Bien sûr que si. Tu es un vrai artiste.

Elle prit son fils dans ses bras et lui donna un gros baiser sur la joue.

— Tu as mangé ?

— Oui, c'était super bon.

— Et Alyson ?

— Elle est partie chez Laura.

— Elle va dormir chez elle, compléta Vernon qui tenait toujours le dessin dans sa main.

— Bon, tu permets que maman dîne avec papa ?

— Oui, je vais te refaire un dessin où tu lui tires dans la jambe, lança Ridley plein d'enthousiasme.

Tracy ne sut quoi répondre, et préféra garder le silence. Vernon prit son épouse par les hanches et lui déposa un affectueux baiser sur la bouche.

— Rude journée ? demanda-t-il…

— Ne m'en parle pas. Je suis à plat. Tu nous as préparé quoi ?

— Une salade d'endives et des lasagnes.

— Maintenant je me rappelle pourquoi je t'ai épousé.

La cuisine italienne était son péché mignon. Si Tracy avait un prénom typiquement américain, ce n'était pas le cas de son nom de jeune fille, Tramoni. Son arrière-grand-père avait quitté la famine et la Sicile plus d'un siècle plus tôt. Et, de façon viscérale, Tracy se sentait liée pour toujours à ses racines.

Surveillant que Ridley ne puisse pas les entendre, Vernon interrogea sa femme à voix basse.

— Qu'est-ce que tu penses de ça ?

Il lui montra le dessin.

— Ce n'est qu'un dessin. Il n'y a pas de quoi fouetter un chat.

— Il n'a pas l'air de prendre conscience de ce qu'il dessine.

— Il n'a que huit ans. Laisse-le grandir, et de toute façon tu es responsable, il regarde trop la télé.

— T'es gonflée. C'est de ma faute maintenant.

— Arrête, ce n'est pas le moment, je suis épuisée. On le montrera à Mme Preston, et elle nous donnera son avis. D'accord ?

La psy de leur fils. Elle faisait un travail remarquable.

— Je suis désolé, mais j'étais tellement content que Ridley aille mieux. Je n'ai pas envie qu'il rechute.

— Il va mieux, tout va bien.

Durant de nombreux mois, il avait fait de terribles cauchemars, puis tout semblait être rentré dans l'ordre. Ils passèrent à table, et Vernon sortit une bouteille de chianti.

— Juste un verre, dit-elle en oubliant déjà sa promesse d'abstinence totale.

Tracy était consciente de la chance d'avoir un mari qui travaillait à la maison. Ils trinquèrent et savourèrent le délicieux breuvage.

— Alors, ta journée ? J'ai vu que vous aviez arrêté puis libéré des manifestants, demanda Vernon.

— Ne m'en parle pas. Vivement qu'ils s'en aillent.

— Ce n'est pas gagné. Les aurores boréales doivent durer encore tout le mois.

— Dans deux jours ce seront les plus belles, peut-être partiront-ils après, soupira Tracy.

— Je me disais, on pourrait nous aussi prendre un billet avec les enfants et monter sur un des bateaux de croisière pour quelques nuits. Déjà qu'ici c'est pas mal, tu imagines en pleine mer ?

— Pourquoi pas ? Bonne idée.

Vernon lui servit de la salade d'endives. Il pressentit que Tracy lui cachait quelque chose.

— Et sinon, pour Nimrod ?

— Quoi ?

— Tu devais lui annoncer que vous ne travailleriez plus ensemble, non ?

— Je me suis défilée. J'ai demandé à Holly de le faire. Depuis, plus de nouvelles.

Vernon fit la moue.

— Autre chose ?

— En fait, on a découvert un corps ce matin.

— Et tu ne m'en parles que maintenant ? Je suis ton mari, tu peux me faire confiance.

— Excuse-moi, désolée.

Vernon fit les gros yeux et demanda :

— C'est un meurtre ?

— Il y a des chances. On a retrouvé un corps nu dans la forêt. Le cadavre a été à moitié dévoré par les animaux.

— Vous avez une idée de qui, comment, pourquoi ?

— Non, on commence à peine, répondit-elle en se resservant un verre de chianti. Au fait, je peux te montrer un truc ? Mais je te préviens, c'est un tatouage sur la peau du mort.

— Si je peux être utile..., fit Vernon qui décida de surmonter son dégoût.

Tracy prit son Smartphone et lui montra la photo. Le visage de Vernon perdit toute couleur.

— Ça va ?

Vernon resta bouche bée.

— Alors ?

— Alors rien, balbutia-t-il.

Il repoussa le Smartphone.

— Je suis désolé, je n'aurais pas dû te le montrer. Excuse-moi. Je ne sais plus ce que je fais.

Quelle idiote ! Quel genre d'épouse montrait à son mari la peau découpée et écorchée d'un cadavre au milieu du repas ?

— Non, ça va, mais ça fait bizarre. On peut passer à autre chose ?

— Oui, dégustons les lasagnes ! dit-elle en désignant le four.

13

NIMROD SE GARA DEVANT L'ENTRÉE de l'hôtel Westmark. Judith descendit du side-car. La nuit allait tomber, les lampadaires de la rue s'allumèrent d'un coup.

— Bien, à demain, dit Nimrod.

— Je te remercie pour tout ce que tu as fait pour moi aujourd'hui. Tu n'étais vraiment pas obligé.

— Je ne le fais pas pour toi, mais pour ton fils.

Le visage de Judith se rembrunit, puis elle comprit qu'il plaisantait.

— Espèce d'idiot, le rabroua-t-elle.

Nimrod sourit. Il n'éprouvait plus aucune animosité envers elle. Le temps avait passé et après tout, il était le plus heureux des hommes au côté d'Holly.

— Bon, alors, à demain, répéta-t-il en reposant les mains sur le guidon.

— Oui, répondit Judith qui prit un air gêné. En fait, je me demandais si ça te dirait qu'on dîne ensemble ce soir. Je n'ai pas vraiment envie de passer toute la soirée seule dans une chambre d'hôtel.

— Je suis désolé, mais cela ne va pas être possible. J'ai rendez-vous.

— À cette heure-ci ? Je suis stupide, tu es en couple. Mais vous ne vivez pas ensemble, c'est ça ?

Il haussa les épaules.

— C'est ça.

— Elle est jalouse ?

— Très.

— Bon, alors je n'insiste pas.

Nimrod la regarda et sut qu'une fois de plus sa gentillesse le perdrait. Mais comment lutter contre sa nature profonde ?

— Écoute, je peux te proposer quelque chose. Mais que cela soit bien clair, c'est juste pour quelques jours. Le temps de retrouver ton fils. Si tu veux, je te laisse le chalet et je vais dormir chez mon amie. À une seule condition : que tu t'occupes de Laïka.

— Ce n'est pas une condition, c'est un plaisir, répliqua Judith. Bien sûr que j'accepte, mais je ne veux pas te forcer la main.

— Il n'y a aucun problème. Allez, va chercher tes bagages, je t'attends.

Un sourire radieux éclaira le visage de la jeune femme, puis elle tourna les talons. Il appela Holly. Deux sonneries plus tard, elle lui répondait :

— Bonsoir, tu aurais pu m'appeler plus tôt.

— Je suis désolé, j'ai eu une journée de dingue, mais ça y est, j'ai presque fini. Je devrais arriver d'ici une demi-heure.

Une voiture de police passa dans la rue, gyrophare allumé. Un problème avec les manifestants, supposa Nimrod qui, ayant eu du mal à comprendre Holly, lui demanda de répéter.

— Je te disais que je suis obligée de travailler, ce soir. Bernie et Jackie sont malades. Je te jure, ces deux-là !

Nimrod fit la moue. Le lundi était la seule soirée de la semaine où elle ne travaillait jamais. Une règle qu'il lui avait imposée pour avoir au moins une soirée ensemble. Que tous les deux. Vivre avec une restauratrice n'était pas de tout repos.

— Dans ce cas, à quelle heure veux-tu que je vienne ?

— En fait, je suis morte. Hier on a fini à 3 heures du matin, et avec le service de ce soir, je crois que je vais tomber comme un zombie. Je ne suis pas certaine d'être de bonne compagnie.

— Hum, fit-il, déçu.

— Tu ne m'en veux pas ? On remet ça à demain ?

— Non, bien sûr que non. Mais je te jure que si ni Jackie ni Bernie ne se pointent demain, j'irai moi-même les chercher, et ils vont entendre parler de moi !

Holly éclata de rire, et Nimrod fut heureux de lui avoir redonné le sourire.

— Je t'aime.

— Je sais.

Elle raccrocha et Nimrod se demanda comment il allait lui expliquer l'arrivée de Judith. Une chose était certaine, ils ne pouvaient pas passer la nuit sous le même toit.

★

Vingt minutes plus tard, ils arrivèrent chez lui. Laïka, comme à son habitude, sortit des fourrés et vint réclamer des caresses.

— Tu sais que toi et moi, on va être colocataires durant quelques jours, s'enthousiasma Judith qui s'était assise sur les talons pour cajoler la chienne.

Quand elle était ressortie de l'hôtel son bagage à la main, Nimrod avait été incapable de revenir sur sa parole. Il était temps de lui expliquer la situation.

— Au fait, j'ai appelé ma copine pendant que tu te préparais. Je lui ai dit que je ne pouvais pas passer ce soir.

— Mais il ne fallait pas. Je pouvais rester toute seule. En plus, avec Laïka, je ne suis pas vraiment seule, répliqua-t-elle sans cesser de caresser l'animal.

— Je sais, mais en réalité, je suis crevé, mentit-il. Bon, tu sais toujours aussi bien cuisiner ?

— Oui, mieux que jamais, tu vas voir.

Ils entrèrent dans son chalet et posèrent leurs affaires avant de se diriger vers la cuisine. Lorsque Judith ouvrit le frigo, elle regarda Nimrod d'un air navré. Il se dédouana :

— J'ai un assortiment de légumes et de viande surgelés dans le congélateur, à la cave.

— Parfait, je vais te concocter quelque chose.

— Je n'ai pas si faim que ça.

— Quand tu auras goûté à ce que je vais te préparer, tu en redemanderas...

Nimrod la laissa faire et, surtout, il la regarda faire. Les années passées comme maîtresse de maison d'un notable de Fairbanks avaient dû aider. Comme il le faisait de temps en temps avec Holly, il prétendit jouer le commis de cuisine, goûtant une sauce, savourant les fumets qui montaient des casseroles et poêles sur le feu. Tout comme lui, Judith avait préféré oublier les épreuves d'une jeunesse difficile pour ne voir la vie que du bon côté. Naturelle et franche, elle avait toujours le mot pour vous tirer un sourire, même dans les pires circonstances. Il était heureux de ce petit jeu bon enfant.

Ils passèrent à table. Tandis qu'il dégustait un vin californien d'un très bon cru, Nimrod se sentait d'une sérénité à toute épreuve. Bien qu'il ait toujours voulu croire le contraire, il n'avait jamais pardonné à Judith de l'avoir trompé. Mais à présent, assis en face d'elle, il n'éprouvait plus aucune rancœur. Elle avait refait sa vie, lui la sienne. Qui disait qu'une belle histoire d'amour ne pouvait se transformer en une réelle amitié, sans ambiguïté ?

— C'est dingue, j'avais complètement oublié, dit Judith.

Ils avaient fini de manger et savouraient un digestif dans le salon. Nimrod venait de lui rappeler leurs vacances en camping à River Falls, dans les Rocheuses.

— Tu plaisantes ! Comment as-tu pu oublier ? Parfois, je me dis que c'est ça la vie. Vivre isolé de tout.

Ils avaient passé une bonne partie de la soirée à se remémorer les beaux moments de leur vie commune. Toujours voir le bon côté des choses. Un leitmotiv qui les avait sauvés de la noirceur qui ne demandait qu'à les rattraper.

— Toi ? Ça m'étonnerait. Tu as trop besoin de la compagnie de tes semblables. Moi, en revanche, je pourrais vivre seule, ou plutôt seule à deux.

Pas faux, en convint Nimrod. Assis dans son fauteuil, il savait qu'il rechercherait toute sa vie des preuves d'affection et cela d'où qu'elles proviennent. Judith était différente. Orpheline, maltraitée, placée de foyer en foyer, elle était devenue une délinquante et aurait pu réellement mal finir si elle n'avait pas croisé sa route, alors fraîchement nommé sergent de police. Judith se leva avec son verre de brandy à la main et vint s'asseoir sur l'accoudoir de son fauteuil.

— On formait un joli couple. On était bien ensemble, non ?

Elle posa sa main sur son bras. Nimrod le retira par un geste réflexe.

— Arrête. Pas de ça. C'est tout simplement impossible.

— Pourquoi ? Tout le monde a droit à une seconde chance.

— Tout à fait d'accord, mais tu oublies une petite chose.

— Quoi ?

— Holly, ma compagne.

— Tu n'es pas marié.

— C'est tout comme. Ça fait trois ans qu'on est ensemble.

— Et vous ne vivez toujours pas sous le même toit ? Bonjour, l'amour !

— Justement, on veut éviter le train-train quotidien.

— Tu plaisantes. Je suis sûr que c'est elle qui t'a imposé cette situation. Je te connais, on est pareils. On est des fusionnels, assura Judith en restant assise sur l'accoudoir.

Nimrod se leva et alla se resservir un verre de brandy.

— On a le droit de changer. Je suis amoureux. Vraiment.

— Tu crois l'être. Nuance.

— Écoute, je t'ai déjà dit qu'elle était très jalouse, alors, s'il te plaît, oublions ça, et parlons d'autre chose.

— Holly, répéta Judith perdue dans ses souvenirs. Ça me revient. Ce n'était pas le nom de la fille du type qui tenait le *Gold Digger* ?

— Exact.

— Je vois, tu as toujours eu bon goût. Une très jolie poupée.

— Elle n'est pas que jolie.

— Je ne veux pas savoir. Je crois que je vais me coucher.

— Oui, il faut dormir. Demain on reprend notre surveillance.

Il but son verre de brandy cul sec et s'en resservit un autre.

14

*L*A PORTE DU MANOIR S'OUVRIT. *Abigail était surexcitée. Depuis qu'ils avaient emménagé à White Forest, la vie n'avait pas forcément pris la tournure qu'elle espérait. Mais, elle en était certaine, le vent allait tourner. Le bonheur allait retrouver le foyer de la famille Russell. Seth entra, le visage fatigué, les paupières lourdes. Il se débarrassa de son manteau et le tendit à Abigail.*

— Comment s'est passée ta journée ? demanda-t-elle.

— Ne m'en parle pas. C'est vraiment la merde.

Elle n'avait jamais bien compris ce qu'il faisait exactement. Expert juridique, comptable, conseiller en clientèle ? Il lui disait toujours que ce n'était pas très intéressant. Seth n'invitait jamais ses collègues de travail à la maison.

— Je t'ai préparé ton plat préféré, et j'ai ouvert une bouteille de chardonnay.

Seth grimaça un semblant de sourire.

— Je n'ai pas vraiment faim, sers-moi plutôt à boire.

— Allez, s'il te plaît, j'y ai passé l'après-midi. Viens goûter.

Seth soupira bruyamment et se traîna jusqu'à la cuisine où la table était dressée. Âgé de onze mois, Nimrod se tenait sur sa chaise haute et babillait des phrases incompréhensibles.

— Qu'est-ce qu'il fout là ? Il ne devrait pas dormir à cette heure ?

— Il a fait une longue sieste, je n'ai pas voulu le réveiller.

— C'est lui qui décide, maintenant. Abi, si tu le laisses faire, tu vas te faire bouffer par ce gamin !

— Arrête, s'il te plaît, j'ai une surprise.

Il s'assit à table et attrapa la bouteille de chardonnay afin de se servir un verre. Abigail apporta le plat de flétan en croûte qu'elle déposa devant lui.

— Mmm, grogna Seth, qui engloutit sa première gorgée de vin.

Abigail vint s'asseoir à son tour, entre son mari et son fils.

— Seth, tu es prêt ?

— Prêt pour quoi ?

— Écoute bien, lança-t-elle en se retournant vers son fils. Nim, regarde papa, et répète après moi : « Papa ».

Nimrod regarda sa maman, et balbutia un charabia bien à lui.

— S'il te plaît, regarde papa et répète : « Papa, papa. »

— Papa, papa ! dit finalement Nimrod en agitant ses deux petits bras potelés.

— Tu as entendu ? C'est son premier mot ! s'enthousiasma Abigail.

Seth éclata d'un rire sonore.

— Et qu'est-ce que j'en ai à foutre ? Heureusement qu'il sait parler. Manquerait plus qu'on ait fait un attardé !

— Papa, papa, papa, continua Nimrod tout content d'avoir trouvé un premier mot.

— Voilà, c'est malin, il va me casser les couilles tout le repas.

— Ne dis pas ça. S'il te plaît, le supplia Abigail.

Cela faisait des jours qu'elle essayait de faire parler Nimrod. Elle y était parvenue l'après-midi même et avait fait répéter Nimrod toute la journée pour être sûre qu'il prononce quelques mots au retour de son mari. Pourquoi Seth était-il si désobligeant envers son fils ? Le travail était dur, mais justement, ne pouvait-il pas se reposer sur sa famille ?

— Sers-moi, ordonna Seth en désignant le plat de flétan.

Les larmes aux yeux, Abigail se leva et s'exécuta.

— Oh, s'il te plaît, tu vas arrêter de faire cette tronche. Je viens de passer une journée de merde pour nous faire vivre, et si c'est pour que tu me fasses la gueule, c'était vraiment pas la peine que je rentre.

— Excuse-moi, je suis désolée. Ça va aller, lâcha-t-elle en se forçant à sourire.

Seth enfourna un morceau de poisson et le mâcha d'un air dégoûté.

— Qu'est-ce que tu as mis dedans, ça a un drôle de goût ? Putain, c'est dégueulasse ! tonna-t-il.

Il repoussa son assiette, qu'il faillit renverser. Nimrod se mit alors à pleurer.

— Ah non, pas ça, ferme-la !

Seth se leva, furibond, et, après un dernier regard à son épouse, il ressortit du manoir en claquant la porte.

★

Quatre heures plus tard, il rentra chez lui et, après s'être déshabillé, il se glissa dans le lit conjugal. Abigail était en position fœtale dans son coin. Les yeux secs d'avoir trop pleuré.

— Abi, tu dors ? demanda Seth d'une petite voix.

— Non.

Il l'embrassa dans le cou et passa une main câline sur la courbe de ses hanches. Il puait l'alcool.

— Excuse-moi, je ne sais pas ce qui m'a pris. Tu sais bien qu'il n'y a rien qui compte plus au monde que ton bonheur.

Abigail garda le silence.

— Si je me tue au travail c'est pour toi, je veux que tu sois la plus heureuse des femmes. Je t'avais promis le paradis et nous l'aurons. Regarde ce manoir. Il ne te plaît pas ?

Il s'était saigné aux quatre veines pour pouvoir se l'offrir. Toujours pas de réponse. Seth s'allongea de son côté, et soudain Abigail entendit des pleurs. Pas ceux de Nimrod.

— Seth, arrête…

— Je ne suis qu'une merde, je ne te mérite pas. Tu devrais te barrer avec le petit, refaire ta vie, se lamenta Seth d'une voix chevrotante entre deux sanglots.

— Ne dis pas ça.

— Si, je suis incapable de te rendre heureuse. J'ai tout raté.

— Seth, arrête. On a juste une mauvaise passe, mais je t'aime et jamais je ne te quitterai.

— Tu le penses vraiment ? dit Seth plein d'espoir alcoolisé.

— Oui.

Seth cessa de pleurer et se rapprocha de son épouse. Même si elle n'éprouvait aucun désir, Abigail se laissa pénétrer et pria pour que tout redevienne comme avant.

15

Mardi 26 août

UNE SONNERIE RÉSONNA. Tracy se réveilla en sursaut.

— Allô ? dit-elle en collant son Smartphone à l'oreille.

— Tracy, c'est Melvin. Tu peux passer ?

— Quoi ? fit-elle en se redressant dans le lit. Mais il est quelle heure ?

— 6 heures. Il faut que je te parle.

— Je t'écoute.

À ses côtés, Vernon dormait du sommeil du juste. « Une bombe pourrait éclater qu'il ne se réveillerait pas ! » répétait-elle souvent, jalouse de sa capacité à dormir aussi profondément.

— Non, je ne peux pas te parler. Rejoins-moi sur le bateau.

Contrairement à la veille, son ton n'était pas à la plaisanterie.

— C'est au sujet du cadavre ? Tu l'as identifié ? demanda-t-elle en recouvrant ses esprits.

— Viens, je t'attends.

— D'accord, je fais au plus vite.

Elle sortit les jambes du lit et se frotta le visage avec ses mains pour se réveiller. « Qu'est-ce qu'il a pu trouver qui le rende si parano ? » se demanda-t-elle en connaissant les lubies complotistes du hacker.

Trente minutes plus tard, sous le soleil naissant des longues journées d'été alaskiennes, Tracy arriva sur le parking de la marina, avec Douglas Island en toile de fond. À la différence de la veille, le calme régnait. Tracy passa entre les tentes des manifestants qui dormaient encore. Elle s'approcha du *Sailor Moon* et monta sur le pont. Elle allait envoyer un SMS pour annoncer son arrivée quand la verrière du salon s'ouvrit.

— Salut, lança Melvin, le visage grave.

Tracy comprit que sa parano n'était pas retombée et hocha simplement la tête. Des jeunes gens à moitié dénudés étaient éparpillés sur les canapés ou à même le sol, entourés de cadavres de bouteilles.

— Melvin, c'est un vrai bordel ton yacht, ne put-elle se retenir de s'exclamer.

— Ça, c'est mon problème, grogna Melvin en descendant l'escalier en colimaçon qui s'enfonçait dans les entrailles de son navire.

Comme la veille, il lui fit passer plusieurs couloirs et coursives avant d'arriver dans une pièce à l'abri de tous.

— Assieds-toi, dit Melvin qui prit place derrière son bureau.

— Non, pas avant que tu m'expliques à quoi rime tout ce cirque.

Melvin ouvrit un tiroir du bureau et en sortit une bouteille de whisky et deux verres.

— Je suis très en colère.

Elle vit ses yeux briller d'une fureur contenue. Oubliée, sa bonhomie naturelle ; le jeune hacker lui faisait presque peur.

— À cause de moi ?

— En partie.

Tracy avait beau chercher, elle ne voyait pas en quoi elle avait pu l'offenser. À moins que Scott ne soit revenu parler à Melvin...

— C'est Scott ?

— Non, c'est juste que je viens d'apprendre qu'un des hommes que j'admirais le plus au monde est mort.

Melvin remplit les verres et lui en tendit un. Ils trinquèrent et s'assirent sur le canapé donnant sur le canal de Gastineau et ses eaux encore sombres du matin.

— Je suis désolée. Sincèrement désolée.

— Tu peux l'être.

— Oui, enfin non, pourquoi tu dis ça ?

— Tu sais comment il est mort ?

— Comment pourrais-je le savoir ?

Melvin but une bonne rasade de whisky et lui répondit :

— Dévoré par des animaux. Le visage en lambeaux.

— Tu veux dire que le cadavre que j'ai trouvé était cet homme ?

Melvin hocha simplement la tête. Tracy rit jaune.

— Excuse-moi de t'avoir apporté une terrible nouvelle, mais je ne suis en rien responsable de sa mort. Qui plus est, s'il y a bien une personne en qui tu peux avoir confiance pour trouver qui l'a tué, c'est bien moi.

— C'est ce que tu crois, reprit-il.

— Non, je ne lâcherai pas jusqu'à ce que je sache.

Melvin reprit une large gorgée et enchaîna :

— L'homme qui est mort s'appelait Brent Collins.

Le nom évoquait vaguement quelque chose à Tracy.

— Je devrais le connaître ?

— C'est un des fondateurs du mouvement « Cessons de tuer la planète ».

— Un militant écologiste, je suppose.

— Oui, mais c'était avant tout un génie. Notre père à tous. Il a fait fortune dans les logiciels de protection de données. Il a travaillé pour les plus grands et surtout pour le gouvernement. Quand il a revendu sa boîte, il a empoché un pactole de plus de quinze milliards de dollars.

Tracy était bouche bée. Elle sortit son Smartphone et essaya de se connecter à Internet.

— Qu'est-ce que tu fais ? s'enquit Melvin sur la défensive.

— Je voulais simplement voir sa tête, mais je n'ai pas de réseau.

— Si je t'ai amenée ici, c'est justement pour être à l'abri des oreilles indiscrètes. J'ai un brouilleur de ma composition. Personne ne peut nous joindre ou nous entendre dans cette pièce.

— De quoi tu as peur ? lui demanda Tracy, qui eut alors un doute. Collins était recherché par le FBI, c'est ça ? Et tu penses qu'ils l'ont fait abattre ?

— Je ne sais pas, mais tout est possible. Tu n'imagines même pas ce dont sont capables nos services secrets. Si tu pouvais avoir accès aux bases de données que j'ai pris la peine de pirater, tu serais horrifiée.

Tracy connaissait les lubies de Melvin sur les théories conspirationnistes. Il était persuadé que les attentats du 11-Septembre avaient été perpétrés pour justifier la guerre en Irak, ou encore que JFK avait été assassiné sur ordre de John Edgar Hoover...

— En quoi pouvait-il représenter une menace pour le gouvernement ?

— Il avait décidé de dépenser toute sa fortune dans une lutte contre les entreprises qui ne respecteraient pas un code de bonne conduite.

— C'est-à-dire ?

— Il voulait obliger les entreprises à utiliser des énergies propres. Il était pour l'arrêt total de l'exploitation du gaz de schiste et contre les réacteurs nucléaires. Mais il avait aussi une conscience sociale. Il était pour une charte universelle éthique qui interdirait le travail des enfants de leurs sous-traitants où qu'ils soient.

— J'imagine que cela n'a pas dû plaire à tout le monde. Mais ce n'est pas une raison pour l'assassiner. Leonardo Di Caprio est connu pour ses interventions médiatiques sur l'état de notre planète, et personne n'aurait l'idée de l'abattre.

— Di Caprio n'a aucun pouvoir. Il gesticule, mais ça ne sert à rien.

— Et en quoi cet homme était-il différent ?

— Tu ne m'écoutes pas. C'était un génie de l'informatique. Bien meilleur que moi ou que tous les autres hackers. Même si cela n'a jamais été démontré, il semblerait qu'il ait réussi à mettre au point un système capable d'entrer dans n'importe quelle base de données, aussi bien protégée soit-elle.

— Tu veux dire qu'il pourrait mettre à l'arrêt Google, des géants comme ça ?

— Oui, exactement. La ruine de notre civilisation en un claquement de doigts, fit-il en joignant le geste à la parole.

Tracy était interloquée. Elle n'y connaissait strictement rien en informatique, mais savait cependant qu'il était impossible de réaliser un tel prodige. Pour la simple et bonne raison que si cela avait été le cas, une organisation terroriste l'aurait déjà fait !

— On ne crée pas une bombe nucléaire dans un garage. Et si tu crois vraiment qu'un seul type a le pouvoir de détruire notre système économique aussi facilement, tu penses bien que Google et consorts ont des protections.

— Comme tu es naïve ! Croire que le monde sur lequel nous vivons ne vit pas ses derniers instants. On va à la catastrophe, Tracy. L'humanité aura disparu dans moins d'un siècle si ça continue comme ça. Brent Collins voulait changer le monde, et c'est pour cela qu'il a été tué !

Tracy voyait bien qu'il était sur une autre planète et que cela ne servait à rien de tenter de le raisonner.

— De toute façon je vais enquêter.

Melvin se pencha en avant et lui attrapa le bras.

— Tracy. Si je t'ai demandé de venir jusqu'ici, c'est justement pour que tu n'enquêtes pas. Laisse tomber cette affaire. Promets-le-moi.

— Je croyais que tu l'admirais. Et pourtant, tu n'as pas envie de savoir qui l'a tué ?

— Tu es mon amie, et je n'ai pas envie que tu meures.

— Arrête, personne ne va me tuer.

— Écoute-moi ! dit-il en haussant le ton. Collins était le type le plus parano que je connaisse. Il paraît qu'il ne dormait jamais dans le même lit. Personne ne savait jamais où il se trouvait. Il paraît même qu'il avait embauché des sosies pour ses allocutions de « Cessons de tuer la planète ».

« Un style de vie de dictateur », pensa Tracy, certaine que Melvin l'aurait mal pris si elle l'avait formulé à haute voix.

— Qui, à part le FBI, aurait pu le tuer ? Personne !

— Melvin, lâche-moi, tu me fais mal.

Le jeune homme se rendit compte qu'il lui serrait le bras beaucoup trop fort.

— Excuse-moi, mais je n'ai jamais été aussi sérieux. Nos vies sont en jeu.

— Dans ce cas, je te promets de ne pas préciser que c'est toi qui as découvert l'identité de notre cadavre.

— Tracy, ce n'est pas ce que je veux dire. C'est vrai, je n'ai pas particulièrement envie de crever, mais si je ne pensais qu'à moi, je ne t'aurais rien confié. Tu aurais bien fini par trouver son identité, n'est-ce pas ?

Pas faux. Melvin n'était pas le seul à pouvoir recréer un visage sur ordinateur.

— Je ne veux pas que tu meures. Je te propose quelque chose. Si tu penses vraiment qu'il n'y a rien à craindre à enquêter, laisse donc ton collègue s'en charger. Il ne risque rien selon toi, n'est-ce pas ?

— Ça, c'est un coup bas.

Jamais elle ne pourrait supporter la culpabilité si jamais Scott venait à mourir, aussi improbable que soit cette éventualité.

— Non, du pragmatisme.

— Compris, on fait comme ça, alors.

Elle alla dans son sens, car elle n'avait pas envie d'argumenter durant des heures. Melvin était aussi têtu qu'une mule.

— Je dois partir, mais j'ai une dernière chose à te demander. Tu as pu te renseigner sur ce que signifie le tatouage ?

— Oui, c'est un signe kabbalistique.

— Il y croyait ?

— Va savoir. Mais je ne parierais pas trop là-dessus. Toutes les stars sont tombées dedans. C'était à la mode il y a quelques années, mais ils ont tous quitté ces mouvements ridicules. Je crois qu'il ne reste que Madonna pour y croire encore !

Ce fut au tour de Tracy de sourire. Elle adorait Madonna.

— OK, merci pour ton aide, dit-elle en se levant pour partir.

16

NIMROD ENTENDIT DE LA MUSIQUE. « Baby I'm a Fool ». Melody Gardot. Il leva la tête et attrapa sa montre. 7 h 33. Il s'était couché avant minuit, mais se sentait encore fatigué. Il n'avait pas cessé de faire des cauchemars. La présence de Judith n'y était pas étrangère. Il prit une douche rapide, s'habilla et descendit au-rez-de-chaussée pour retrouver son invitée. Il passa par le salon pour baisser le son puis, guidé par une alléchante odeur de chocolat chaud, se dirigea vers la cuisine.

— Bonjour, fit-il un peu bougon.

— Salut, j'espère ne pas t'avoir réveillé, répondit Judith d'un ton innocent.

— Si, mais avec Melody Gardot, tu es pardonnée.

Le visage de Judith s'éclaira d'un sourire.

— Regarde, je t'ai préparé un vrai petit déjeuner.

Elle avait dressé la table autour d'un copieux repas.

— C'est toi qui as fait tout ça ?

— Oui, enfin presque. Je suis allée faire les courses au Seven/Eleven en bas de ta rue avec Laïka.

— Tu me diras combien je te dois.

— Laisse tomber, c'est cadeau.

— Merci, mais je ne sais pas si je vais tout manger.

— Je te trouve un peu maigrichon. À croire que ta copine ne te nourrit pas.

— S'il te plaît, s'insurgea Nimrod.

— Je plaisante, qu'est-ce que tu es susceptible ! Tu n'as pas changé : un vrai ours le matin.

Elle alla préparer le café et s'assit en face de lui.

— Tu ne manges pas ? s'étonna Nimrod.

— Non, je suis au régime.

— Tu plaisantes ! Tu n'as pas un gramme de graisse.

— Tu crois ? Et c'est quoi ça ?

Judith se leva, souleva son T-shirt et se pinça le ventre.

— C'est affreux. J'ai tout fait pour le perdre, mais je n'y arrive pas.

— Laisse tomber, tu es très bien comme tu es.

— Bien sûr, et comme par hasard tu ne veux plus de moi.

— Judith, souffla-t-il en lui faisant les gros yeux.

— OK, c'était pour rire. Il faut que tu apprennes à te détendre.

— Je me détendrai quand on aura retrouvé ton fils.

Judith se figea sur sa chaise et perdit aussitôt son sourire.

— Tu crois que je ne souffre pas ?

— Excuse-moi, je n'aurais jamais dû dire ça. Oublie.

— Chaque fois que je pense à Adam, ça me rend dingue, alors oui, j'essaie de survivre comme je peux, et si je recherche un peu d'affection, qui peut me le reprocher ?

Des larmes roulèrent sur ses joues.

— Je t'en prie, ne pleure pas, supplia Nimrod, très mal à l'aise. Tu devrais goûter un des donuts, tu sais bien que j'ai un faible pour les filles bien en chair.

Judith s'en saisit et l'engouffra d'une grosse bouchée.

— Je te déteste, marmonna-t-elle.

Elle s'essuya les yeux. Nimrod préférait la voir comme ça. Il sourit et attrapa la télécommande de la petite télévision placée au-dessus du lave-vaisselle. Il s'arrêta sur la chaîne locale. Un journaliste interviewait un vieil homme à la barbe hirsute. Un *breaking news* passait en bandeau en bas de l'écran : « Le cadavre d'un homme retrouvé. »

— ... oui, je l'ai dit aux flics. Ils étaient juste là où vous êtes, précisa Al Siegfried. Mais je comprends pas pourquoi personne n'en parle. Cette histoire est louche.

— C'est gai ! fit Judith.

— Mmm, répondit Nimrod qui sentait l'excitation monter en lui.

Dans une semaine, il retrouverait son poste, et pourrait de nouveau enquêter.

— Éteins, s'il te plaît, je mange et ce type me coupe l'appétit.

Nimrod s'exécuta à regret et reprit du café.

17

— JE SUPPOSE QUE TU ES AU COURANT, s'énerva Trevor.

Le shérif était hors de lui. Il avait espéré mener l'enquête en toute discrétion, et voilà que cet empaffé de témoin avait vendu la mèche aux médias.

— Oui, j'ai entendu ça à la radio, répondit Scott en entrant dans le bureau de son supérieur. Ne le prenez pas mal, ce n'est pas la fin du monde.

Il était parti de chez lui à toute vitesse quand Tracy l'avait appelé pour lui dire de la rejoindre immédiatement au commissariat. Cette dernière était assise face au shérif, et prit la parole :

— Non, tu as raison. La bonne nouvelle, c'est qu'on a identifié le corps.

Scott eut l'air agréablement surpris et s'assit à ses côtés.

— Je retire tout ce que j'ai dit sur Melvin. Alors, c'est qui ? Un fugitif, un mari volage, un tueur de grand chemin ?

— Si seulement, répondit Trevor qui attrapa la copie d'une couverture du magazine *Forbes* vieille de huit ans.

Un homme blond, la cinquantaine, en jogging, visage avenant, petites lunettes rondes.

— « Brent Collins. L'homme de l'année », lut Scott quand il le lui fit passer. Jamais entendu parler de lui. Je ne lis pas trop ce genre de magazines.

— C'est notre cadavre. Un génie de l'informatique.

— Du genre Bill Gates ou Steve Jobs, ajouta Tracy.

— Jobs n'était pas particulièrement doué en informatique, mais il était un as du marketing, corrigea Scott.

— On s'en fout, ce n'est pas ça qui nous intéresse. On est dans la merde, le reprit Trevor.

— Je ne vois vraiment pas pourquoi. Les gens pleurent rarement la mort d'un milliardaire.

— Et c'est bien là tout le problème. Collins était un philanthrope. Il a tout arrêté pour fonder sa fondation « Cessons de tuer la planète », enchaîna Tracy.

— Je suppose qu'il était venu ici avec les manifestants, comprit Scott. Ils ne vont pas être contents d'avoir perdu leur bienfaiteur.

Trevor posa les deux coudes sur son bureau et déclara :

— Non seulement ils ne vont pas être contents, mais il est fort possible qu'ils nous accusent d'y être mêlés.

— Pourquoi ça ? Ça se saurait, si la police tuait des innocents !

Tracy osa croire que ce n'était pas ironique. Elle voyait que le shérif n'était vraiment pas d'humeur à apprécier toute forme d'humour, aussi noir fût-il.

— Parce que ce type était du genre complotiste. Il a travaillé des années avec toutes les organisations gouvernementales sur leurs projets secrets.

— Les grandes oreilles de la NSA ? soupesa Scott.

— On n'en sait rien, rétorqua Trevor. Mais il se dit qu'il était prêt à tout balancer, tout ce qu'il savait. Qu'il pouvait, d'un claquement de doigts, arrêter tous les systèmes informatiques de n'importe quelle entreprise ou agence gouvernementale. Le chaos.

— C'est Melvin qui vous a dit ça ?

— Entre autres, valida Tracy qui lui fit part de ses découvertes sur Internet.

Des centaines d'articles sur cet homme à la réputation sulfureuse. Libertaire, Brent Collins était détesté par de nombreux politiques, que ce soient des républicains ou des démocrates, qui le décrivaient comme un dangereux anarchiste, voire communiste.

— Un meurtre politique ?

— Il se croyait en danger. Personne ne savait où il se trouvait, ni ne connaissait son agenda. Il paraît même qu'il avait des sosies.

— Alors c'est peut-être un sosie qu'on a récupéré ?

— Ça, c'est des conneries. Une légende qu'il s'est amusé à bâtir, rectifia Trevor qui était certain que l'homme aimait ce rôle de victime.

— Sa paranoïa explique pourquoi personne n'a signalé sa disparition, ajouta Tracy.

Scott sortit son paquet de cigarettes. Trevor en profita pour reprendre son cigare à moitié consumé.

— La question est : comment annoncer ça ? demanda-t-il après l'avoir rallumé.

— C'est-à-dire ?

— Doit-on faire appel au FBI ou pouvons-nous gérer ça nous-mêmes ? demanda Tracy.

— On gère, évidemment. On est des flics, c'est notre boulot. Le FBI n'a pas à venir fourrer son nez chez nous, répliqua Scott.

— C'est peut-être dangereux. Un crime politique, un tueur à gages…

— Tu as la trouille ?

— Non, mais si Melvin avait raison ?

— Melvin est un illuminé. Il fume joint sur joint. Je me demande d'ailleurs pourquoi on ne l'arrête pas !

— C'est bon, fous-lui la paix. C'est lui qui nous a aidés. Sans compter le coup de main, il y a six mois.

Scott râla dans sa barbe et tira sur sa cigarette. En vérité, il en voulait moins au hacker qu'à sa collègue. Se dessaisir d'une affaire de meurtre ? En voilà une idée !

— D'accord, pour l'instant on gère. Mais je vais devoir faire une annonce dans un communiqué, insista Trevor. Vous allez chercher à savoir avec qui il est venu, où il habitait et qui sont les dernières personnes à l'avoir vu vivant, et vous me les ramenez ici pour interrogatoire.

— *No problemo*, dit Scott.

Tracy hocha la tête.

Ils ressortirent du bureau pour regagner le leur. Scott posa sa veste et ouvrit la fenêtre. La matinée ne faisait que commencer, mais la journée s'annonçait chaude. Il resta quelques instants à contempler les montagnes. Une légère brise animait les branches des sapins.

— Qu'est-ce qui t'est passé par la tête ? Nous dessaisir de l'affaire ? lança-t-il en allumant une autre cigarette.

À y réfléchir, Tracy se sentait stupide. Si elle avait peur du danger, elle ferait mieux d'arrêter tout de suite ce métier.

— Je ne sais pas. Tu as peut-être raison. C'est Melvin qui m'a mis la pression avec ses grands airs de conspirateur. D'après lui, il y aurait des officines secrètes qui dirigeraient notre pays en sous-main.

— C'est ça, redescends sur terre. Il n'y a pas plus d'hommes en noir qui agissent dans l'ombre que de martiens à Roswell !

— Ça va, j'ai rien dit. Si on se concentrait plutôt pour savoir qui on va interroger ?

— Oh, ça c'est tout vu, fit Scott.

— Comment ça ?

— Ce genre de milliardaire devait avoir beaucoup d'amis, surtout s'il dilapidait son argent pour aider toutes sortes de causes.

— Oui, et où veux-tu en venir ?

— Quelle est la plus grosse organisation sur place ?

— Green Pact ?

— Et qui est son leader ?

— Sam Dafoe, répondit Scott en revoyant le leader des manifestants faire son discours devant le commissariat à la sortie des militants pacifistes interpellés la veille.

— Exactement. On devrait aller lui rendre une petite visite.

— Tu as raison, valida Tracy. Tu conduis ou je conduis ?

18

— AU MOINS ÇA NOUS FERA UNE BELLE BALADE, dit Judith.

— Exact, répondit Nimrod alors que la cabine du téléphérique continuait son ascension.

Deux heures plus tôt, Liam Mortimer, le directeur du *White Forest Weekly*, les avait appelés et leur avait fait part du rendez-vous avec son journaliste, au sommet du Mont Roberts. Un homme infiltré dans le mouvement de la Vérité première. Il ne leur avait pas donné de nom, mais simplement indiqué qu'ils devaient prendre le téléphérique de White Forest et que le journaliste saurait les reconnaître. Nimrod n'avait pas cherché à en savoir davantage et avait accepté le rendez-vous.

— Regarde, on voit ton chalet ! s'enthousiasma Judith.

Ils étaient à mi-parcours des cinq cents mètres de dénivelé. Ils arrivaient à présent à voir l'océan Pacifique au-delà de Douglas Island. Le ciel bleu du matin avait laissé place à une épaisse couche de nuages. Dans la cabine, les dix-huit autres personnes qui emplissaient l'espace étaient elles aussi fascinées par le décor. Une luxuriante forêt de sapins tapissait tout le flanc du mont Roberts.

— Un ours, j'ai vu un ours ! s'écria un enfant.

Tous les touristes cherchèrent à l'apercevoir, faisant légèrement vaciller la cabine du téléphérique. Judith eut un haut-le-cœur et s'accrocha instinctivement au bras de Nimrod.

— *Wo ? Ich sehe nichts ?* demanda un jeune homme à son épouse.

— 有在森林中沒有熊, dit un couple de Chinois.

Judith se pencha vers Nimrod, et lui susurra à l'oreille :

— *Chin kan quin tong tchu*, se moqua-t-elle.

— Chut, ce n'est vraiment pas drôle.

— C'est bon, ils ne nous entendent pas. Tu ne vas pas devenir parano, toi aussi.

De plus en plus de touristes étrangers venaient chaque année grossir le flot de touristes américains. Une prouesse due à l'office de tourisme de l'Alaska.

La cabine continua son ascension dans un brouhaha général, et quand enfin ils atteignirent le sommet du mont, une exclamation unanime se fit entendre.

— Faufile-toi, dit Judith qui poussa Nimrod dans le dos.

— Arrête, on n'est pas pressés.

Il fit exprès de laisser sortir les touristes avant de daigner faire de même.

— Qu'est-ce que tu peux être lourd, tu sais bien que je n'aime pas les lieux clos.

— Arrête. Tu es une vraie gamine.

Judith ne répondit pas et se posta près de la rambarde. Ils avaient une vue à pic sur toute la vallée. Un vent frais leur caressait le visage. Judith resserra son écharpe autour de son cou.

— On fait quoi maintenant ? demanda-t-elle.

— Une petite balade. À moins que tu préfères boire un verre ? proposa-t-il en désignant la cafétéria installée en aval de l'arrivée du téléphérique.

— Non, marchons un peu.

Ils prirent le sentier qui serpentait jusqu'au sommet du mont Roberts. De petits épineux avaient remplacé les grands sapins.

— Tu te rends compte que je n'étais jamais venue jusqu'ici ? dit Judith.

Pour sa part, Nimrod, qui avait toujours vécu à White Forest, n'avait pris le téléphérique que deux ou trois fois dans sa vie. Un truc à touristes, mais pas seulement.

— Ça vaut le coup d'œil, non ? fit-il, fier de sa ville.

La vue était tout simplement grandiose. L'océan Pacifique à perte de vue. Judith se rapprocha de Nimrod. Il était mal à l'aise. Trop de souvenirs lui revenaient en mémoire. Leurs longues balades en forêt, leurs vacances à Los Angeles, Canyon Creek, et River Falls... Il n'avait jamais autant voyagé qu'en sa compagnie.

Un jeune homme en costume s'approcha d'eux.

— Je m'appelle Duncan Wynn. On a rendez-vous.

— Vous travaillez pour le FBI ? ironisa Judith en voyant ses vêtements.

— Je suis infiltré auprès d'un mouvement très strict. Je me dois d'être toujours impeccable.

— Pourquoi toutes ces précautions ? Vous croyez vraiment qu'ils nous surveillent ?

Le jeune homme jeta des regards inquiets autour de lui.

— Non, je ne crois pas que vous ayez été suivis, mais sachez que je prends de gros risques à vous parler. Suivez-moi.

Sans un mot, ils acquiescèrent et se dirigèrent vers un petit chemin délaissé par les touristes. Ils remontèrent une pente plutôt raide jusqu'à se trouver sur un promontoire rocheux qui donnait sur le vide.

— Parfait pour un meurtre, constata Judith.

— Vous ne croyez pas que vous en faites un peu trop ? lui fit remarquer Nimrod plus amusé qu'agacé.

— C'est mon grand-père qui m'a fait découvrir cet endroit. Il me racontait qu'on était ici sur le toit du monde et que seul Dieu pouvait nous entendre.

— Je vois.

White Forest paraissait si petit.

— Que puis-je faire pour vous ?

— Votre boss ne vous l'a pas dit ? s'étonna Judith.

— Non, il m'a juste dit que vous vouliez me parler pour une enquête.

— Et vous avez accepté de risquer votre couverture comme ça ? s'étonna Nimrod.

— J'ai suivi votre exploit, il y a six mois. Ce que vous avez fait est remarquable. Vous avez sauvé bien des vies.

— Tout le monde aurait agi de même à ma place.

— Je n'en suis pas certain.

Nimrod jugea son homme et eut quelques doutes.

— Ne le prenez pas mal, mais quel âge avez-vous ?

— Vingt-cinq ans, cela vous pose un problème ?

— « La valeur n'attend point le nombre des années », cita Nimrod. En réalité, je me demandais pourquoi un garçon aussi jeune commençait sa carrière par une infiltration dans une telle secte ?

— Mortimer ne vous a rien dit ?

— Non, marmonna Judith.

Il respira à fond et s'expliqua.

— Mes parents ont été tués dans l'assaut contre l'Église adventiste du Septième Jour.

— Jamais entendu parler, répliqua Nimrod.

— Si je vous dis : David Koresh et sa ferme à Waco ?

Une véritable tragédie, se souvint le détective. Il se rappelait avoir suivi en direct le siège qui avait duré des semaines avant que l'assaut ne soit donné et que tout finisse dans un bain de sang et de flammes.

— Vous deviez avoir quoi ? Trois, quatre ans ?

— Oui, je suis un des rares survivants. J'ai été élevé par mes grands-parents maternels qui vivaient à Anchorage.

Nimrod fut touché par l'histoire du jeune homme et voulut croire qu'il pouvait lui faire confiance.

— Bien, alors je peux enfin savoir ce que vous attendez de moi ?

— Nous recherchons un petit garçon. Adam…

— C'est mon fils, le coupa Judith. Son père l'a enlevé, mais rien ne prouve qu'il adhère encore à ce mouvement religieux. Il se pourrait même qu'il s'en soit éloigné. On veut juste savoir s'il en fait toujours partie.

Elle expliqua d'une traite toute son histoire. Duncan l'écouta avec un intérêt de plus en plus évident.

— Vous pouvez compter sur moi. Mais je ne peux rien vous promettre. Cela ne fait que dix mois que j'ai intégré leur communauté. Ces gens-là sont extrêmement paranoïaques. Il faut agir avec prudence.

— Comment avez-vous réussi à vous faire accepter ? demanda Nimrod.

— En raison de mon passé. Je leur ai parlé de ma haine du gouvernement qui n'avait pas hésité à tuer des hommes de foi dans une Amérique à la solde du pouvoir de l'argent.

— Ils ne savent pas que vous êtes journaliste ?

— Si, mais justement, ils pensent qu'ils pourront se servir de moi le moment venu. Ils ont des hommes à eux un peu partout.

— Je veux les rencontrer. Après tout, je suis un héros, non ?

— C'est plus compliqué que ça. Croyez-vous en Dieu, monsieur Russell ?

— Je suis agnostique.

— Alors ça ne marchera pas. Ils vont vous poser des questions sur votre foi, votre désir d'intégrer leur mouvement. Ils vous feront passer des tests. Ils sont très malins.

— On peut toujours essayer.

— Écoutez, je vais voir ce que je peux faire. Je vous recontacte très vite.

— C'est urgent, lui rappela Nimrod.

— Ne prenez aucun risque, intervint Judith. On veut juste savoir si mon ex-mari fait encore partie de cette secte.

L'homme hocha la tête.

19

— IL FAUT VRAIMENT AVOIR DE L'ARGENT À PERDRE pour construire dans un coin aussi paumé, râla Tracy.

Grâce à l'aide de Melvin, ils avaient réussi à trouver l'adresse de Sam Dafoe : *The Lone Ranger*. La maison appartenait à Brent Collins et se trouvait à moins d'un kilomètre de là où avait été découvert son cadavre. Tracy roulait avec précaution sur le chemin boueux qui serpentait entre les sapins. Personne ne croyait à une coïncidence. À l'évidence, le tueur devait faire partie des personnes qui habitaient les lieux.

— Jalouse ? la taquina Scott, assis côté passager du Cherokee.

— Certainement pas !

— Tu sais que tu n'étais pas obligée de venir, lui rappela Scott.

— Je sais, dit-elle les mains crispées sur le volant.

— Tu restes derrière et tu me couvres.

— Oui.

Elle se souvenait de la balle qu'elle avait reçue en plein abdomen six mois plus tôt. Sans son gilet pare-balles, elle serait morte.

— En même temps, ces types sont des pacifistes, tenta de la rassurer Scott. Il y a peu de chances qu'ils nous accueillent en nous tirant dessus. Peut-être qu'ils n'ont même pas d'armes.

— Possible.

Scott comprit qu'il ne parviendrait pas à la détendre et ce n'était peut-être pas plus mal. Rester sur le qui-vive. Qui savait ce qu'il allait se passer ?

La seule bonne nouvelle était que l'information sur l'identité du cadavre n'avait pas fuité malgré ces fouines de journalistes qui ne cessaient de faire le planton devant le commissariat. « Ils ne nous attendent pas et c'est déjà ça », avait-il pensé. Une première goutte tomba sur le pare-brise, puis très vite, ce fut une pluie fine qui traversa la canopée. Après un dernier virage, ils distinguèrent une magnifique demeure en bois. Un somptueux chalet. Une extravagance que seul pouvait se permettre un milliardaire tel que Brent Collins. Scott prit son portable et, même si on l'avait prévenu, il constata qu'il n'y avait pas de réseau. Plusieurs voitures étaient garées sous un large préau également en bois. Rien de bien clinquant. Des vieux 4 × 4, sans doute achetés pour l'occasion.

Tracy gara son Cherokee à proximité.

— Prête ? lança Scott.

— Tu as ton gilet ? répondit Tracy.

Il se frappa le torse.

— Alors, je suis prête.

Scott sortit le premier et alla sonner. La porte du chalet s'ouvrit sur cinq personnes vêtus comme des hippies.

Cheveux longs, pantalons pattes d'éléphant et petit veston cintré en cuir. Parmi eux, deux filles, les cheveux lâchés et ornés d'un serre-tête fleuri.

— C'est une résidence privée, vous n'avez rien à faire ici, tonna un grand barbu.

L'homme devait s'adonner à la musculation.

— Nous voudrions parler à Sam Dafoe, dit Scott en s'approchant.

Tracy regardait la scène à quelques mètres de là, en retrait derrière son Cherokee. Elle avait sorti son arme et se tenait aux aguets. À première vue, aucun des individus n'était armé.

— Et pourquoi donc ? Nous n'avons rien à nous reprocher. Allez-vous-en.

— Nous voulons juste lui poser quelques questions. Nous venons en amis, ajouta Scott qui s'avança encore.

— Dans ce cas parlez, on lui fera passer le message, rétorqua le géant barbu.

Ses compagnons ne bougèrent pas, ils lançaient des regards pleins de suffisance.

— On doit lui parler seul à seul. C'est une affaire privée.

Une silhouette apparut sur le pas de la porte.

— Laissez-les entrer, je m'en charge, s'interposa Sam Dafoe.

L'homme avait la cinquantaine et une stature imposante. Son visage était encadré par une belle barbe bien entretenue et des cheveux longs.

— Je suis là, je vous écoute. Mais demandez à votre collègue de ranger son pistolet. Nous sommes des pacifistes.

Scott se retourna vers Tracy :

— Tu peux venir.

La lieutenante rengaina son arme et s'approcha de l'entrée.

— Laissez vos flingues. Ici, c'est un lieu de paix.

— Malheureusement, je suis dans l'obligation de refuser, et quand je vous aurai dit ce que j'ai à vous dire, vous me remercierez. Faites-moi confiance.

— Oui, vous pouvez nous faire confiance, renchérit Tracy.

Dafoe soupira bruyamment.

— Très bien, entrez.

Il ouvrit la marche et les deux lieutenants le suivirent. Ils traversèrent un vestibule plutôt chaleureux aboutissant dans un vaste salon dont les baies vitrées donnaient sur la forêt. Sept écologistes étaient assis sur des fauteuils et canapés, occupés à fumer un joint ou à boire de l'alcool, une musique folk en sourdine.

Ils passèrent par le côté pour gagner l'escalier central menant au premier étage du chalet. Quelques toiles de maîtres et autres objets décoratifs hors de prix étaient disposés le long d'un large corridor qui desservait de nombreuses pièces. Tracy pensa au yacht de Melvin. Que ce soit sur mer ou sur terre les puissants aimaient en mettre plein la vue. Ils croisèrent d'autres écologistes qui leur jetèrent des regards méfiants avant d'arriver dans une pièce très spacieuse, plus proche d'un loft que d'une chambre. Un lit défait trônait en son centre. Une cheminée donnait un aspect chaleureux à l'ensemble.

— Sympa. Ça paie bien l'écologie, ironisa Scott.

— Ce chalet ne nous appartient pas. On nous le prête le temps des manifestations, mais je suppose que vous le savez déjà.

— Disons que nous nous en doutions, répondit Tracy qui referma la porte.

Scott alla ouvrir la salle de bains attenante et vérifia qu'il n'y avait personne à l'intérieur.

— Bon, maintenant je peux enfin savoir ce que vous me reprochez ?

— On ne vous reproche rien, on voulait simplement vous annoncer la mort de Brent Collins.

Le visage de Dafoe perdit de sa superbe.

— Non, ça, c'est juste impossible !

— Nous avons retrouvé son cadavre hier matin, et l'avons identifié dans la soirée.

— Vous voulez dire que le mort dont ils parlent à la télé, c'est Brent ?

— Exactement.

Dafoe sembla prendre un coup en pleine figure, puis il se mit à faire les cent pas dans la chambre, passant la main dans ses longs cheveux blonds, marmonnant dans sa barbe, avant de s'arrêter devant Tracy.

— C'est absurde. Brent était le type le plus prudent que je connaisse. Pourquoi devrais-je vous croire ?

— Quelle raison aurions-nous de vous mentir ?

— Pourquoi venir me voir ? Pourquoi ne pas alerter les médias, plutôt ?

Scott n'avait jamais fait d'études de psychologie, mais il se targuait de voir quand un homme lui mentait et il aurait parié que la stupéfaction de leur hôte n'était pas feinte.

— Tant que l'identité n'est pas révélée, celui qui l'a tué doit se sentir tranquille. Il est possible qu'il croie avoir commis le crime parfait. Dès que nous la révélerons, on peut craindre qu'il fuie la région.

— Mais pourquoi venir me voir, moi..., répéta-t-il avant d'émettre un rire sans joie. Vous pensez que j'ai tué Brent ? C'est ça ? Vous êtes complètement cinglés. Je vais appeler mon avocat.

— Non, je pense que vous êtes innocent, le rassura Scott, mais je pense aussi que le coupable se trouve dans vos murs. Le cadavre a été découvert à moins d'un kilomètre d'ici.

— Et alors ? Vous croyez que si je l'avais tué, je l'aurais porté sur mon dos sur une telle distance !

Dafoe alla vers un meuble et attrapa un petit téléphone avec une large antenne. Un satellitaire. Évidemment, ces hommes ne vivaient pas coupés du monde extérieur.

— Non, raccrochez, on ne vous accuse de rien. Mais avouez que c'est troublant.

— Ce serait troublant si tout cela était vrai. Je n'ai aucune confiance en vous. Qu'est-ce qui me prouve que le corps était bien enterré tout près d'ici ?

— Si vous avez regardé la télévision, vous avez dû voir l'homme qui l'a découvert. Il a l'air d'appartenir au FBI ?

Dafoe hésita, puis raccrocha.

— En admettant que tout ce que vous me racontez est vrai, je ne vois pas en quoi je peux vous aider.

— Vous le connaissiez bien. C'était votre premier soutien financier, non ?

— Vous voulez que je vous dise qui aurait pu vouloir le tuer ?

— Si vous avez des noms, on est preneurs, admit Scott.

— Tout le monde en voulait à Brent. C'était un révolutionnaire. Il voulait mettre à terre notre système de société de consommation et de surveillance généralisée. Il ne faisait aucune concession. C'est pour cela qu'il vivait caché. Il était capable de disparaître des jours, voire des semaines, sans donner de nouvelles et de réapparaître comme si de rien n'était, avant de repartir aussi vite.

— N'allez pas imaginer que nous ne vous croyons pas, mais il est possible que ce ne soit qu'un accident. Une dispute entre lui et un de vos invités, insinua Tracy.

— Nous sommes tous des pacifistes. Nous réglons nos conflits par le dialogue. Il nous arrive souvent d'être en désaccord, mais nous ne faisons jamais preuve d'aucune violence, autre que verbale.

— Je veux bien vous croire, mais il est des sujets sur lesquels les hommes les plus raisonnables sont capables de tout. Brent était-il en couple ? Quelque jaloux aurait-il pu avoir un mauvais geste ?

Une fois de plus, Dafoe parut perturbé.

— Un homme comme lui devait avoir beaucoup de succès. Peu de femmes devaient lui résister. Un mari jaloux ? continua Scott qui sentait qu'il avait touché un point sensible.

— Non, je ne vois pas...

Il fut interrompu par une rafale de tir automatique venant de l'extérieur. Dafoe fonça vers une fenêtre, mais Scott lui sauta dessus et le plaqua à terre au moment où elle explosait en mille éclats de verre.

20

— TU CROIS QU'IL VA RAPPELER ? demanda Judith.

— Je ne sais pas. Mais j'ai un bon pressentiment, répondit Nimrod.

Ils avaient repris le téléphérique et étaient redescendus à White Forest. Une forte averse les avait amenés à se réfugier au *French's Corner*, un café plutôt chic du centre-ville. Les serveurs portaient un petit gilet et une fine moustache, la décoration était Art déco et la voix d'une chanteuse française de l'entre-deux-guerres résonnait en fond sonore. Judith avait insisté pour venir là avant de retourner à Douglas Island. Amoureuse de la France, elle avait souvent amené Nimrod dans ce café lorsqu'ils vivaient ensemble.

— Plutôt mignon, notre journaliste.

— Un peu jeune pour toi, non ? osa Nimrod.

— Tu ne manques pas d'air ! Tu peux me rappeler notre différence d'âge ?

Le serveur revint avec deux chocolats chauds et deux petits pains au chocolat tout juste sortis du four. Nimrod prit aussitôt son mug et le porta à sa bouche pour éviter d'avoir à répondre.

— Espèce de macho ! Pourquoi les femmes ne pourraient-elles pas sortir avec des hommes plus jeunes qu'elles ?

— Je disais ça comme ça. Mais tu te vois avec ce gamin ?

— Je n'ai que trente ans, alors moi aussi je suis une gamine.

Du haut de ses trente-six ans, bientôt trente-sept, Nimrod se sentait bien vieux.

— De toute façon tu fais ce que tu veux. Une fois qu'on aura récupéré ton fils, si tu veux tenter ta chance avec ce type, libre à toi.

— Mais c'est qu'il est jaloux ! Je croyais que tu étais fou amoureux, se moqua Judith.

Elle souffla sur son chocolat avant d'en avaler une petite gorgée.

— C'est le cas. C'est pour toi que je parlais. Les hommes aiment les femmes plus jeunes qu'eux, c'est comme ça. Cela fait presque trois ans que je piste des maris qui trompent leurs épouses, mais je n'en ai jamais rencontré un seul au bras d'une femme plus âgée. La dure loi de la vie…

Judith reposa sa tasse. Une moustache de chocolat s'était formée sur sa lèvre supérieure. Nimrod se souvint qu'autrefois, quand ils venaient ici, il la lui enlevait dans un doux baiser. Elle le faisait exprès et, chaque fois, elle attendait qu'il l'embrasse. Mais aujourd'hui il n'en était pas question, même si c'était terriblement tentant.

— Ah oui, et le prince Charles, il n'a pas trompé la malheureuse Diana avec une femme de cinq ans son aînée, peut-être ?

Camilla Parker Bowles. Nimrod n'avait aucune idée de leur différence d'âge, mais voulait bien la croire.

— L'exception ne fait pas la règle.

— Eh bien, je suis la reine de l'exception. Je suis bien sortie avec le seul type aux yeux vairons de tout l'Alaska, dit-elle fièrement.

Elle faisait référence à une anomalie génétique qu'il avait eu du mal à accepter avant de comprendre plus tard que c'était son atout charme.

— Si c'est ce que tu veux... Mais encore faudrait-il qu'il ait envie de toi.

— Tu plaisantes, personne ne me résiste !

Nimrod soupira.

— Mais, ne fais pas cette tête. Je plaisantais. C'est toi que je veux et je t'aurai.

— Arrête avec ça.

— Écoute, sois sincère, on n'était pas bien ensemble ? On aurait pu avoir la belle vie. Il n'est pas trop tard pour tout recommencer.

— On a déjà eu cette discussion, et je ne changerai pas d'avis. Je suis très amoureux d'Holly.

Judith se renfrogna.

— Qu'est-ce que tu peux être têtu. Tu sais, je suis patiente, mais si je décide de ne plus te donner une dernière chance, ce ne sera pas la peine de venir me supplier.

Un ange passa.

— Bon, je n'ai plus soif. Tu as le don pour gâcher les bons moments, bougonna Judith qui sortit son portefeuille.

— Laisse, c'est pour moi.

— Je t'attends dehors, dit-elle en prenant sa veste.

À l'extérieur, la pluie continuait de tomber. Judith resta plantée sur le trottoir. Nimrod attendait le serveur et regarda Judith lui faire une grimace à travers la baie vitrée. En retour, il lui adressa un clin d'œil. Une voiture s'arrêta au bord du trottoir. Un homme en costume-cravate en sortit et s'approcha de Judith. Il semblait lui poser une question, quand soudain il sortit un taser et s'en servit contre Judith qui s'effondra dans ses bras. Nimrod bondit vers la sortie en renversant quelques tables sur son passage. À l'instant même où il arriva en trombe, l'homme porta Judith à l'arrière du véhicule et referma rapidement la portière. Nimrod tenta de l'ouvrir, mais elle était déjà verrouillée. Il frappa à la vitre au verre teinté et hurla le nom de Judith, alors que la voiture redémarra sur les chapeaux de roues.

21

SOUS LE FEU DES RAFALES QUI S'INTENSIFIAIENT, Tracy rampa vers la porte, priant pour qu'aucune balle ne ricoche sur le sol.

— Qu'est-ce qui se passe ? s'exclama Sam Dafoe.

Il s'était réfugié sous le lit.

— Restez là où vous êtes et surtout, ne bougez plus ! hurla Scott qui, arme à la main, s'était collé contre un mur près d'une fenêtre, prêt à faire feu dès que les rafales s'arrêteraient.

À chaque impact de balle, du plâtre tombait du plafond. Pas une lampe ou un tableau n'échappait à la fusillade. Tracy parvint à atteindre la porte criblée de balles dans sa partie supérieure. Être au premier étage du chalet les avait certainement sauvés. Les tireurs devaient être dans la forêt qui encerclait la demeure. Elle hésita à se redresser pour attraper la poignée. Et si un sniper avait pris position ? Elle ne voulait pas être la première cible qui apparaîtrait dans sa ligne de mire. Tracy hésita et jeta un coup d'œil en arrière.

— Tracy, qu'est-ce que tu fais ! cria Scott. Reste à plat ventre.

— Il faut aller aider ceux d'en bas.

Elle pensait à tous ces jeunes pacifistes pour qui le port d'arme était une abomination. Ils allaient se faire tuer comme des lapins. Les rafales cessèrent enfin. C'est le cœur battant à tout rompre que Scott eut une idée qui pourrait les sauver. Il aperçut le téléphone satellitaire au sol et avança à quatre pattes pour le récupérer. Il composa le numéro de portable du shérif. Un tir d'arme automatique retentit, puis une énième rafale.

— Réponds ! s'impatienta Scott, le visage en sueur.

— Allô ? Qui est à l'appareil ? s'étonna Trevor.

— Shérif, écoutez-moi. Envoyez tous les hélicos et tous vos hommes au *Lone Ranger*. Nous sommes pris dans un assaut paramilitaire. Ça tire de partout. Nous avons besoin d'une aide d'urgence. Faites venir des ambulances et des médecins.

— Quoi ? Qu'est-ce que vous racontez !

Les rafales de tirs reprirent, le lustre de la chambre se décrocha et éclata à un mètre de Scott.

— Dépêchez-vous ou on va tous mourir ici ! hurla-t-il par-dessus le vacarme des armes.

— On arrive !

Scott raccrocha, la mâchoire serrée. Il voulait appeler sa fille pour lui dire qu'il l'aimait plus que tout. Il vit Tracy se redresser légèrement pour tenter d'ouvrir la porte.

— Arrête, on doit rester ensemble !

— On doit aider ceux d'en bas. Ils vont tous mourir si personne ne réplique.

— On ne peut rien faire, avec deux pistolets contre des armes automatiques, lui rappela Scott.

— On va tous mourir, alors autant mourir la conscience tranquille.

Elle savait que les renforts n'arriveraient jamais à temps. Elle se sentait tiraillée entre l'envie de pleurer et l'envie de commettre un acte héroïque, mais désespéré. Elle pensa à ses enfants, Ridley et Alyson. Ses deux amours, sa raison de vivre.

— Non, on peut s'en sortir, intervint Dafoe qui rampa vers Scott. Il y a une *panic room* dans une chambre au deuxième étage.

Les rafales cessèrent de nouveau et ils entendirent alors distinctement des voix se rapprocher du chalet.

— Vous ne pouviez pas le dire plus tôt ! grogna Scott. Tracy, tu t'enfermeras avec lui. C'est moi qui descends.

— Non, je viens avec toi.

— Tu fais ce que je te dis. L'un de nous doit les retarder, alors sauve-toi, fais-le pour moi.

— On doit se grouiller, ils vont arriver, s'affola Dafoe.

— D'accord, on fait comme ça, mais tu nous rejoins dès que tu peux, capitula Tracy.

Elle se maudit de sa lâcheté. Quand il n'y avait plus d'espoir, elle était prête à mourir en héroïne, mais à présent cela changeait tout : elle voulait vivre ! Scott ouvrit la porte et se tint dans le couloir, accroupi, arme braquée devant lui.

— C'est par là, chuchota Dafoe qui montra l'autre bout du couloir.

Tracy hocha la tête et soudain, ils se figèrent tous d'effroi. Une voix montait du rez-de-chaussée :

— Ne me tuez pas, je vous en supplie, implorait une jeune femme.

Une courte rafale fut la seule réponse.

★

Nimrod regardait la voiture s'éloigner en trombe alors que la pluie continuait à tomber. Il dévia le regard et aperçut une jeune femme au bord du trottoir qui venait d'enclencher le contact de sa Yamaha. Il fonça sur elle, l'attrapa par son blouson et l'éjecta du siège avant de lui voler sa moto.

— Hé, vous ! hurla un gros bras qui avait assisté à la scène.

Mais Nimrod était déjà loin. Après avoir poussé les gaz à fond, il avait bondi sur l'asphalte mouillé de Roosevelt Avenue, la Chevrolet noire en ligne de mire. Il se faufila entre deux voitures et ne tarda pas à rattraper les fuyards. Un excès de colère lui vrilla les tempes. Il revoyait Judith se faire kidnapper sous ses yeux. Qui étaient ces hommes ? Comment avaient-ils pu oser !

La Chevrolet tourna brusquement sur Carter Street. Ralenti par une voiture, Nimrod crut un moment avoir perdu de vue sa cible. Il jura et déboîta en coupant la ligne blanche qui délimitait les voies. Une voiture arrivait en sens inverse, mais il réussit à se rabattre de justesse. Il parvint à son tour au croisement de Roosevelt Avenue et de Carter Street, et tourna sur la gauche. La Chevrolet était à près de cent mètres devant lui. Le feu passa au rouge. Nimrod n'hésita qu'un instant et continua sa course. La mâchoire serrée, il traversait le carrefour quand deux voitures avancèrent sur le croisement. Il entendit un violent bruit de tôle et sut qu'il venait de frôler la mort. Pouvait-on risquer sa vie et celle d'autres personnes pour n'en sauver qu'une ? Il chassa cette pensée et se focalisa sur la conduite. « Judith, je ne te laisserai pas tomber », murmura-t-il.

C'est alors que la chance lui sourit. Il aperçut au loin une foule de manifestants qui bloquaient la rue. La Chevrolet dut ralentir, mais alors que Nimrod se rapprochait, il la vit tourner à droite dans Jester Street. « Et merde ! » ragea-t-il.

Quand il arriva au croisement, un rictus vengeur étira ses lèvres. Les automobilistes qui avaient quitté l'avenue se retrouvaient trop nombreux dans cette petite rue étroite et étaient obligés de rouler au ralenti. Nimrod réussit à les doubler par la droite et put ainsi remonter la file de véhicules. La Chevrolet était de nouveau en vue.

Il la dépassa et vint se placer devant la voiture. Il réalisa alors qu'il n'était pas armé, tandis que les ravisseurs avaient un taser et sans doute une arme à feu. Le conducteur accéléra d'un coup. Nimrod fit un bond et sauta de la moto. La Chevrolet le rata d'un cheveu, mais percuta la Yamaha, qui vint frapper l'arrière d'un pick-up situé devant eux. Deux hommes de forte corpulence au look de *rednecks* en sortirent.

— Putain c'est quoi ce bordel, s'écria l'un des deux.

— Ces types m'ont foncé dessus, ils ont kidnappé ma femme ! hurla Nimrod en se redressant.

Les *rednecks* lui jetèrent un regard dubitatif jusqu'à ce que la Chevrolet, prise en sandwich entre les voitures à l'arrêt, tente une manœuvre désespérée et monte sur le trottoir, manquant de peu de les écraser. Ils sortirent leur arme pour se défendre. Des tirs résonnèrent. La vitre arrière de la voiture explosa, puis ce fut un pneu. La Chevrolet racla un mur et s'immobilisa, alors qu'un klaxon se déclenchait. Une portière s'ouvrit et l'un des ravisseurs prit ses jambes à son cou.

— Appelez la police, lança Nimrod aux deux *rednecks*.

Puis il se mit à courir derrière le fuyard.

★

— On y est presque, dit Dafoe en ouvrant une porte.

La chambre était jonchée de débris. Deux corps nus et ensanglantés gisaient sur le sol dans une mare de sang. Ils avaient discrètement monté l'escalier, priant à chaque pas que rien ne craque, et avaient réussi à atteindre l'étage sans se faire repérer. Des tirs en rafales s'étaient fait entendre par intermittence. Ces gens-là n'avaient aucune pitié. Des mercenaires sans foi ni loi. Tracy n'avait que du mépris pour les forces de sécurité privées. « Un repaire de psychopathes ! » pensa-t-elle, certaine que le commanditaire de ce massacre n'avait pas dû chercher bien loin pour trouver des tueurs. Tracy entra dans la chambre à quatre pattes.

— C'est là, murmura Dafoe qui la suivait.

Tracy ne vit rien. Rien qu'un mur avec un tableau de William Turner criblé de balles.

— Où ça ?

Dafoe accéléra le mouvement et s'approcha du mur.

— Sous le tableau, il y a un bouton. Le mur est factice, expliqua-t-il en restant assis sur le sol.

Tracy le rejoignit.

— C'est vous la flic. C'est à vous de me protéger.

La sueur coulait sur le front de Dafoe. Ses mains tremblaient. Il était terrifié. Tracy non plus n'en menait pas large, mais elle devait faire face. Dos collé au mur, elle se redressa lentement tout en tendant son bras vers le tableau. Elle parvint à en toucher le cadre. Le temps semblait s'être arrêté. Son cœur s'emballa, son souffle se fit court. Elle savait qu'à tout moment un tir pouvait la faucher. Le tableau vacilla. Toujours dos au mur, elle se redressa davantage et, d'un geste maladroit, elle le fit tomber. Il heurta le sol dans un bruit sourd. Soudain, ils perçurent du mouvement dans l'escalier. Il n'y avait plus de temps à perdre. Tracy se redressa et appuya sur le bouton. La cloison coulissa silencieusement. Dafoe se rua à l'intérieur à quatre pattes, suivi de Tracy, tandis qu'une rafale de tir mitraillait tout le mur.

— Ils sont là-haut, entendirent-ils.

— Comment on referme ça ! s'énerva Dafoe.

Tracy entendit alors une voix familière.

— Attendez-nous ! hurla Scott.

— C'est là, s'écria Dafoe qui à cet instant aperçut le bouton rouge sur la droite.

Tracy le vit se relever et, dans un geste réflexe, elle lui faucha les jambes alors qu'il s'apprêtait à enclencher la fermeture.

— Lâchez-moi, on va tous crever, on n'a plus le temps !

L'homme se démenait comme un fou, mais Tracy était elle aussi déterminée. Elle ne laisserait pas mourir ces jeunes gens, alors qu'elle pouvait les sauver. Dafoe la griffa au visage, mais elle ne le lâcha pas. Des tirs résonnèrent dans l'escalier tandis que plusieurs rescapés se réfugiaient dans la *panic room*.

— Tracy, referme cette porte ! entendit-elle.

Elle relâcha Dafoe et se redressa pour voir Scott bondir dans la chambre, tirant derrière lui ses dernières balles. Elle posa la main sur le bouton rouge, mais fut incapable d'appuyer. Le temps se suspendit. Scott n'était pas encore en sécurité lorsque les tirs s'intensifièrent. Dans un dernier élan désespéré, il fit un bond en avant. Au même moment, Dafoe posa sa main sur celle de Tracy, l'obligeant à appuyer sur le bouton. Le mécanisme de la porte s'engagea aussitôt. Tracy eut envie de hurler. Scott avait failli être écrasé par la porte blindée qui se referma dans un bruit sec. Tracy se tourna vers Dafoe et lui envoya un violent coup de genou dans les parties génitales.

★

Nimrod était à bout de souffle, mais ses efforts commençaient à porter leurs fruits. Débouchant sur Nelson Street, il se rapprochait de sa proie. Vingt mètres les séparaient à présent. L'homme avait perdu de précieuses secondes en se retournant à deux reprises. Ils arrivèrent sur White Boulevard où se trouvaient de nombreux commerces. Le fuyard fut ralenti par les passants. « Je vais t'avoir, enfoiré », jura Nimrod la bouche grande ouverte.

L'homme traversa soudain la voie et slaloma entre les voitures. Ce fut un concert de klaxons et de freinages. Nimrod ne prit pas plus de précautions et passa de l'autre côté du boulevard sans encombre. Le fuyard se retourna. Ils n'étaient plus qu'à une dizaine de mètres.

Les touristes étaient déboussolés. Une vieille dame tomba à terre, Nimrod l'évita. Plus loin, le fuyard renversa une poussette. « Quelle pourriture ! » ragea Nimrod.

Soudain une sirène de police retentit. « À tous les coups, une patrouille. » Le fugitif tourna dans une petite rue adjacente. Nimrod la connaissait, un cul-de-sac. Le type n'était certainement pas du coin. Le détective ralentit et arriva devant la ruelle. Le fuyard tentait en vain d'ouvrir la porte d'un immeuble. Quand il comprit qu'il ne pourrait pas s'échapper, il se retourna et attendit.

— Qui êtes-vous ? Un mercenaire ? Qui vous a payé ? demanda Nimrod, une fois à sa hauteur.

L'homme ne répondit pas et se mit en position d'attaque. Nimrod se savait bon boxeur, mais pas suffisamment pour mettre une raclée à un expert en arts martiaux. L'homme s'avança et envoya son pied droit en avant. Nimrod recula, mais ne put éviter le pied gauche qui vint le frapper dans les côtes. Il tomba à genoux. Un deuxième coup de pied le frappa à la tête et l'envoya valdinguer en arrière.

— Arrêtez-vous. Mains en l'air ! ordonna une voix féminine.

Allongé sur le sol, la bouche en sang, Nimrod tourna la tête et reconnut la sergente Bilgen. L'homme leva les mains et s'avança lentement vers la sergente.

— Nathalie, tire-lui dans les jambes. C'est un tueur à gages ! hurla Nimrod.

À cet instant, la sergente reconnut l'ancien lieutenant.

— Nimrod ? fit-elle, étonnée.

Le fuyard profita de sa surprise pour tenter un coup désespéré. Il bondit en avant. La sergente n'osa pas tirer. L'homme la frappa en plein plexus solaire, puis lui donna un coup sur la tête. Assommée, Nathalie lâcha son arme qui tomba à proximité de Nimrod. Puisant dans ses dernières réserves, le détective rampa pour s'en saisir. Il venait tout juste de toucher la crosse du bout des doigts quand un pied lui écrasa la main. Nimrod poussa un hurlement.

— Tu mériterais que je te crève, dit l'homme détournant la tête.

— Plus un geste ! ordonna William Smith.

Le fugitif leva les bras.

— Tire ! Tire ! tonna Nimrod à l'adresse du coéquipier de la sergente.

Il y eut un drôle de bruit et les électrodes du taser frappèrent l'homme en pleine poitrine, le paralysant totalement.

★

— Merci ! Merci ! s'exclamèrent les rescapés.

— C'est fini, les renforts vont arriver, on ne craint plus rien, les apaisa Tracy qui se tourna alors vers Scott.

Il se tenait près de la porte blindée et souriait bêtement. À l'autre bout de la petite pièce sécurisée, Dafoe s'était mis à l'écart, replié sur lui-même.

— On s'en est sortis, lâcha Tracy.

Elle vit alors le sang qui tachait la chemise de son équipier.

— Tu as été touché, allonge-toi.

— J'ai mal partout.

Tracy s'attendait à ce qu'il crache du sang. Mais non, pas de poumon perforé. C'était déjà ça. Le gilet pare-balles avait fait son office.

— Laissez-moi faire, je suis infirmière, dit l'une des jeunes femmes.

Tracy s'écarta. La jeune femme se plaça près de Scott.

— Où avez-vous mal ?

— À la jambe et à l'épaule.

Tracy vit alors que son pantalon était lui aussi imbibé de sang.

— Il faut le déshabiller, ordonna l'infirmière.

Les deux jeunes femmes voulurent lui enlever sa veste, mais Scott se mit à hurler.

— John, viens nous aider, il nous faut un bâton ou quelque chose qu'il puisse mordre.

Le dénommé John se redressa, et trouva un morceau de corde sur une étagère. Tracy l'attrapa.

— Ça va faire très mal, mais dis-toi que c'est pour ton bien, lui assura Tracy.

Scott secoua la tête et tenta de lui envoyer une réplique ironique bien sentie, mais aucun son ne sortit de sa bouche tant la douleur était violente. Il mordit dans la corde quand on lui enleva sa chemise et faillit perdre connaissance.

— C'est là, fit la jeune femme qui avait trouvé la plaie. Il faut désinfecter et lui faire un pansement.

— Tenez, intervint Dafoe.

Il avait quitté le fond de la pièce pour leur apporter la trousse de secours.

— Merci, dit la jeune femme.

Elle arrêta l'hémorragie et ordonna à John de découper le pantalon pour trouver le second impact de balle. Tracy ne lâchait pas Scott des yeux. Elle lui avait pris la main et tentait de le rassurer.

— Tu vas t'en sortir, ce ne sont que des égratignures.

Scott mordait toujours dans la corde et elle vit des larmes dans ses yeux. Elle se força à ne pas craquer. Les secondes, puis les minutes passèrent. La jeune femme s'activait avec un savoir-faire admirable. Une vraie chance qu'elle soit là. Un miracle ! Soudain, le regard de Scott devint vitreux et sa main se relâcha.

— Non, non, non ! hurla Tracy.

★

— Nimrod ? appela le sergent Smith en s'approchant.

Le détective se redressa et grimaça en se demandant s'il n'avait pas une côte fêlée.

— Salut, Will, passe-lui vite les menottes, ce type est un coriace. Je m'occupe de Nathalie.

La sergente était au sol en train de recouvrer ses esprits.

— Ça va ? demanda-t-il.

— Moyen.

Elle tendit la main et Nimrod l'aida à se remettre debout. Smith passa les menottes à leur agresseur qui ne bougeait pas.

— Mais c'est qui ce type ? Pourquoi tu le poursuivais ?

— Ils ont agressé une cliente, siffla Nimrod. William, file-moi les clés de ta voiture.

— Écoute, je n'ai pas le droit, tu ne reviens que la semaine prochaine.

— Alors conduis-moi.

— Je ne vais pas laisser Nathalie seule ici. Tu dis qu'ils sont plusieurs ?

— S'il te plaît, donne-moi les clés.

Il jeta un regard vers l'entrée de la rue. Un attroupement s'était formé. Des curieux attendaient la suite des événements.

— Non, désolé, je ne peux pas. Attends les renforts. Je les appelle.

— Laisse tomber, j'y vais.

— Non, reste ici. Tu dois venir au commissariat. Il faut que tu témoignes et que tu fasses une déposition.

— William, dans une semaine je serai ton supérieur, alors pas d'excès de zèle, OK ?

— Laisse-le partir, c'est bon, trancha Nathalie. Tu nous rejoins dès que tu peux.

— Merci, dit Nimrod.

Les femmes étaient toujours plus compréhensives que les hommes. Il remonta la rue et revint sur White Boulevard. Il était incapable de courir. Il avait trop mal aux côtes. L'enfoiré n'y était pas allé de main morte. À la façon dont il bougeait, ce type n'était pas un vulgaire homme de main, il devait appartenir à une force de sécurité spéciale. Étonnant qu'il n'ait pas eu d'arme à feu sur lui. Nimrod prit le chemin en sens inverse jusqu'à revenir à son point de départ. Il vit une voiture de police qui avait réussi à se faufiler dans la rue à sens unique bouchée par les voitures. Il aperçut les deux *rednecks* menottés.

— C'est lui, c'est ce type ! rugit l'un d'eux.

L'attroupement qui s'était formé autour de la Chevrolet et de la moto renversée s'écarta pour le laisser passer.

— C'est lui, ils ont essayé de l'écraser, reprit-il en fixant Nimrod dans les yeux. Dites-lui qu'on vous a sauvé la vie !

— Il a raison. Ils sont du bon côté de la loi, confirma-t-il.

— Nimrod ? Qu'est-ce que c'est que ce bordel ? s'étonna le lieutenant Morrison en le reconnaissant.

— C'est une longue histoire. Rassurez-moi, vous avez récupéré la jeune femme qui était sur la banquette arrière ?

— Oui, on vient de la conduire aux urgences. Elle était inconsciente, mais a priori ses jours ne sont pas en danger.

Nimrod comprit que les hommes de main de la secte de la Vérité première avaient dû la droguer dès qu'ils l'avaient embarquée dans la voiture.

— Enlevez-nous ces putain de menottes ! grogna un des *rednecks*.

Nimrod s'approcha de lui et lui donna une tape amicale sur l'épaule.

— Merci, les gars. Vous aurez même droit à une médaille ! leur promit-il en prenant enfin le temps de souffler un peu.

22

ABIGAIL SE SENTAIT ENFIN HEUREUSE. Seth avait changé de travail. Il avait l'air plus épanoui. L'argent rentrait en abondance. Elle n'avait pas bien compris quelle était exactement sa profession, mais après tout, elle s'en moquait. Seth avait retrouvé la vigueur qui lui avait tant plu quand ils s'étaient rencontrés. Le seul inconvénient était ses absences. Il était de moins en moins souvent à la maison. Mais on ne pouvait pas tout avoir dans la vie. Et elle n'avait pas à se plaindre. Avec l'argent de son nouveau travail, ils avaient totalement rénové le chalet qu'il avait acheté, utilisant les matériaux les plus luxueux. Rien n'était trop beau. La maison était remplie de bibelots aussi inutiles qu'onéreux. Seth lui avait juré que certaines statuettes valaient des fortunes. Il s'était aussi acheté deux nouvelles voitures : une Porsche Carrera, et un Puck Ford Super Duty haut de gamme avec toutes les options possibles. Abigail adorait conduire ce dernier. Elle sentait bien que le voisinage les jalousait. Le bonheur avait repris le chemin de son foyer.

— C'est bon, tu es prête, tu es sûre de n'avoir rien oublié ? demanda Seth.

Il venait de vérifier toutes les fenêtres, et s'apprêtait à fermer la porte.

— Oui, au pire on achètera sur place, répondit Abigail.

Enfin des vacances. Ils allaient prendre l'avion pour aller en Californie, direction Pacific View. Le soleil. La plage. La belle vie. Seth activa l'alarme, puis se tourna vers son épouse.

— Tu sais que tu es la plus belle des femmes, toi, dit-il en la serrant dans ses bras.

Il l'embrassa fougueusement et Abigail oublia tous ses doutes. Une fois, elle avait remarqué un long cheveu blond sur sa veste. Mais elle n'avait jamais osé lui en parler. Pourquoi risquer de l'énerver alors que tout allait si bien ? Elle s'était rassurée en se disant que s'il l'avait trompée, cela signifierait qu'il ne la désirerait plus, ce qui était loin d'être le cas. Ils n'avaient jamais autant fait l'amour que depuis qu'il avait changé de métier.

— Je t'aime, Seth, murmura-t-elle.

Seth lui plaqua une main sur les fesses et les lui caressa.

— Arrête, le petit nous regarde, minauda-t-elle.

— On s'en fout, ça lui apprendra ce que c'est l'amour.

— Seth, je suis gênée, s'il te plaît, les voisins nous regardent aussi.

Seth se renfrogna et prit sur lui pour réfréner ses pulsions.

— Fous le petit à l'arrière, on y va.

Abigail s'en voulait d'avoir mis fin à ce moment romantique, mais Seth avait tendance à oublier les conventions. Leur quartier était le plus huppé de White Forest et Abigail voyait bien les regards suspicieux et envieux de leurs voisins. Personne ne les invitait jamais, tout juste lui disait-on bonjour quand elle croisait d'autres mamans au jardin d'enfants. Abigail attrapa son petit garçon de trois ans et l'attacha sur son siège. Il était l'amour de sa vie. Ses yeux vairons étaient trop craquants. Toutes les filles allaient l'adorer. Et il était tellement gentil. Il ne pleurait presque jamais. Si seulement il avait pu parler un peu plus, se désolait Abigail. Elle s'était confiée à sa pédiatre qui lui avait dit de ne pas s'inquiéter. Nimrod n'avait aucun retard de langage. Simplement, contrairement à la plupart des enfants de son âge, il était réservé, timide, mais rien de grave. « En grandissant, vous verrez vite qu'il n'arrêtera pas de s'exprimer, de vous poser d'incessantes questions », lui expliquait-elle pour la rassurer.

— Franchement, ce gamin me fout les jetons. Il me regarde trop bizarrement, grogna Seth.

Il s'était mis au volant et observait Nimrod dans le rétroviseur intérieur.

— Tu sais que je parle de toi, hein ?

Nimrod soutint le regard paternel sans broncher, tandis qu'Abigail finissait de boucler la ceinture de sécurité sur le siège auto.

— Voilà, on peut y aller, chéri.

Seth maugréa dans sa barbe et mit le contact. Abigail vint s'asseoir côté passager et le pick-up prit la route en direction de l'aéroport.

Coupé du reste de l'Alaska, White Forest était d'ailleurs appelé « la dernière frontière ». De larges étendues de forêts et de montagnes avaient été préservées à l'état sauvage. La région n'était abordable que par bateau ou par voie aérienne. En ce dimanche matin, la voie rapide menant à l'aéroport était quasiment déserte. Ils roulaient depuis cinq minutes quand Seth commença à râler.

— Regarde-moi ce connard, comment il conduit. Il roule presque sur les deux voies !

— Double-le et n'en parlons plus, dit Abigail.

— On donne vraiment le permis à n'importe qui !

Il fit des appels de phares à la Chrysler devant lui et mit son clignotant pour la doubler. Mais à peine commençait-il à accélérer que la Chrysler accéléra à son tour.

— Putain d'enfoiré !

Seth mit les gaz à fond, dépassa la Chrysler et, oubliant toute règle de conduite, lui fit une queue-de-poisson, avant de freiner d'un coup sec. Par miracle, le conducteur de la Chrysler réussit à s'arrêter à temps et à ne pas emboutir leur pare-chocs arrière. Seth stoppa la voiture et attrapa la matraque qu'il laissait toujours sous un siège. Un jeune couple était sorti de la Chrysler.

— Eh, vous êtes complètement cinglé ! Vous auriez pu tous nous tuer ! Vous êtes…

Mais le jeune homme ne put finir sa phrase. Seth lui envoya un coup de matraque en pleine tête et, malgré les hurlements de la jeune femme, il le frappa à coups de pied dans le ventre alors qu'il gisait au sol. Abigail sortit à son tour, et s'accrocha à Seth pour le calmer.

— Arrête, tu vas le tuer ! Arrête !

Il se retourna vers la jeune femme qui pleurait, accroupie sur le bitume à côté de son compagnon qui gémissait, la tête ensanglantée.

— Si jamais vous portez plainte, je vous jure que je vous retrouverai et que je vous tuerai. Compris ?

La jeune femme était complètement tétanisée. Comme l'était Abigail. Seth attrapa son épouse par le bras.

— Viens, dépêche-toi. On a un avion à prendre, on va finir par être en retard.

Ils retournèrent dans le pick-up dans un silence pesant. Seth jeta un coup d'œil dans le rétroviseur et vit que Nimrod le regardait impassiblement.

— Putain, arrête de me fixer ou je te crève les yeux, dit-il en serrant le volant de ses mains tachées de sang.

Abigail maudit les cieux et se mit à pleurer en silence.

23

NIMROD ARRIVA DANS L'ENTRÉE DU BALTO HOSPITAL, et s'arrêta à la réception.

— Bonjour, je viens voir Judith Gibson.

— C'est de la part de qui ?

— Nimrod Russell.

La réceptionniste prit son téléphone et composa un numéro. Nimrod avait fait aussi vite que possible, mais la circulation était anarchique à cause des manifestations des militants écologistes.

— Quelqu'un va arriver, si vous voulez bien patienter.

Nimrod la remercia et s'efforça de se calmer. Une envie de meurtre le tenaillait quand il repensait aux deux ordures qui avaient voulu enlever Judith. « Si j'avais été juste un peu moins rapide… » se demanda-t-il. Un frisson lui parcourut l'échine. Des sirènes d'ambulances annoncèrent leur arrivée. Bientôt, Nimrod vit entrer les véhicules dans la cour de l'hôpital, gyrophare en action.

— Qu'est-ce qui se passe ? demanda Nimrod à la réceptionniste.

— Vous n'êtes pas au courant ?

— De quoi ?

La femme prit un air très solennel.

— Il y a eu une attaque terroriste. Ils s'en sont pris à Sam Dafoe, chez lui. Vous savez, le leader du mouvement écologiste.

Nimrod comprenait mieux la raison de l'ampleur des manifestations en centre-ville. Dehors, les ambulanciers s'affairaient à déplier des brancards pour accueillir les blessés qui arrivaient enveloppés dans des couvertures de survie.

— Bonjour, Nimrod.

Le détective se retourna. Le lieutenant Jeremiah Price se tenait devant lui.

— Salut, tu peux me conduire à ma cliente ?

— Je crois qu'avant, on va devoir parler.

— Je comprends, mais je veux la voir. Je veux seulement lui parler deux secondes.

— Justement, le shérif nous a donné l'ordre de t'interdire de l'approcher tant que nous ne savons pas de quoi il retourne.

— Arrête, c'est bon. Tu crois que je suis complice ?

Nimrod n'avait jamais eu d'atomes crochus avec ce lieutenant, mais il avait tendance à le prendre pour un bon flic, chacun sachant respecter le travail de l'autre.

— Non, mais les ordres sont les ordres. Ne m'oblige pas à employer la force.

Nimrod soupira et se rappela soudain tout ce qui lui était insupportable dans la police. Comme par exemple être obligé de suivre à la lettre des procédures absurdes.

— Écoute, ce n'est pas « que » ma cliente. J'ai vécu six ans avec elle. Imagine, si tu étais à ma place ?

Jeremiah était mal à l'aise.

— On a essayé de la kidnapper et vous détenez les deux crapules qui ont tenté de faire le coup, plaida Nimrod.

— Suis-moi, mais deux minutes, pas une de plus. Et en ma présence.

— Merci.

Ils passèrent les doubles portes de l'entrée et appelèrent un ascenseur.

— C'est quoi cette histoire d'attaque au domicile de Sam Dafoe ?

Jeremiah fit la moue.

— Je ne peux pas t'en parler. On verra ça au commissariat.

— Ça craint tant que ça ? J'ai vu trois ou quatre ambulances. Il y a beaucoup de blessés ?

— Je ne peux rien te dire. Allez, viens, lâcha Jeremiah alors que la porte de l'ascenseur s'ouvrait.

Jeremiah le conduisit deux étages plus haut à la chambre de Judith. Elle était en compagnie du docteur Paltrow.

— Bonjour Nimrod, votre cliente va bien.

Judith se sentait un peu vaseuse et lui fit juste un petit signe de la main en souriant.

— Je viens de l'ausculter. Bons réflexes, pas de perte mémorielle. Mais je vais la garder en observation en attendant le résultat des analyses sanguines. A priori, ils lui ont fait respirer de l'éther, mais je veux m'en assurer.

— Merci, répondit Nimrod en s'avançant près du lit. Comment tu te sens ?

— J'ai connu mieux, articula Judith, difficilement.

— Tu m'as fait une peur bleue.

— Parce que tu crois que je l'ai fait exprès ?

Il sourit et répondit :

— Je vais aller faire ma déposition au commissariat. Je vais devoir tout leur dire, tu comprends ?

— Tu es sûr que c'est la meilleure chose à faire ?

Nimrod sentit la pression de Jeremiah dans son dos.

— Oui, il faut que tu me fasses confiance.

Judith le regarda droit dans les yeux.

— Tu ne me laisses pas tomber, hein ?

— Jamais. Je te le promets.

Nimrod prit la main que Judith lui tendait et la serra entre les siennes.

— Je reviens dès que je peux. Des policiers vont rester en faction. Tu ne risques plus rien.

— Tu es un amour.

Il relâcha sa main et sortit de la chambre. Dès la porte refermée, Jeremiah s'adressa à Nimrod d'un air gêné :

— Désolé, mais on n'a pas d'homme en faction.

— Mon amie a subi une tentative d'enlèvement et personne ne la protège ?

— On a attrapé les deux hommes qui ont fait le coup. L'un est en réanimation, l'autre est en cellule au commissariat. Elle ne risque rien.

— Ah oui, et tu crois que je me satisferai de tes excuses si tu as tort ?

— Écoute, c'est compliqué. On est débordés, se justifia Jeremiah qui ne souhaitait pas s'étendre sur le sujet. Va au commissariat. Je reste ici jusqu'à ce que je trouve quelqu'un pour me remplacer.

Nimrod préférait ça. Néanmoins, il savait qu'il n'obtiendrait rien de plus. Il remonta le couloir et se dirigea vers l'ascenseur. La porte s'ouvrit et Tracy en sortit.

— Salut, fit-il en se forçant à retrouver le sourire.

— Salut, Nimrod, répliqua-t-elle d'un ton sec. Je te cherchais, justement. Qu'est-ce qu'il t'est arrivé ? C'est quoi cette histoire de kidnapping ? Qui est cette fille ? Je veux tout savoir !

— Chut, calme-toi. On va parler, mais ailleurs.

— Que je me calme ? J'ai failli crever, Scott est entre la vie et la mort. Alors non, je ne vais pas me calmer et tu vas tout me dire !

— Mais de quoi tu parles ? Quel rapport avec moi ?

— Pas de ça avec moi. Tu veux me faire croire que ton agression et celle du chalet où se trouvait Sam Dafoe ne sont pas liées ? À d'autres, je veux tout savoir.

Nimrod plissa le front. Il ne comprenait rien à ce qu'elle racontait.

— Tracy, comment va Scott ? demanda le lieutenant Jeremiah Price en quittant sa position devant la chambre de Judith.

— Il a perdu beaucoup de sang. Son cœur s'est arrêté deux fois dans l'ambulance. Son pronostic vital est engagé...

Elle ne put achever sa phrase.

— C'est bon, je m'en occupe, dit Nimrod qui passa le bras autour de ses épaules.

Il la fit passer devant lui et appuya sur le bouton de l'ascenseur pour descendre.

— Tracy, je vais tout te dire de mon affaire, mais je crois que tu devrais commencer et m'expliquer ce qui s'est passé de ton côté. Je ne comprends rien à ce que tu me racontes.

Tracy le regarda d'un air soupçonneux.

— Excuse-moi, mais tu n'es vraiment pas au courant ?

Nimrod fit non de la tête.

— On a trouvé un cadavre hier. On l'a identifié ce matin. C'est celui de Brent Collins. Un milliardaire génie de l'informatique qui s'était retiré des affaires pour se lancer dans la philanthropie et la sauvegarde de la planète...

Il y avait une grande effervescence au rez-de-chaussée de l'hôpital. Tout le personnel hospitalier était sur le pont. Des médecins aux aides-soignantes, des infirmiers aux agents d'entretien, tous avaient le même visage concentré. Nimrod conduisit Tracy à l'extérieur. La pluie avait enfin cessé. Ils allèrent jusqu'au parking où Nimrod découvrit le Cherokee de la lieutenante. Il était criblé de balles. Le pare-brise défoncé.

— Tu as roulé avec ça ?

— Oui. Tiens, c'est toi qui conduis, répondit Tracy en lui tendant ses clés.

— On va où ?

— Au commissariat. Tu comptais aller où ? demanda-t-elle, ironique.

Nimrod aurait préféré discuter dans un lieu plus calme qu'une salle d'interrogatoire.

— Tu disais que vous aviez identifié le cadavre ?

Tracy lui raconta l'affaire dans les moindres détails. Sa voix tremblait et des larmes de colère roulaient sur ses joues. Ils étaient presque arrivés à destination quand elle lui expliqua que les renforts les avaient récupérés dans la *panic room* où ils se trouvaient depuis une demi-heure.

— Il y avait des cadavres partout. Dix-sept gamins tués de sang-froid.

— Mais comment est-ce possible ? Vous avez une piste ? demanda Nimrod qui, au même moment, vit la foule de manifestants amassés devant le commissariat. On ne va pas pouvoir entrer en voiture. Ça t'embête si on y va à pied ?

— Non, au contraire…

24

— Vous avez bien saisi, le FBI reprend l'affaire, et je leur ai promis notre entière collaboration. C'est compris ?

— Oui shérif, répondirent à l'unisson les agents assis dans la salle de réunion.

Le shérif Trevor Reynolds avait réuni tous les effectifs qui n'étaient pas affectés à l'extérieur pour un grand briefing. Il leur avait exposé les faits tels qu'ils s'étaient déroulés. Tout le monde avait été choqué par l'ampleur de la tuerie et ému par le sort incertain du lieutenant Scott Wright. La plus grande tragédie qu'ait connue White Forest depuis fort longtemps.

— Des questions ?

Une main se leva. D'un hochement de tête, Trevor autorisa l'intervenant à prendre la parole.

— Vous avez dit qu'on n'avait aucune piste ? Mais vous, vous en pensez quoi ?

— Tout est possible : une vengeance personnelle, un complot, un attentat terroriste. Je n'en sais fichtre rien. Une chose est sûre, je vous promets qu'on va retrouver ces ordures. Tous, sans exception, et ils le paieront très cher, dit-il d'un ton sans équivoque avant d'ajouter : D'autres questions ?

Plus personne n'avait envie d'intervenir.

— Très bien, c'est fini. Je vais vous demander de bien vouloir reprendre vos postes, et si cela vous paraît trop difficile, vous pouvez rentrer chez vous. Sachez qu'une psy est à votre écoute si vous le souhaitez, conclut-il sans trop de conviction pour cette dernière proposition.

Trevor quitta la petite estrade de la salle de réunion et traversa l'allée centrale pour retrouver Tracy et Nimrod. Ils étaient entrés en cours d'allocution et étaient restés au fond de la salle.

— Suivez-moi.

Le shérif passa devant eux et se dirigea d'un pas vif vers son bureau. Nimrod et Tracy prirent place face à lui.

— Nimrod, je veux que tu me racontes toute ton histoire. Qui est Judith Gibson et pourquoi t'a-t-elle engagé ?

— Autant que vous le sachiez, c'est une ancienne petite amie. On a vécu plusieurs années ensemble, puis on s'est séparés. Je n'avais plus eu de nouvelles jusqu'à hier.

— Ne le prends pas mal, mais va droit au but, le coupa Trevor le visage secoué de tics nerveux.

— OK, reprit Nimrod qui comprenait aisément la situation. Son mari a enlevé son enfant.

— Quoi ? Mais c'est un travail de flic, pas de détective ?

— Je sais. En fait, elle a divorcé il y a trois mois et son mari a obtenu la garde partagée de leur petit garçon. Dès le premier échange, il ne le lui a pas rendu et a quitté Fairbanks où ils vivaient tous les deux, sans laisser de traces.

— Très bien. Mais je ne vois pas le rapport avec le fait qu'on ait voulu la kidnapper, s'étonna Trevor.

— Sauf si on voulait à tout prix qu'elle cesse ses investigations.

— Un kidnapping n'est pas le moyen le plus discret pour faire taire quelqu'un.

— Judith n'a pas de famille, elle ne connaît personne à White Forest, exposa Nimrod. Si je n'avais pas été à ses côtés, qui se serait soucié de sa disparition ?

— Donc, rien à voir avec mon affaire, conclut Trevor qui préférait ça.

— Non, aucun rapport, confirma Nimrod.

Tracy, qui jusque-là n'était pas intervenue, prit la parole.

— Je ne sais pas, j'ai toujours eu du mal avec les coïncidences.

— Et tu verrais quoi comme rapport ? s'agaça Trevor.

— Je ne sais pas, mais deux attaques concomitantes à White Forest, je sens que ce n'est pas normal.

— Ça je te le garantis, ce n'est pas normal. Mais de là à imaginer qu'on a tué une vingtaine de personnes pour occuper la police et pratiquer un enlèvement qui a totalement foiré, franchement, non.

— Je n'ai pas dit ça, se défendit Tracy. Mais est-ce que je peux au moins interroger le type que William et Nathalie ont ramené ?

Trevor regarda sa montre.

— D'accord, mais vingt minutes, pas plus. Les agents du FBI vont débarquer dans moins d'une heure et je veux que tu ailles les accueillir à l'aéroport.

— Pourquoi moi ?

— Parce qu'ils veulent te parler en premier. Tu es la seule personne d'autorité rescapée de ce massacre. Les jeunes sont tous sous le choc. Ils espèrent que tu sauras leur donner de précieuses infos.

— Mais je vous ai dit que je ne savais rien.

— Écoute, on fait comme ça, et ce n'est pas négociable.

Tracy se renfrogna. Elle détestait les agents du FBI, avec leur manière de se sentir supérieurs.

— De toute façon, tu n'iras pas seule. Le temps que Scott se remette de ses blessures, je vais te donner un nouveau partenaire.

— Quoi ? Hors de question. Je préfère rester seule, s'indigna Tracy.

Trevor eut un petit sourire en coin, et ouvrit un tiroir.

— Non, tu iras avec Nimrod. Un point c'est tout.

— Mais je ne suis pas encore réintégré et je tiens à retrouver le fils de Judith Gibson, objecta Nimrod.

— Qu'à cela ne tienne, tu pourras continuer, dit Trevor qui sortit un pistolet rangé dans un étui et une plaque de lieutenant à son nom.

Il les posa devant lui sur le bureau.

— Tu reprends le travail dès maintenant. Pour la paie, je te compterai la journée. Va voir Cindy pour signer l'avenant qui t'officialise dès cet instant en tant que digne représentant de la loi.

Nimrod ressentit une impression bizarre. Il se sentait plus sûr de lui, plus fort. Il prit la plaque, celle qu'il avait dû abandonner trois ans plus tôt.

— Vous ne l'aviez pas jetée ? s'étonna-t-il.

— C'est Tracy qui l'avait gardée. Elle a un bon instinct.

Gênée, la lieutenante se leva.

— Bon, puisqu'on a peu de temps, on devrait aller interroger notre type.

★

Dès qu'il entra dans la salle d'interrogatoire, Nimrod sentit monter en lui des envies de meurtre. Il se revit face à cet homme et se souvint des coups qu'il avait reçus dans la ruelle.

— Comme on se retrouve ! s'exclama-t-il en s'asseyant face au prévenu.

Tracy resta debout en retrait et le dévisagea. La trentaine, visage carré, cheveux courts. Un costume plutôt bien taillé. La Mafia ?

— Je ne parlerai qu'en présence de mon avocat.

Le sergent Peterson les avait prévenus qu'il n'allait pas tarder.

— C'est toi qui vois, mais si j'étais à ta place, j'essaierais d'être le plus coopératif possible. Kidnapping et tentative de meurtre sur un représentant des forces de l'ordre : si ce n'est pas la peine de mort, c'est la perpétuité qui t'attend.

— Je n'avais pas d'arme sur moi.

— On peut tuer de bien des façons, et surtout tu as essayé de récupérer l'arme d'un policier. Ce n'était pas très malin.

— C'est votre parole contre la mienne.

— Sans doute, mais n'oublie pas que je suis assermenté et, surtout, que tu vas être jugé par les citoyens de White Forest. Tu crois vraiment qu'ils auront envie d'être cléments envers toi ? ironisa Nimrod.

— Parle-nous de tes liens avec l'attaque du chalet, intervint Tracy.

L'homme écarquilla un instant les yeux avant de se ressaisir. Un aveu de culpabilité ou une incompréhension totale ?

— Vous délirez complètement. Je veux parler à mon avocat.

— Une vraie tête de mule, s'agaça Nimrod. OK, tu auras eu ta chance. Nous allons interroger ton comparse et lui proposer un accord en échange de ses aveux. Es-tu certain que tu peux avoir confiance en lui ?

Un tic nerveux secoua le visage du prévenu.

— Je veux bien vous parler, mais je veux d'abord voir mon avocat.

— Non, ça ne marche pas dans ce sens. Tu nous parles d'abord et après tu le verras.

— Je veux des garanties signées, je connais mes droits.

Tracy ressentit du mépris à son égard. Elle était toujours étonnée de constater que les pires crapules qui bafouaient toutes les règles de la société se protégeaient derrière le sacro-saint droit américain comme si elles le respectaient.

— Je te garantis que tu vas croupir en cellule jusqu'à la fin de tes jours si tu ne nous parles pas, menaça Nimrod.

— Un accord et après je vous parle. Pas avant.

— Non, finalement, je n'ai pas vraiment envie de te sauver. On va aller parler à ton complice.

Il se leva et fit un signe de tête à l'intention de Tracy. Les deux lieutenants quittèrent la pièce en silence, espérant que l'homme changerait d'avis. « Un vrai dur ou un suicidaire », soupesa Tracy.

— Ramène-moi cette ordure en cellule, lança Nimrod au sergent Patterson qui attendait dans le couloir.

Tracy regarda sa montre.

— On n'aura pas le temps d'aller à l'hôpital. Il faut aller chercher les gars du FBI.

— Je les avais oubliés, ceux-là !

— Mais je peux y aller toute seule. Va à l'hôpital, interroge son complice et rejoins-moi ici.

— Non, on est une équipe, je viens avec toi. Qui plus est, je pense que ces deux types sont des professionnels, ils ne parleront pas sans leur avocat.

— Je ne devrais pas dire ça, mais il a raison : sans arme, ça va être difficile de parler de tentative de meurtre. Ils savent qu'ils ne risquent pas la perpétuité.

— Ils ont quand même tenté de m'écraser. S'ils ne veulent pas d'arrangement, j'irai témoigner et je serai convaincant, tu peux me croire.

« Le héros de White Forest, celui qui avait sauvé des centaines de vie l'hiver dernier », pensa Tracy. « Oui, un jury populaire pencherait à coup sûr de son côté. »

— Je suis contente que tu sois revenu.

Ils prirent les clés d'une voiture de fonction et ressortirent du commissariat. La foule de journalistes et de manifestants leur sembla encore plus impressionnante. Les questions fusaient de toutes parts. Mais ils continuèrent à avancer sans y répondre et montèrent dans une Ford Taurus avant de pouvoir souffler. Tracy fit marche arrière et dut utiliser son gyrophare pour parvenir à se faire un chemin sans écraser quiconque. Des mains frappèrent leurs vitres. Des écologistes persuadés que la police avait une part de responsabilité dans le massacre du chalet. Une canette de bière rebondit sur leur pare-brise. Des visages hargneux et des doigts d'honneur s'écartaient au dernier moment sur leur passage. Ils s'échappèrent tant bien que mal en direction de l'aéroport. La nature avait repris ses droits le long de la voie rapide. Plus aucun bâtiment. Seulement la forêt et ses immenses sapins sur la droite et Douglas Island à gauche.

— Bon, et si tu me parlais de ton ex-petite amie, demanda Tracy.

— Je t'ai tout dit. Judith recherche son enfant.

— Oui, sans doute, mais je n'ai pas souvenir que tu m'aies déjà parlé d'elle. Pourtant tu as précisé au shérif que tu avais vécu six ans avec elle.

— Parce que toi tu m'as déjà parlé de tous tes ex, peut-être ? ironisa-t-il.

— Non, mais si j'avais passé six années de ma vie avec quelqu'un je crois que je t'en aurais parlé à un moment ou à un autre.

— Eh bien, pas moi. Le passé, c'est le passé.

— Pourquoi ça s'est terminé ?

— Parce qu'on ne s'aimait plus. Des choses qui arrivent.

— Non, en général, l'un des deux est toujours amoureux. C'est comme ça, affirma Tracy.

Elle ne croyait pas au consentement mutuel. Pour elle, dans une séparation, il y avait toujours un fautif et une victime. Même dans les cas de séparation à l'amiable, l'un des deux n'était pas forcément d'accord pour rompre.

— Alors nous étions l'exception.

— Je ne veux pas t'embêter, mais tu ressens toujours quelque chose pour elle, non ?

— Écoute, arrête avec tes questions, je ne vois pas où tu veux en venir.

— Je veux en venir au fait que le lieutenant Price a recueilli son témoignage à son réveil. Et figure-toi que, quand il lui a demandé son adresse, elle a dit que tu l'hébergeais.

Nimrod eut un petit rire.

— Je vois, tu crois que je trompe Holly ?

— Je ne veux surtout pas te juger, mais tu ne serais pas le premier homme à faillir devant le retour de son premier amour.

— Ce n'est absolument pas le cas. Je ne ressens plus rien pour elle. Je suis amoureux d'Holly.

— Holly est mon amie, c'est moi qui te l'ai présentée, alors..., fit-elle sans achever sa phrase.

— Alors quoi ?

— Alors ne trahis pas ma confiance.

— Ne le prends pas mal, mais j'ai bien d'autres priorités, c'est la confiance qu'Holly a en moi qui m'importe le plus. Alors je te le redis une dernière fois : non, je n'ai pas couché avec Judith. Compris ?

— D'accord, pas la peine de t'énerver. Au fait, son mec, c'est quoi son travail ? Pour engager deux grosses brutes épaisses, c'est soit un mafieux, soit un type plein aux as.

— Un type plein aux as. Il travaille dans l'import-export, mais je n'en sais pas plus.

— Et le divorce ? Consentement mutuel ? dit-elle avec un léger sourire en coin.

— C'est elle qui en a eu assez. Son mari a fait une crise mystique et est devenu très religieux. La Vérité première. Un mouvement proche de la Kabbale, mais…

— Tu déconnes, le coupa Tracy qui détourna le regard de la longue route droite pour se tourner vers son équipier.

— Non. Pourquoi ?

— On a retrouvé un tatouage kabbalistique sur le corps de Brent Collins, ou plutôt sur ce qu'il en restait.

Nimrod plissa le front.

— Ton Collins faisait partie d'une secte ?

— A priori non, mais peut-être ne voulait-il pas en parler.

La route fit un coude et, d'un coup, leur révéla tout l'océan.

— D'accord, mais ça ne relie pas pour autant nos deux affaires. Qui n'adhère pas à une quelconque Église dans ce foutu pays ? grommela Nimrod qui ne voyait là qu'une simple coïncidence.

— Je ne sais pas. Mais c'est bizarre. Tu es sûr que ta Judith ne te mène pas en bateau ? Est-ce qu'elle a un gamin au moins ?

— Oui, j'ai vu ses photos, il est très mignon.

— Tu sais, ce sont peut-être des photos montages ou tout simplement un neveu.

— Arrête, je connais Judith. Je sais quand elle me ment.

— Les hommes pensent toujours connaître leur femme, mais je peux t'assurer que vous ne savez rien sur nous. Si nous savons simuler des orgasmes, nous savons simuler bien d'autres choses encore.

— Vernon sait ça de toi ?

— Tu vois très bien ce que je veux dire.

— Oui, eh bien, arrête tout de suite. Judith n'a rien à se reprocher. Fin de la discussion.

— Tu sais, je crois...

— Stop, j'ai dit stop.

Le ton n'était plus amical. Tracy comprit qu'elle n'en tirerait rien de plus et reporta son attention sur la route.

★

Nimrod et Tracy attendaient leurs invités à proximité de la piste d'atterrissage. Le vent s'était levé et les nuages matinaux s'en étaient allés. Ils virent tout d'abord un point à l'horizon, puis la forme effilée d'un jet, et entendirent enfin le bruit des réacteurs. L'appareil s'approcha et entama sa descente. Tracy apprécia d'être sur place. Elle avait toujours été attirée par l'aviation, et dans une autre vie elle aurait adoré être pilote.

Les roues du jet touchèrent l'asphalte une première fois, puis, dans un léger rebond, une seconde fois avant de se stabiliser sur le sol. Le bruit était si assourdissant que les deux policiers durent se boucher les oreilles. Le jet quitta la piste d'atterrissage et bifurqua vers la zone de débarquement. Les moteurs furent mis à l'arrêt. La passerelle amovible se découpa du fuselage et toucha le sol. Un homme et une femme en costume noir et chemise blanche descendirent les marches. L'homme portait une cravate. Il avait environ quarante ans. Il était rasé de près, le brushing chahuté par le vent. Il sortit des lunettes de soleil, qu'il posa sur son nez. La femme, trente-cinq ans, était petite, les cheveux roux coupés au carré. Une peau laiteuse, perlée de taches de rousseur, et un regard doux.

— Mulder et Scully. Je croyais qu'ils avaient été mis à la retraite, s'amusa Tracy.

Nimrod siffla le générique de la série télévisée, alors que les agents du FBI approchaient, attaché-case à la main.

— Bonjour, lieutenant. C'est vous qui étiez sur les lieux de l'attaque ? demanda l'homme, de but en blanc, à l'intention de Tracy.

— En effet, c'est bien moi.

— Vous pouvez nous y conduire ?

— Bien sûr.

D'autres personnes étaient également descendues du jet et commençaient à décharger tout un stock de matériel.

— Des voitures de location doivent nous attendre, vous savez...

— Vous pourriez peut-être vous présenter, interrompit Nimrod qui se mit devant eux. On ne vous apprend pas la politesse à Quantico ?

L'homme enleva ses lunettes de soleil.

— Nimrod Russell, dit ce dernier d'un ton dédaigneux. Vous n'avez rien à faire ici. Vous n'êtes pas habilité à enquêter sur cette affaire.

— Faux, je suis redevenu flic depuis – il regarda sa montre – une heure environ.

— C'est exact, valida Tracy.

L'agent grimaça.

— Soit. Nous nous passerons de vos services. Vous pouvez disposer.

Nimrod sourit.

— Votre nom ? dit-il en prenant son téléphone. Je veux vérifier que vous êtes bien du FBI.

— Milton, on attend les autres ? demanda une voix derrière eux.

C'était l'un des hommes qui s'activaient à sortir le matériel du jet.

— Non, on se sépare en deux.

— Si vos collègues connaissent le chemin, vous n'avez pas besoin de nous, *Milton*, fit Nimrod. Tracy, viens, on rentre.

La lieutenante ne savait quoi penser du comportement des agents du FBI. Pourquoi tant d'agressivité ? C'était quoi leur problème ?

— Lui, c'est l'agent Wilder, et je suis l'agent Meadow. Mais vous pouvez m'appelez Grace, intervint l'agent Meadow.

Nimrod préférait cette attitude et fit face à la jeune femme.

— Vous n'êtes là que parce que nous vous l'avons demandé. Le FBI n'a pas autorité ici. Aussi, si vous tentez de la jouer solo ou de nous mettre des bâtons dans les roues, le shérif n'hésitera pas à vous renvoyer d'où vous venez.

— Nous le savons et nous allons tout faire pour que ça se passe bien entre nous, répondit-elle, conciliante.

— Nimrod, je vais avec eux. Prends la voiture et rentre au commissariat. Je t'appelle dès que je peux.

— Tu en es sûre ?

— Oui, pas de problème.

Nimrod dévisagea l'agent du FBI et se promit de faire des recherches sur lui.

25

UNE FILE DE BERLINES DE LOCATION surgit du couvert des arbres. Le chalet apparut comme une scène de guerre tant il était criblé de balles. Plusieurs hommes faisaient le guet, arme automatique à la main. Au volant de la berline de tête, Tracy sentit la pression monter. Le lieutenant Doug Parsons s'avança et se détendit dès qu'il reconnut Tracy qui sortait du véhicule.

— Ça va ? lui demanda-t-il en posant une main sur son épaule.

La lieutenante préféra ne pas répondre. Des portières claquèrent et les agents du FBI s'avancèrent.

— C'est vous qui êtes en charge de la protection des lieux ? l'interrogea l'agent Milton Wilder.

— Si l'on veut.

— Vous n'avez touché à rien ?

Doug fronça les sourcils.

— Vous voulez dire à part les corps des gamins morts ?

— Oui, répondit Milton, sèchement.

— Non, allez-y, faites comme chez vous, lâcha Doug d'un ton méprisant.

Milton Wilder darda sur lui un regard supérieur et se retourna vers ses équipes.

— C'est bon, les gars, on prend le contrôle des lieux, dit-il en rajustant sa cravate.

Une vingtaine d'hommes vêtus de façon moins protocolaire remontèrent vers le chalet en portant d'énormes mallettes en métal. Les autres policiers en faction s'écartèrent et les laissèrent passer.

— Il se prend pour qui celui-là ? râla Doug. Tu crois vraiment qu'on avait besoin d'eux ?

Restée en retrait près de la berline, Tracy sentit un frisson la parcourir. Elle se revit dans la *panic room*.

— Ne le jugez pas trop vite, fit une voix dans leur dos.

Les deux lieutenants se retournèrent. L'agent Grace Meadow se tenait derrière eux, un paquet de cigarettes mentholées dans la main.

— Vous nous espionnez ?

— Non, mais je crois qu'il y a suffisamment de monde à l'intérieur.

— Vous pensez vraiment trouver les coupables en fouillant les lieux ? demanda Doug toujours revêche.

— Ne sous-estimez pas nos méthodes. Un simple cheveu, ou un poil, a déjà suffi à faire arrêter de nombreux criminels.

— Si vous le prétendez, répliqua Tracy, dubitative.

L'attaque était l'œuvre de professionnels. Du genre à se raser intégralement pour ne laisser aucune trace. Un homme au physique patibulaire s'approcha d'eux. Il était habillé d'un jean et d'un T-shirt.

— Grace, on est prêts, tu veux venir avec nous ?

— Oui, j'arrive.

Tracy vit le reste de l'équipe du FBI en train d'amasser toutes sortes d'ustensiles. Cordes, grappins, chaussures à crampons…

— Vous comptez faire de l'alpinisme ? se moqua Doug.

— Dans son premier rapport, le shérif nous a mentionné que ni les renforts ni les hélicoptères n'avaient aperçu de voitures fuyant les lieux.

— Évidemment. Ils ont dû s'enfuir avant qu'ils n'arrivent. Mais quel rapport ? s'étonna Doug. Nos hommes sont en train de fouiller la zone, vous feriez mieux de les aider.

— Les mines ! comprit soudain Tracy.

Grace Meadow esquissa un sourire forcé.

— Oui, l'Alaska est un vrai gruyère. Personne ne les a entendus arriver et personne ne les a vus partir, expliqua l'agent moustachu.

Tracy connaissait l'histoire de White Forest. Une ville de plus d'un siècle qui avait été construite à l'époque de la ruée vers l'or. Des milliers d'Américains et de nombreux immigrés y avaient tenté leur chance pour le meilleur, mais surtout pour le pire. Quand les filons s'étaient asséchés au début du XXe siècle, la ville s'était paupérisée et les habitants l'avaient désertée. Dans les années 1950, le tourisme avait pris le relais. Tout le monde avait oublié ces kilomètres de conduits souterrains, écroulés sur eux-mêmes pour la plupart.

— Vous savez où chercher ? demanda Tracy.

— Oui, vos services du cadastre nous ont scanné les anciennes cartes. Il y avait une mine à moins de deux kilomètres en amont.

— Je viens avec vous, dit Tracy.

Non seulement elle préférait rester éloignée de ce chalet, mais surtout, elle mourait d'envie d'affronter ses agresseurs.

— C'est gentil, mais ça va aller, répondit le moustachu en montrant son équipe qui sortait à présent des armes de gros calibre. Nous sommes en liaison avec vos équipes en hélicoptère. Dès que nous serons entrés, ils risquent de vouloir ressortir par d'autres issues. Restez ici, vous serez à l'abri.

— Non, je tiens à venir. N'oubliez que vous n'êtes ici que par le bon vouloir de notre shérif.

— Soit, si cela vous tente. Dans ce cas, suivez-nous.

26

— IL A PERDU BEAUCOUP DE SANG et a frôlé la mort, expliqua le docteur Joseph Paltrow.

— Je sais, mais je veux juste lui parler deux minutes, dit Nimrod.

Après avoir quitté l'aéroport, il avait fait aussi vite que possible pour retourner à l'hôpital et reprendre son affaire là où il l'avait laissée.

— Normalement, je ne devrais pas vous y autoriser. C'est bien parce que c'est vous.

— Merci Joseph, répondit-il alors que la porte de l'ascenseur s'ouvrait pour les libérer.

Un garde était en faction au bout du couloir.

— Ce type a droit à un avocat, faites attention à ce que vous allez dire.

Joseph avait beaucoup d'estime pour le lieutenant, mais connaissait aussi ses travers.

— Ne vous inquiétez pas, j'ai bien compris la leçon.

— J'espère, car vous n'aurez pas de seconde chance.

Le garde en faction reconnut Nimrod et lui fit un sourire de connivence.

— Salut Garth, quelqu'un est déjà venu le voir ?

— Non, tu es le premier.

Nimrod ouvrit la porte et vit le prévenu, allongé et menotté à un barreau du lit. L'homme tourna lentement la tête et ouvrit légèrement les yeux.

— Vous êtes qui ?

— Tu ne te souviens pas de moi ? demanda Nimrod en s'approchant.

— Non, on se connaît ? s'étonna l'homme qui se tourna vers Joseph. Docteur, cet homme fait partie de ma famille ?

— Donnez-moi votre nom, dit le médecin, soudain inquiet.

L'homme sembla se perdre dans les limbes de son cerveau et la peur apparut sur son visage.

— Je ne sais pas... Je ne me souviens de rien... Qu'est-ce que je fais ici ?

Joseph secoua la tête.

— Tout va bien. Vous avez eu un accident. Votre mémoire va revenir. Ne vous inquiétez pas. C'est fréquent après un gros choc.

L'homme regarda sa main menottée et tenta de s'en défaire avec frénésie.

— Calmez-vous, on l'a fait pour votre bien, expliqua Joseph.

— Relâchez-moi, relâchez-moi ! Je vous en prie.

L'homme avait les larmes aux yeux. Joseph se retourna vers Nimrod et prit son air le plus désolé.

— Il faudra repasser. Mon patient n'est pas en état de répondre à vos questions. Je suppose que vous pouvez le comprendre.

— Évidemment, fit Nimrod. Mais laissez-moi seul avec lui cinq minutes. Vous me l'aviez promis.

— Je ne peux pas.

— Qui est cet homme ? s'inquiéta le patient.

— Joseph, je vous promets que tout va bien se passer. Vous avez confiance en moi ?

Joseph secoua la tête.

— Pas de bêtises. Je ne vous couvrirai pas, dit-il dans un souffle.

Nimrod le remercia du regard. À peine la porte refermée, il s'approcha du lit.

— Ne me touchez pas, je ne sais pas qui vous êtes.

— Ah oui ? C'est dommage, je vais te rafraîchir la mémoire. Tu as tenté de kidnapper ma cliente et essayé de m'écraser avec ta voiture.

L'homme secoua la tête.

— Vous êtes fou, vous racontez n'importe quoi !

— Non, je vais te montrer ce que c'est la folie.

Nimrod vint se placer à la tête du lit. Il posa sa main sur la bouche du prévenu et enfonça ses doigts dans sa blessure à l'épaule. L'homme tenta de hurler, mais il ne parvint qu'à émettre un son assourdi. Il gesticulait dans tous les sens, essayant d'échapper à Nimrod qui ne lâcha pas prise, appuyant encore plus fort sur sa bouche, tandis que ses doigts s'enfonçaient dans sa blessure. Nimrod le relâcha et sortit aussitôt son arme.

— Tu sais très bien qui je suis et ce dont je suis capable. Je ne vais pas te tuer, seulement te tirer une balle dans les genoux et après tu ne remarcheras plus jamais droit.

— Vous ne le ferez pas, le nargua l'homme.

— Tu crois ça ?

Nimrod lui brandit son arme sous le nez.

— Vas-y, tire ! Qu'est-ce que tu attends ?

— Ne me tente pas !

— Tire, si tu as des couilles !

Nimrod vit la folie dans ses yeux. Il retira son arme et la rangea dans son étui.

— Tu n'es qu'un lâche, se moqua l'homme.

Nimrod sortit de la chambre. Le sergent de garde discutait avec le docteur Paltrow.

— Alors ? s'enquit ce dernier. Il vous a parlé ?

— Oui, il n'est pas plus amnésique que vous et moi.

— Qu'est-ce qu'il vous a dit ?

— Rien.

Le garde en faction se racla la gorge avant de l'informer :

— Au fait, Scott va mieux, il va s'en sortir.

— On peut le voir ? demanda-t-il en se tournant vers Joseph.

— Venez avec moi.

Ils s'engagèrent dans un labyrinthe de couloirs pour passer dans l'aile ouest de l'hôpital. Là, le docteur Paltrow retrouva l'un de ses collègues chirurgiens avec lequel il eut un court entretien au sujet de Scott. Au terme de cet échange, Paltrow et Nimrod rebroussèrent chemin jusqu'à la chambre du lieutenant.

— Deux minutes, pas plus, le prévint Joseph.

— Promis, assura Nimrod en abaissant la poignée de la porte.

Les stores étaient à moitié baissés. Une lumière tamisée éclairait la chambre. Scott tourna lentement la tête dans sa direction.

— Nimrod ? Qu'est-ce que tu viens faire ici ? dit-il d'une voix pâteuse.

— Voir si tu vas bien.

Le lieutenant avait un teint blafard et le regard fatigué.

— Je ne suis pas mort. Dommage pour toi.

— Pourquoi ?

Certes, Nimrod n'avait aucun atome crochu avec lui, mais il savait qu'il était un bon flic, et surtout de confiance.

— Tracy ne t'a pas dit ? Je vais rester son partenaire.

— Je sais. Pas de problème. Vous faites un bon binôme.

— Tu le penses vraiment ? s'étonna Scott, dubitatif.

— Oui, enfin pas aussi bon que celui que je formais avec elle, mais elle est là pour t'apprendre.

Scott eut un petit rire qui se transforma en quinte de toux.

— Ne déconne pas, ce n'est vraiment pas le moment.

— Tracy m'a raconté que tu t'étais sacrifié pour qu'elle ait le temps de trouver la *panic room*.

— Elle exagère. Si je m'étais sacrifié, je serais mort, non ?

— Tu vas t'en sortir ? Dans ce cas, je retire tout ce que j'ai dit.

De nouveau, Scott eut un petit rire. Nimrod sourit à son tour. Étonnant comme les drames pouvaient vous faire envisager la vie différemment. Voir ce collègue allongé dans un état lamentable après son attitude héroïque lui faisait oublier toute la rancœur qu'il avait contre lui depuis l'affaire qui les avaient amenés à se rencontrer six mois plus tôt.

— Bon, je vais te laisser.

— Dis-moi, Tracy va bien ?

— Oui, elle est sur le terrain avec le FBI, expliqua Nimrod. On va choper ces enfoirés. Tu peux compter sur elle.

— Je n'en doute pas une seconde, mais dis-lui de faire gaffe et si ça devient trop chaud, qu'elle laisse faire les fédéraux.

— Ne t'inquiète pas, je veille sur elle.

Sans un mot de plus, mais avec un sentiment d'apaisement, Nimrod sortit de la chambre. Il était temps pour lui de retrouver Judith.

27

CELA FAISAIT UN QUART D'HEURE qu'ils marchaient entre les sapins le long d'un sentier dans la montagne. Il ne faisait plus aucun doute pour les agents du FBI que le commando était passé par là. Des branches cassées, des traces de pas dans le sol boueux, et même un papier de chewing-gum en témoignaient. « Avec un peu de chance, on trouvera peut-être de l'ADN », avait dit Grace sans trop y croire. Des hommes aussi bien préparés devaient agir avec gants et cagoules.

En ce début d'après-midi, le soleil était encore haut et une douce lumière filtrée par les hautes branches des sapins nimbait le paysage alentour. Les oiseaux chantaient. Une journée idéale pour un pique-nique en famille, avait songé Tracy sans réussir à retrouver le sourire. Le sang. Tout ce sang… Elle n'arrivait pas à chasser ces images de son esprit.

Ils avançaient en file indienne, à l'exception de deux agents qui surveillaient leurs arrières et de l'éclaireur parti à petites foulées. Ils avaient tous trois disparu dans les fourrés au pied des sapins centenaires. Ils entendirent les pales d'un hélicoptère qui survolait la zone. Rien n'avait été laissé au hasard.

— On ne devrait plus tarder, dit l'agent Bacon en se retournant vers elle.

L'agent moustachu avait tout fait pour la dissuader de les accompagner, mais elle avait tenu bon, et Grace avait finalement tranché les débats en donnant son accord.

— Ça va, aucun problè…

Elle se prit le pied dans une racine et trébucha en avant. L'agent du FBI la rattrapa in extremis.

— Vous disiez ? fit-il en l'aidant à se redresser.

Elle se sentit rougir. Bacon sourit, et tout le monde reprit la marche. Ils s'arrêtèrent de nouveau deux cents mètres plus bas.

— On y est, dit Grace.

Ils se trouvaient devant une immense cavité dans le sol. Une corde était accrochée à un arbre pour permettre d'y descendre. Sur le côté, une plaque métallique rouillée qui avait été déplacée.

— S'ils n'ont pas pris la peine de la remettre en place, c'est qu'il y a une sortie à ce puits, estima l'agent Byrne, crâne rasé et barbe de trois jours.

Grace se mit à genoux et, se penchant légèrement en avant, pointa une puissante lampe torche qu'elle avait sortie d'un des sacs à dos. Le noir absolu.

— Je descends le premier, proposa l'agent Templeton.

Tracy ne savait pas quoi penser de lui. Un physique de jeune premier et une façon de parler aristocratique digne d'un lord anglais. Une drôle d'équipe, avait-elle pensé quand, tour à tour, ils s'étaient présentés.

— Non, laisse-moi faire. Je ne passe pas derrière toi, je te connais, Julian, dit l'agent Lafayette, une jeune métisse au regard hypnotique.

Tracy n'était pas sûre de comprendre ce qu'elle entendait par là, mais ne posa pas la question. Grace donna un ordre de passage à son équipe et laissa Bacon et Byrne surveiller leurs arrières.

— N'oubliez pas les sommations avant de tirer sur qui que ce soit, leur rappela l'agent du FBI.

Les deux hommes sourirent à pleines dents, et Tracy eut soudain plus peur de ces deux personnages que de ceux qu'elle risquait de trouver en bas.

— Vous êtes certaine de savoir descendre en rappel ? demanda Grace en se tournant vers Tracy.

— Oui.

Elle n'était pas une sportive de premier ordre, mais elle avait fait de l'escalade dans ses premières années en arrivant à White Forest. On lui fit passer harnais, sangle et mousqueton, puis une deuxième corde de sécurité qui la sauverait en cas de chute. Tracy remarqua que le commando qui les avait précédés n'avait pas pris toutes ces précautions.

— Ce sont des militaires qui ont fait ça, avança-t-elle plus pour elle-même que pour son entourage.

— Je dirais plutôt d'anciens marines ou *Navy seals*.

« Des soldats de fortune », comprit-elle.

D'anciens militaires travaillant comme mercenaires pour le plus offrant. Beaucoup finissaient dans les services de sécurité privée, mais certains, plus aptes à l'action, dans des organisations moins légales.

— Vous n'êtes pas obligée de nous suivre. Bacon peut vous raccompagner si vous le souhaitez.

— Non, je viens avec vous.

Grace hocha la tête et Tracy crut lire une certaine forme de respect dans son regard. L'agent Lafayette mit son arme automatique en bandoulière et passa la première. Moins d'une minute plus tard, elle actionnait son talkie-walkie et expliquait à Grace que le puits était à sec et faisait près de vingt mètres de profondeur. Les six membres de l'équipe du FBI descendirent un par un, et ce fut au tour de Tracy. Elle s'allongea sur le sol et fit glisser ses jambes dans le vide. Se rappelant ses cours d'escalade, elle attrapa la corde et se mit en position perpendiculaire à la paroi. De sa main gauche, elle contrôlait le nœud autobloquant de son appareillage, tandis que de l'autre, elle maîtrisait sa vitesse de descente en poussant la paroi avec ses pieds. Elle descendit sans encombre et retrouva tous les agents du FBI qui, arme à la main, équipés de lampes torches fixées sur le canon, se tenaient prêts à remonter le conduit. Une odeur forte et indéfinissable lui agressa les narines. Elle se retint de tousser.

— Bon, lieutenant, vous restez derrière nous, ordonna Grace qui s'avança au côté de l'agent Marston.

Des traces de pas étaient visibles sur le sol. Nul doute que le commando était passé par là. Deux rails parallèles longeaient tout le tunnel. Le groupe s'enfonça lentement dans les entrailles de la terre. Sans être une experte sur le sujet, Tracy savait que de nombreux puits de mines avaient été bâtis à la grande époque de la ruée vers l'or. Ces puits d'appoint permettaient d'une part l'évacuation des survivants en cas d'effondrement du puits principal, et d'autre part une meilleure circulation de l'air. Des conduits creusés à la dynamite et à la pioche formaient des labyrinthes souterrains qui débouchaient parfois sur des grottes naturelles. Un vrai paradis pour les spéléologues.

Tracy frissonna. Si les rayons du soleil estival réchauffaient les vastes étendues forestières de l'Alaska, en ces profondeurs la température était aussi fraîche qu'au cœur de l'hiver. Sans parler de l'humidité ambiante. Ils progressèrent prudemment sur plusieurs dizaines de mètres, avant de se trouver devant une intersection. Une deuxième galerie creusée manuellement permettait soit de partir à gauche, soit à droite. Mais les rails, eux, allaient tout droit. Ils décidèrent de les suivre. La lumière des lampes accrochées à leurs fusils, mais aussi de leurs lampes torches permit de retrouver les traces de pas.

— Par ici, chuchota presque l'agent Templeton en indiquant le boyau sur sa droite.

Il était en pente douce et rétrécissait sensiblement. Tracy commençait à étouffer. Un frisson la fit tressaillir. « C'est le froid », pensa-t-elle en se reprenant. Soudain, l'agent de tête leva son avant-bras, le poing fermé. Signe d'arrêt universel. Personne ne pipa mot. Et, dans ce silence angoissant, Tracy entendit très légèrement un son tout à fait reconnaissable…

— De l'eau, murmura Lafayette.

— Une rivière souterraine, compléta Grace.

Plus de peur que de mal. Ils reprirent leur marche et atteignirent enfin une cavité plus grande. Le spectacle était impressionnant. Une rivière souterraine s'écoulait devant eux. Ils avaient quitté le couloir creusé par l'homme pour atteindre celui créé par les forces de la nature. Les rails s'arrêtaient là, un chariot bloqué près de la berge.

— Et merde ! grogna Marston.

Les autres agents râlèrent à leur tour. Ils avaient pensé à tout, sauf à prendre des canoës pneumatiques.

— Il faut à tout prix savoir où débouche cette rivière, dit Grace.

Templeton se baissa et trempa sa main.

— N'y pensez même pas, l'eau est glacée.

— Il ne reste plus qu'à remonter et à revenir avec le bon matériel, conclut l'un des agents.

— OK, fit Grace dépitée. Allez, on se dépêche.

Tracy fut la dernière à quitter les lieux, fascinée par leur découverte.

28

— C'EST COMME ÇA et pas autrement, s'imposa Nimrod.

— Mais pourquoi ? Je suis bien ici. Et il y a peu de chances qu'ils tentent de m'enlever à nouveau.

Ils venaient tout juste de rentrer au chalet, et à peine avaient-ils franchi le pas de la porte que le détective lui avait demandé de faire ses bagages pour un lieu moins isolé.

— Ça, tu n'en sais rien.

— Ils vont se faire tout petits après ce que tu leur as fait. En plus, j'ai Laïka pour me protéger.

À cette évocation, Nimrod se revit six mois plus tôt et repensa à sa chienne qui avait failli mourir à cause de son invitée d'alors.

— Justement, je ne veux pas que tu la mettes en danger, répliqua-t-il.

— Merci ! Ça fait plaisir. Tu préfères ta chienne à moi, ironisa-t-elle.

— Tu sais très bien ce que je veux dire. Allez, prépare tes affaires, je t'attends dehors.

Judith poussa un gros soupir, mais n'insista pas. Cinq minutes plus tard, elle était sur le perron, prête à partir. Elle se baissa pour dire au revoir à Laïka.

— Ton maître est un monstre. Dès qu'on aura retrouvé mon fils, je t'emmène avec moi. Tu vas voir, Fairbanks est une ville incroyable.

Nimrod la regarda faire et préféra ne rien ajouter. Il cala les bagages de Judith avec un Sandow sur son side-car, puis enfourcha sa moto.

— Tu viens ?

La jeune femme caressa vigoureusement le pelage de la chienne et monta dans le véhicule. Nimrod mit le contact et, gardant un œil sur tout ce qui bougeait, il tourna la poignée du guidon pour démarrer. Vingt minutes plus tard, ils arrivaient dans le centre-ville de White Forest. Nimrod se gara devant le *Gold Digger*. Il était presque 14 heures. Le parking était bondé. Il attrapa les deux bagages et longea le bâtiment pour emprunter l'entrée réservée au personnel. Personne dans le vestiaire. Tout le monde devait être sur le pont pour le deuxième service du repas de midi.

— Ça sent la friture, dit Judith en plissant le nez alors qu'ils passaient devant les casiers du personnel.

— Tu ne vas pas dormir là, ne t'inquiète pas.

Ils arrivèrent dans le couloir qui menait aux cuisines et tombèrent sur un des commis.

— Bonjour, monsieur Russell, fit l'adolescent.

Le détective le salua en retour et lui demanda :

— Tu sais où est Holly ?

— Elle est en caisse. Vous voulez que je la prévienne ?

— Oui, s'il te plaît. Dis-lui que je vais dans ses appartements.

— J'y cours tout de suite.

Les joues du garçon avaient rougi quand il avait croisé le regard de Judith.

— Plutôt beau garçon. J'aime les timides.

— Détournement de mineur, tu connais ?

— J'ai presque son âge.

— Juste quinze ans de différence, mais tu as raison, ça ne se voit pas. Quoique...

— Je t'interdis ! protesta-t-elle avant de lui donner une tape amicale.

Il remonta vers le couloir et arriva devant la porte menant aux appartements privés d'Holly. Il sortit son trousseau de clés et l'ouvrit. Ils gravirent l'escalier et aboutirent dans un salon joliment arrangé. Nimrod posa les bagages près du canapé et ouvrit les rideaux. La façade arrière du saloon accolé au pied de la montagne offrait une vue splendide sur un tapis de sapins. Cet endroit était le point de départ de nombreux randonneurs.

— C'est quand même bien plus petit que chez toi, fit remarquer Judith.

— C'est pour ça que tu seras bien plus à l'abri. Il y a toujours du monde ici. Il te suffira de hurler et tu auras dix types qui te viendront en aide.

— Même la nuit ?

— Je dormirai à côté. J'ai le sommeil léger.

Ils entendirent des pas dans l'escalier. Holly fit son entrée.

— Bonjour Nimrod, lança-t-elle en restant dans l'encadrement du salon.

— Holly, je te présente Judith Gibson. Une ancienne amie qui recherche son fils.

— Oui, et... ?

— Et j'ai besoin de ton aide. On a tenté de la kidnapper, alors j'ai besoin d'un lieu sûr.

Holly demeura un instant sans voix, puis préféra en rire.

— Ne le prenez pas mal, mademoiselle, mais mon établissement n'est pas un hôtel.

Il ne fallait pas que cela devienne une habitude. Elle avait déjà hébergé une cliente de Nimrod six mois plus tôt et, même si elle ne le regrettait pas étant donné les circonstances dramatiques de l'époque, elle estimait que Nimrod allait un peu trop loin.

— Holly, s'il te plaît. C'est juste pour quelques nuits. Je t'en prie.

— Je ne veux surtout pas m'incruster. Nimrod, retournons chez toi, proposa Judith.

À cet instant, Holly se rendit compte que ces deux-là étaient plus que de simples amis.

— Non, bien sûr, je vais vous préparer une chambre. Je m'en voudrais s'il vous arrivait malheur.

— Ce ne sera pas la peine, le chalet de Nimrod est parfait. Et j'adore sa chienne.

— J'insiste, précisa Holly d'un ton sec.

Nimrod fit profil bas. Il sentit une pointe de jalousie dans la réponse d'Holly.

— Merci, tu es un amour, dit-il en venant l'embrasser furtivement sur la bouche.

Il reprit les bagages de Judith pour les monter dans sa chambre.

— Installe-toi, je reviens.

Il ressortit et à peine avait-il refermé la porte qu'Holly le plaqua contre la cloison du couloir.

— C'est qui, cette fille ?

— Chut, moins fort, elle va nous entendre. Viens.

Ils retournèrent dans le salon et Nimrod prit Holly dans ses bras.

— Je veux d'abord que tu me jures que tu ne la vireras pas d'ici. D'accord ?

— L'homme qui ne jure jamais me demande de le faire ? Non, je ne jure de rien, tant que je ne saurai pas ce qu'il y a entre toi et cette fille.

— On a eu une liaison, mais c'était il y a treize ans. J'avais vingt-deux ans. Il y a prescription, tu ne crois pas ?

— Ça a duré combien de temps ?

« Mauvaise question », pensa Nimrod.

— Six ans, répondit-il en grimaçant.

— Six ans ! Une simple liaison ! Tu es sacrément gonflé de la ramener chez moi. Tu ne m'as jamais parlé d'elle.

— Je ne t'ai jamais parlé de mes ex.

— Qu'est-ce qu'elle veut ? Tu as vu comment elle te regarde ? Elle est arrivée quand ?

— Hier.

Holly recula et son visage perdit les dernières traces de sympathie.

— Ne me dis pas...

— Elle est divorcée, elle n'a pas d'argent, je l'ai juste hébergée un soir. Mais ne va pas t'imaginer...

— Je ne veux plus t'entendre. Je retourne au travail. Mais ce soir on va avoir une grosse discussion tous les deux.

— Bien sûr, mais si tu prenais le temps de m'écouter une seconde, tu comprendrais que je n'ai pas le choix. Tu ferais pareil à ma place.

— J'en doute.

— Son ex-mari a kidnappé son fils. Elle ne connaît personne ici à part moi. Elle mérite qu'on l'aide.

— Et quoi de mieux qu'un ex-petit ami ! Tu es d'une naïveté ! C'est incroyable, je n'en reviens pas.

— Il ne s'est rien passé entre nous et oui, je te jure qu'il ne se passera rien.

Il détestait jurer, cela lui rappelait toutes les fois où son père jurait qu'il ne le frapperait plus.

— Le problème, ce n'est pas seulement toi. Je n'aime pas les manières de cette fille.

— Ne la juge pas.

— Tu aimerais vraiment connaître tous mes ex ?

Le portable de Nimrod sonna.

— Tu peux répondre. Je retourne travailler.

Nimrod n'aimait pas les tensions, mais il savait qu'il faudrait un peu de temps à Holly pour qu'elle comprenne et accepte la situation. Il prit son téléphone et regarda le nom s'afficher : Duncan Wynn, le journaliste du *White Forest Weekly*.

— Allô ?

— Monsieur Russell. Je croyais que vous deviez être discret ?

— Je n'y suis pour rien.

Un instant de silence et Nimrod crut l'avoir perdu, quand le jeune homme ajouta :

— Nous ne devons plus nous voir. Débrouillez-vous tout seul, vous n'êtes pas fiable.

— Écoutez, prenez le temps de réfléchir, il s'agit de la vie d'un enfant.

Un silence pesant s'installa avant que Duncan ne reprenne la parole.

— Bonne nuit, monsieur Russell, dit-il avant de raccrocher.

Nimrod soupira en espérant que l'homme changerait d'avis d'ici le lendemain.

29

Tracy sortit du commissariat. Il était presque 15 heures et elle n'avait toujours rien avalé de la journée. Les investigations du FBI les avaient conduits à trouver le point de sortie de la rivière souterraine : l'océan. Nul doute que des hors-bord avaient dû attendre les fuyards. Deux solutions semblaient possibles. Soit ils avaient rejoint le grand large, soit ils avaient fait escale à White Forest.

Aidés des services de police, les agents du FBI avaient investi le port pour identifier les derniers bateaux arrivés. Toutes les vidéos de surveillance avaient été réquisitionnées. Celles de la marina comme celles du port marchand. Un appel à témoins avait été lancé dans plusieurs médias à l'intention de quiconque aurait des informations à donner sur des hommes ayant débarqué en bateau. Pour l'heure, de nombreux appels, mais rien de véritablement concret. Quant aux journalistes, ils avaient momentanément délaissé le commissariat pour suivre les équipes sur le terrain. Tracy se rendit trois rues plus loin chez *Carl's Burger*, un restaurant qui servait les meilleures frites de la ville. L'heure du repas étant passée, il ne restait plus que quelques touristes qui prenaient des desserts et des boissons.

— Salut Tracy, lança Carl Finch en la voyant entrer dans son établissement.

— Salut. Une formule, s'il te plaît.

— Ça va ? Tu as une mine de déterrée.

Tracy sourit en pensant à son expédition souterraine. Le plus dur avait été la remontée du puits, bien plus éprouvante que la descente. Deux agents du FBI avaient dû tirer la corde à mains nues pour qu'elle puisse en sortir. Un souvenir pas très glorieux.

— Ça fait plaisir ! lâcha-t-elle.

— Non, mais je disais ça pour toi. Tu as l'air malade, se reprit Carl, mal à l'aise.

— J'étais dans le chalet, ce matin.

— Je vois. Je ne t'embête plus. Assieds-toi, je te prépare le meilleur burger que tu n'aies jamais mangé.

— Merci.

Tracy alla s'installer au fond de la salle. Elle était épuisée. À cet instant, elle aurait tout donné pour rentrer chez elle, prendre un bain et s'y endormir. Elle se sentait totalement dépassée par les événements. Jamais White Forest n'avait eu affaire à un meurtre de masse. Une telle violence n'appartenait qu'aux sauvages des autres États d'Amérique. Pas en Alaska, pas dans sa ville !

— Hé, je peux m'asseoir ?

La lieutenante releva la tête.

— Déjà là ?

Nimrod fronça les sourcils. Tracy n'avait vraiment pas l'air dans son assiette.

— Tu te sens bien ?

— Oui. Merci d'être venu.

Elle l'avait appelé une demi-heure plus tôt pour lui demander de la rejoindre. Nimrod s'assit en face d'elle.

— Alors, comment ça s'est passé avec le FBI ?

Elle lui raconta avec force détails tout ce qu'elle avait fait depuis qu'ils s'étaient quittés à l'aéroport. Nimrod l'écouta avec attention, tout en dévorant le hamburger qu'il avait commandé.

— Tu n'as pas chômé, dit-il quand elle eut fini son histoire.

— C'est clair, et avec Scott à l'hôpital, c'est deux fois plus de paperasse à remplir.

— Et tu comptes sur moi pour t'aider ?

Tracy hocha lentement la tête.

— Je me demande si je ne vais pas rendre ma plaque finalement.

— Tu laisserais une pauvre femme en détresse ? Tu as bien changé… Au fait, où en es-tu dans ton affaire ? Du nouveau ?

— Non, j'ai juste installé Judith chez Holly.

— Tu n'as pas fait ça ? s'exclama Tracy. Moi, Vernon me ramène son ex à la maison, je les tue tous les deux sur-le-champ.

— Judith est réellement en danger. Si tu connais un endroit où elle sera en sécurité, je t'écoute.

— N'importe où mais pas chez Holly. Comment as-tu fait pour qu'elle accepte ?

Nimrod fit la moue.

— Je ne lui ai pas vraiment laissé le choix. Mais je suis sûr qu'elle comprendra. Et surtout, ce n'est que pour quelques jours. J'ai des pistes pour retrouver son mari.

— C'est-à-dire ?

— La secte de son mari.

Le bip d'un SMS se fit entendre. Nimrod sortit son portable et le lut : « Rendez-vous ce soir 22 heures au *Betty House*. Suite bleutée. Nous devons parler. » Numéro inconnu. Celui de Duncan Wynn, sans doute. L'homme avait dû changer d'avis. Un bon gars. Mais drôle d'endroit pour une rencontre. Le *Betty House* était le lieu de débauche le plus en vue de la ville.

— C'est qui ?

— Un indicateur. Je crois que mon affaire avance.

— Si tu as besoin d'un coup de main, n'hésite pas.

— Merci, je devrais réussir à gérer, fit Nimrod avant d'ajouter : Tu as prévu quoi, de ton côté ?

— Il faut qu'on interroge Sam Dafoe. Il était le plus proche de Brent Collins.

— Il est où ?

— Il n'a pas voulu se rendre à l'hôpital, il m'a dit qu'il préférait retourner avec les siens.

— Je vois, fit Nimrod qui posa les yeux sur son assiette. On a le temps de finir ?

Tracy attrapa son hamburger et la bouche pleine répondit :

— Et comment !

★

La Ford Taurus arriva sur Mercer Way. Peu de circulation dans cette partie de la ville où les commerces étaient rares.

— C'est là, indiqua Nimrod.

Tracy avait déjà repéré le local de Green Pact, le seul mouvement écologiste à avoir un pied-à-terre permanent à White Forest. Des dizaines de personnes se trouvaient devant ce local. Tous les regards se tournèrent vers leur voiture.

— Ils n'ont pas l'air très heureux de nous voir, constata Nimrod, assis côté passager.

— Tu connais des écologistes qui aiment la police ? demanda Tracy.

— Ça doit bien exister, répondit-il, voulant rester positif.

Il sortit de la voiture sous un soleil éclatant et garda ses lunettes de soleil. Les écologistes se regroupèrent devant l'entrée du local, leur interdisant de facto d'y pénétrer.

— Nous souhaiterions parler à Sam Dafoe. Nous avons rendez-vous avec lui, expliqua Nimrod qui montra fièrement sa plaque de lieutenant.

Une femme d'une cinquantaine d'années s'avança vers eux.

— Il n'est plus ici.

— On peut savoir où il se trouve ?

— Non, c'est un citoyen libre. Il n'a pas de comptes à vous rendre.

— On voudrait simplement lui poser des questions. Il n'est en aucun cas suspecté de quoi que ce soit, enchaîna Nimrod.

— Et vous pensez qu'on va vous croire ? ironisa la femme. Vous savez combien d'innocents sont en prison dans ce pays à cause de flics qui se croient tout-puissants ?

— Je lui ai sauvé la vie, lança Tracy qui ne supportait pas ces accusations.

Les regards se firent dubitatifs.

— Oui, c'est vrai, confirma une petite voix qui émergea du groupe.

C'était une des jeunes filles que Scott avait réussi à emmener dans la *panic room*.

— Un acte héroïque n'efface pas toutes les bavures de la police. Nous n'avons rien à vous dire.

— Nous sommes là pour trouver les assassins de vos amis.

— Parce que vous ne savez pas encore qui c'est ? répliqua la femme d'un ton bravache.

— Non, et justement, nous cherchons des réponses. Chaque témoignage peut se révéler capital, reprit Nimrod.

— Alors, allez interroger ceux qui savent. Nous, nous ne savons rien.

— Et qui sont les personnes censées savoir ? demanda Nimrod.

Tracy était heureuse d'avoir Nimrod à ses côtés, car il menait la conversation. Elle bouillait intérieurement.

— Vos amis !

Nimrod plissa les yeux derrière ses lunettes de soleil.

— C'est-à-dire ?

— Les politiques, les hommes d'affaires, les mafieux en tout genre. Les seuls que vous mettez en prison ce sont des innocents comme nous qui voulons seulement redonner au mot justice tout son sens.

Discours paranoïaque classique de la frange extrémiste des mouvements altermondialistes.

— Si des hommes de pouvoir sont compromis dans ce massacre, je peux vous assurer que rien n'arrêtera la police, ni le FBI.

— Le FBI ! le reprit-elle avec sarcasme. Vous parlez des types qui ont tué Martin Luther King et Malcolm X ?

Nimrod fit la moue et nota que, parmi le petit attroupement, tout le monde n'appréciait pas forcément ses propos. Malgré cela, alors qu'ils se disaient tous plus ou moins anarchistes, aucun n'aurait le courage de contredire leur chef. « Les hommes sont des moutons et rares sont les bergers », disait un vieux proverbe.

— Écoutez, si l'un d'entre vous pense avoir une idée sur l'identité des personnes qui en auraient voulu à Brent Collins, qu'il n'hésite pas à contacter la police. Vous n'êtes pas obligés de donner votre nom. Uniquement des informations.

— Personne ne vous parlera, s'emporta la femme. Maintenant vous allez partir. Nous avons des enterrements à préparer.

Comme Nimrod, Tracy avait remarqué des signes de mécontentement sur plusieurs visages lors de l'intervention de leur leader.

— Bien, nous allons vous laisser, mais si jamais un autre massacre a lieu dans les heures qui suivent et que vous n'avez rien dit qui aurait pu l'empêcher, ne venez pas blâmer la police, mais seulement votre conscience, répliqua Nimrod d'un ton toujours aussi calme.

Il vit que ses paroles produisaient leur effet. Cachant sa satisfaction, il retourna dans la voiture et laissa Tracy reprendre le volant.

— Joli discours. Maintenant je me rappelle pourquoi j'aimais bien travailler avec toi, dit-elle en faisant demi-tour.

— Oui, fit-il en regrettant déjà de ne plus faire équipe avec elle dès que Scott serait rétabli.

— Je crois que tu en as perturbé plus d'un. Cette vieille harpie ne pourra pas leur interdire de nous contacter.

— Oui, c'est sûr, approuva-t-il, évasif.

— Il y a un problème ? Tu veux qu'on y retourne ?

— Non, je me demande seulement où est passé Sam Dafoe. Pourquoi refuse-t-il de témoigner alors que tu lui as sauvé la vie ?

— Je lui ai aussi donné un coup de pied dans les parties.

Nimrod se souvint qu'elle lui en avait fait part durant leur repas. Mais était-il rancunier à ce point ?

— Peut-être, mais les gens qui se cachent ont souvent des choses à se reprocher.

— On va faire une triangulation de son portable et le retrouver, affirma Tracy.

— Bon, et c'est quoi le programme maintenant ?

— Un peu de paperasse ?

30

— MERCI, MADAME, je vous tiens au courant, dit Nimrod avant de raccrocher le téléphone.

Assis dans le fauteuil de Scott, il croisa les mains derrière sa nuque, se pencha en arrière, et souffla un grand coup.

— Je n'en peux plus.

Il était près de 19 heures. Il avait le cerveau en compote.

— Qu'est-ce que ça a donné ? demanda Tracy.

Nimrod venait d'appeler une des anciennes collaboratrices de Brent Collins. Une femme qui avait été sa secrétaire pendant huit ans, avant de le quitter après un incident. Du moins c'était la version d'un autre collaborateur de Brent Collins.

— Rien, si ce n'est qu'elle est innocente. Elle m'a tout expliqué au sujet de son litige avec Collins. Et j'ai tendance à la croire.

— Et c'est quoi ?

— Brent Collins aurait tenté d'abuser d'elle.

— Au bout de huit ans, il décide de la violer ? Pas très crédible.

— Non, elle m'a confié qu'ils avaient toujours eu une liaison, mais le jour où elle a rencontré un homme qui lui a mis la bague au doigt, elle lui a demandé de tout arrêter, commença Nimrod.

— Et monsieur ne l'a pas supporté. Il est devenu insistant, voire très insistant.

— Oui, on peut dire ça. Fracture de la mâchoire.

— C'est pas vrai ! Mais elle n'a pas porté plainte ?

— Non, elle a juste reçu un chèque de six millions de dollars et l'interdiction de parler à quiconque de cet « incident ».

— Ça me dégoûte. Quand je pense que ce type se répandait partout comme étant pacifiste.

— Et qu'il favorisait l'ascension des femmes dans son entreprise, ajouta Nimrod.

Ils avaient trouvé des centaines d'articles à sa gloire sur Internet, ainsi que de nombreuses interviews. À croire que les connaissances informatiques de Collins lui permettaient d'effacer toute critique à son égard. L'homme était décrit comme un philanthrope révolutionnaire qui se revendiquait humaniste libertaire. Il était pour l'avortement, le mariage homosexuel, la légalisation des drogues douces et les quotas afin d'intégrer les minorités. Il était contre la vente libre des armes à feu, l'exploitation des gaz de schiste et l'agriculture façon Monsanto... Le profil idéal d'une certaine bien-pensance. Et pourtant, la réalité était souvent moins glorieuse. Un ego démesuré, des colères légendaires. Nombre d'employés décrivaient ses méthodes comme celles d'un tortionnaire. Mais sa grande force était son charisme. Ses millions de fans à travers le monde voyaient en lui le nouveau gourou de multiples mouvements altermondialistes. En revanche, son appartenance à une secte kabbalistique n'était mentionnée nulle part, et toutes les personnes que Nimrod et

Tracy avaient contactées juraient qu'il n'était en aucun cas religieux. Quoi qu'il en soit, ils n'avaient pas l'ombre d'un indice pour expliquer son meurtre, et en avaient encore moins pour expliquer le massacre du chalet.

— Si seulement on avait le début d'une piste, se désola Nimrod.

Il était partagé entre deux sentiments contradictoires. L'horreur d'enquêter sur autant de morts et l'excitation d'un problème des plus mystérieux à résoudre.

— Le pire est que je ne suis pas certaine que la mort de Collins ait un rapport avec les meurtres de ce matin, dit Tracy.

La simultanéité de crimes dans un périmètre restreint n'était évidemment pas impossible, seulement extrêmement rare.

— Non, ces affaires sont liées, affirma Nimrod.

— Si tu le dis. Mais alors, quel est le lien ?

— C'est là tout le problème, mais dès que nous l'aurons trouvé, nous aurons le nom de nos coupables.

Tracy tapota son bureau du bout de son stylo et regarda la liste des noms de ceux qu'ils avaient encore à appeler. Famille, proches, concurrents de Brent Collins. La première question qu'ils s'étaient posée était : à qui profite le crime ? Mais aucune réponse valable n'avait émergé. Jamais marié, sans enfant, toute sa fortune allait revenir à ses parents, des octogénaires qui avaient été effondrés d'apprendre l'assassinat de leur unique enfant. Pas de jalousie type Caïn et Abel. Non, pour l'heure, aucune piste. Soudain, une certaine agitation s'empara du commissariat.

— Le retour de la cavalerie, constata Nimrod.

Les deux lieutenants remontèrent le couloir et allèrent à la rencontre des agents du FBI qui rentraient de leurs propres investigations.

— Vous deux, avec nous, lança l'agent Milton Wilder avec toujours autant de tact. Les autres, attendez-nous dans la salle de réunion.

— Pas de problème, répondit l'agent Bacon.

Les agents du FBI tournèrent sur la droite, tandis que Nimrod, Tracy, Milton et Grace se rendaient au bureau du shérif. La porte était déjà ouverte. Trevor était debout en compagnie d'Alan Warner, le nouveau maire de la ville.

— Monsieur le maire, je vous présente les agents du FBI qui sont venus nous aider dans cette enquête et deux de mes lieutenants qui leur prêtent main-forte.

— Nimrod Russell et Tracy Bradshaw, dit l'homme qui afficha un sourire de circonstance. Je ne saurai jamais vous remercier assez pour ce que vous avez fait cet hiver pour notre communauté.

Tracy pensa qu'il les remerciait d'avoir arrêté l'ancien maire de la ville, sans quoi il n'aurait jamais pu obtenir ce poste !

— Et vous êtes ? demanda Warner en se tournant vers les agents du FBI.

— Milton Wilder et Grace Meadow du FBI d'Anchorage, se présenta Milton.

Il n'y avait pas assez de sièges dans le bureau. Tout le monde resta debout.

— J'espère que vous avez de bonnes nouvelles à nous annoncer, continua le maire.

— Nous pensons avoir le mobile de l'attaque du chalet, intervint Grace. De toute évidence, il s'agit du vol de tout le matériel informatique de Brent Collins.

— Vous en êtes sûrs ? demanda le maire.

— Quand il ne reste que des écrans et des câbles coupés, la réponse est : oui. Il devait y avoir des informations très compromettantes pour prendre autant de risques, ajouta-t-elle.

— La question est : qui était compromis à ce point pour payer un commando capable d'une telle horreur ? enchaîna Trevor.

Nimrod et Tracy avaient eu la même pensée. Les politiques, le FBI, la CIA ? se demandèrent-ils en se souvenant des paroles de la chef de Green Pact. Se pouvait-il qu'elle ait eu raison ?

— Des personnes sans scrupules dont la vie était en jeu, estima Nimrod.

— Ou simplement leur image, dit Grace. Beaucoup d'hommes politiques paieraient très cher pour effacer des traces de leur passé.

— Est-ce une accusation ? s'étonna Alan Warner.

— Tout le monde est suspect à nos yeux. N'y voyez rien d'autre qu'une formalité au sein de l'enquête.

— Vous voulez mon emploi du temps ? s'agaça Warner.

— Non, vos relevés de comptes seraient plus probants.

Le rouge monta au visage du premier homme de la ville.

— Je vous l'interdis. Je connais mes droits. Je n'ai pas à me justifier de quoi que ce soit. Vous devez avoir l'aval d'un juge, et vous ne l'aurez jamais sans la moindre preuve de ce que vous avancez.

— Allons, ne nous donnez pas des raisons de vous suspecter. Ma collègue disait cela par principe. Nous ne pensons pas que vous soyez impliqué, intervint Milton.

Nimrod comprit que les deux agents jouaient au bon et au méchant flic. Après tout, ce Milton était peut-être sympathique dans la vie quotidienne.

— Cela expliquerait aussi la mort de Collins, fit Tracy. Peut-être ont-ils d'abord essayé de négocier avec lui, mais cela s'est mal passé et ils l'ont abattu à l'abri des regards.

— Ensuite, ils auraient fomenté cette attaque pour s'assurer que personne ne pourrait fuir avec les données, ajouta Milton. Ça se tient.

Le moment était malvenu, mais Tracy ne cachait pas une certaine satisfaction à se voir complimentée par le FBI. Elle comprit rapidement qu'ils avaient dû arriver à la même conclusion et qu'il voulait simplement la mettre à l'aise.

— Très bien, mais en quoi ça nous avance ?

— Cela nous évite de nous perdre sur deux enquêtes en parallèle, répondit Milton. Le meurtre de Collins et la tuerie de ce matin sont l'œuvre des mêmes individus.

Tracy jeta un coup d'œil à Nimrod qui laissa entrevoir un sourire satisfait.

— Ce qui nous ramène au mobile du crime. Collins était un expert en informatique, n'est-ce pas ? demanda Warner.

— Oui. L'un des meilleurs.

— Dans ce cas, il a pu pirater les données de personnes qui se trouvent à l'autre bout des États-Unis ou même du monde. Des Russes, des princes arabes, al-Qaida ?

— Tout est ouvert à l'heure qu'il est.

— Il y a une chance sur un milliard pour que le commanditaire se trouve ici.

— C'est probable, comme il est fort probable que les assassins soient de la région.

— Vous avez des pistes ?

— Des gens qui connaissent ce coin comme leur poche, qui savaient qu'un puits de mine les conduirait directement à l'océan.

— Vous avez bien découvert le puits sans pour autant être d'ici, lui fit remarquer Nimrod.

— Oui, mais nous ignorions où il débouchait.

— Vous savez, White Forest n'est pas Los Angeles, ni même Anchorage. Nous n'avons pas de mafia ici, juste des voyous qui vivent de petits trafics. Rien de très organisé.

— Nous verrons bien, dit Milton en lui jetant un regard lourd.

Nimrod soutint son regard, même s'il n'aimait pas ce qu'il y lisait.

— Si jamais vous les trouvez, vous pouvez les abattre un par un. Vous avez ma bénédiction, assura Trevor.

— Surtout pas, il nous les faut vivants. Nous aurons besoin de leur témoignage pour remonter jusqu'aux commanditaires de ce massacre, le contredit Milton.

— Dites bien à vos hommes de ne pas tirer à vue s'ils tombent sur eux, ajouta Grace.

— Ça va être dur de leur faire avaler ça, intervint Tracy.

— Si vous voulez que justice soit faite pour toutes les victimes, il nous faut le commanditaire, pas les exécutants.

— Dans ce cas, je veux votre promesse que, si vous les arrêtez, ils ne seront pas relâchés dans le cadre d'un accord s'ils vous donnent les gros poissons.

— Ne vous en faites pas pour ça. Nous ne relâchons jamais des assassins.

Personne n'était dupe quant à la réalité de cette dernière réflexion.

— Vous deviez parler à Sam Dafoe, n'est-ce pas ? demanda Trevor en s'adressant à Tracy.

— Oui, mais il nous a fait faux bond. Nous avons triangulé son portable, on l'a retrouvé dans un fossé.

— Vous en pensez quoi ? Cela fait des jours qu'il fout le bordel dans ma ville ! Si seulement il avait pu crever ! s'énerva Warner.

Tous les regards se tournèrent vers le maire.

— C'est bon, je disais ça comme ça. Je ne suis pas le commanditaire !

— Comme c'est souvent le cas avec les grandes gueules, Sam Dafoe est un trouillard de premier ordre, affirma Trevor. Il doit croire que c'est le FBI qui a manigancé toute cette affaire.

— En tout cas, c'est ce que croient les militants écologistes, compléta Tracy.

— Et ça se dit avoir fait des études ! cracha Warner, d'un ton méprisant.

— Sinon, vous avez quoi d'autre ? demanda Milton après un silence.

Tracy lui fit part de leur enquête sur les proches de Collins et confirma ce que le FBI savait déjà. Ce n'était pas l'homme parfait pour lequel il aimait à se faire passer.

— Très bien, ça sera tout, lança Milton. Vous pouvez y aller.

Nimrod détesta ce ton supérieur.

— Vous avez bien bossé aujourd'hui, Nimrod, ajouta Trevor. Rentrez chez vous et reposez-vous. Demain risque d'être une longue journée.

Les deux lieutenants sortirent du bureau sans un mot, mais dès qu'ils furent de retour dans le leur, Nimrod laissa éclater sa colère.

— Mais pour qui ils se prennent ? Tu as vu comment ils nous parlent ! Comme si nous étions leurs larbins.

— C'est le FBI, n'y fais pas attention.

— Oui. Parfois je me demande si les conspirationnistes n'ont pas raison !

La théorie du complot était largement répandue sur Internet. Un État dans l'État, gouverné par les « hommes en noir ».

— Ne tombe pas là-dedans, on a déjà Melvin !

Nimrod sourit.

— Heureusement que je t'ai.

— Ne craque pas. Tu sais que tout le monde t'a à l'œil.

— Et tu crois que ça m'impressionne ?

— Non, et c'est justement là le problème. Un écart et tu es définitivement viré. Dis-moi, tu as vraiment envie de redevenir détective privé ?

La réponse était dans la question. Nimrod attrapa sa veste.

— Je vais y réfléchir. Je te réponds demain.

Tracy secoua la tête. Il était temps pour elle aussi de rentrer.

31

TRACY REGARDA PARTIR NIMROD sur son side-car. Elle l'aurait bien suivi au *Gold Digger* pour s'enfiler quelques shots de tequila et se changer les idées. Mais ses enfants l'attendaient. Ils devaient être morts d'inquiétude, avec tout ce que disaient les médias. Elle alla vers la Ford Taurus de fonction en attendant qu'on lui répare au plus vite son Cherokee. Alors qu'elle actionnait l'ouverture de la voiture, elle vit une ombre se profiler derrière elle.

— Excusez-moi, je peux vous parler ?

Tracy se retourna et reconnut Heather, une des jeunes filles que Scott avait sauvées le matin même.

— Oui, bien sûr, comment tu te sens ?

— Ça va mieux, mais je voulais vous dire que je suis désolée pour tout à l'heure.

— C'est-à-dire ?

— Quand Morgane a pris la parole à Green Pact, je n'ai pas osé vous défendre. Ce n'était pas évident.

— Je comprends, il n'y a pas de problème. Je ne t'en veux pas.

La jeune fille restait plantée là. Et même si Tracy était touchée par sa démarche, elle était surtout pressée de rentrer chez elle.

— Tu veux que je te raccompagne quelque part ?

— Non, en fait, je peux vous aider.

— De quelle façon ?

— Je sais où se trouve Sam Dafoe. Mais avant, je veux votre promesse que vous ne le répéterez à personne.

— Bien sûr, je ne dirai rien, sois sans crainte. Donne-moi juste son adresse.

— Je l'ai notée là-dessus. Je ne suis pas sûre d'avoir bien compris.

Heather lui tendit un morceau de papier sur lequel était griffonné « 59, Carlington Street ».

— Carlingford Street, rectifia Tracy.

« Pour un retour paisible à la maison, c'est fichu ! » songea-t-elle.

— Je vais vous laisser. Mais je peux vous confier un message ?

— Je t'écoute.

— Vous pouvez dire au lieutenant Wright que j'ai prié pour lui, et que je ne le remercierai jamais assez de m'avoir sauvé la vie ?

— Non, tu iras le lui dire toi-même. Il a failli mourir en vous sauvant. Tu lui dois bien ça.

Heather baissa les yeux.

— C'est vrai. Vous avez raison.

Tracy la regarda, et eut envie de la secouer.

— Tu sais, la police est là pour protéger tout le monde. Ne crois pas tout ce que raconte Morgane. Je vais te confier quelque chose. On ne devient pas leader d'un mouvement politique pour défendre des idées, mais pour la jouissance de diriger des êtres humains. Le goût du pouvoir, c'est ça qui guide tous les leaders. Quels qu'ils soient.

Heather garda la tête baissée. Tracy se demanda si cela servait à quelque chose, mais elle continua tout de même sa diatribe.

— Ta Morgane a plus en commun avec les hommes politiques qu'elle prétend combattre qu'avec de simples militants comme toi. Pense par toi-même, oublie les idées toutes faites et le qu'en-dira-t-on. Va voir le lieutenant Wright, et emmènes-y tes autres camarades pour le remercier de vous avoir sauvés.

Heather hocha la tête et repartit sans avoir confirmé qu'elle le ferait. Tracy monta enfin dans sa voiture, et appela son mari pour l'avertir qu'elle serait en retard.

— Vernon ?

— Ah, enfin, je m'inquiétais !

— Ne m'attends pas pour dîner, je dois procéder à un dernier interrogatoire. Je suis désolée.

— C'est hors de question. Tu n'as qu'à laisser Scott ou n'importe qui d'autre s'en charger. J'ai cru comprendre aux infos que le FBI avait repris l'enquête ?

— C'est plus compliqué que ça. Écoute, je fais au plus vite.

— Non, c'est toi qui vas m'écouter. Il y a des tueurs en liberté. Il va faire nuit, tu as fait tes heures. Ta place est à la maison avec ton mari et tes enfants. Je vais appeler le shérif pour lui demander de te faire remplacer.

— Non, tu ne comprends pas. Il n'y a que moi qui puisse y aller. J'ai donné ma parole à un témoin.

— Je m'en fous de ta parole. Moi, je te donne la mienne que si tu ne reviens pas tout de suite...

Vernon ne finit pas sa phrase. Il y eut un silence.

— Vernon ? Tu es là ?

— Oui, répondit-il en soupirant bruyamment. Fais ce que tu veux, mais sache que je suis très en colère.

— Je suis désolée. Si j'avais le choix, je te jure que je rentrerais tout de suite.

— On en reparle quand tu seras rentrée.

Cette fois-ci, elle entendit distinctement qu'il avait raccroché. Elle mit le contact et s'en voulut de faire passer sa famille au second plan. Et encore, elle la ménageait. Elle avait menti à Vernon dans l'après-midi quand il lui avait demandé ce qu'elle savait sur l'attaque du chalet. Incapable de lui dire la vérité, elle avait prétendu qu'elle était en patrouille avec Scott quand c'était arrivé.

Tandis qu'elle roulait vers l'extérieur de la ville, elle se demanda comment elle allait se dépêtrer de ce sac de nœuds. Peut-être qu'Holly avait raison. Habiter dans deux logements séparés était sans doute le vrai ciment du couple.

Tracy s'arrêta à un feu rouge. Une famille modèle traversait devant elle. Le père, la mère et leurs deux enfants. « Non, jamais je ne pourrais partager Alyson et Ridley », songea-t-elle en pensant à ses propres enfants.

La migraine qui était encore faible quelques heures plus tôt s'intensifia. Ce n'était vraiment pas le moment. Elle fouilla dans son sac posé sur le siège passager et en sortit un tube d'analgésiques. Elle prit un cachet qu'elle avala aussi sec alors que le feu repassait au vert. L'esprit toujours aussi embrouillé, elle s'engagea sur la bretelle extérieure et quitta White Forest en direction de Lost Corner. Tandis que le soleil venait de se coucher dans un ciel pur, une aurore boréale était en train de se former. Tel un voile arachnéen, un arc d'un vert translucide s'étendait sur l'horizon. Le spectacle était magnifique. « La récompense de la journée », se dit-elle sans réussir à retrouver son calme intérieur.

32

ROULANT SOUS LE SOLEIL COUCHANT, Nimrod n'avait pas osé rappeler Judith de l'après-midi, espérant de toutes ses forces qu'Holly ne l'avait pas mise à la porte. La pire journée depuis bien longtemps ! Non seulement il allait devoir faire face à la colère de sa compagne, mais en plus il avait ce rendez-vous avec Duncan Wynn au *Betty House* en milieu de soirée. Il pensa à tous les forçats du travail qui ne dormaient que cinq heures par nuit et qui avaient la forme du matin au soir. « Un peu de poudre blanche et c'est reparti », se dit-il en se souvenant de ses moments de faiblesse. Il n'y avait pas à dire, la cocaïne était la meilleure des drogues. Un sentiment de force, de toute-puissance et d'exaltation incroyable. Malheureusement, aucun chimiste n'avait su résoudre le problème des effets secondaires et notamment le sentiment de déprime qui faisait retomber plus bas que terre dès l'effet terminé. « Non, plus jamais ça. » Il pensa à la bouteille de Żubrówka suspendue tête en bas derrière le comptoir du bar d'Holly, et se dit que cela pourrait faire un bon dérivatif. Il aperçut bientôt le *Gold*

Digger. Le parking était clairsemé. Après l'annonce du massacre, les habitants de White Forest étaient restés terrés chez eux ; quant aux touristes, ils n'avaient pas quitté leurs hôtels.

Il passa par l'entrée principale du saloon. « Takin' a Ride » de Don Felder à la sono. Un de ses meilleurs morceaux. Deux tiers des tables étaient vides. Nimrod reconnut des habitués. Des piliers de comptoir, mais aussi quelques âmes solitaires en quête d'un bon repas et d'un peu de compagnie. Il entendit le rire tonitruant d'Holly, et fut aussitôt rassuré sur son humeur. Il la chercha du regard et la vit assise à une table en train de rire aux larmes avec…

— Judith ? s'étonna-t-il à haute voix.

Les deux femmes se tournèrent vers lui.

— Salut Nimrod. Dis donc, tu en fais une tête ?

— Non, mais qu'est-ce que… ne me dites pas que vous avez bu tout ça.

Une bouteille de tequila était à moitié vide sur la table.

— Je suis désolé. J'ai tout fait pour les en empêcher, mais c'est elle la patronne, s'excusa Jim qui tenait le comptoir.

Nimrod vint s'asseoir à côté d'elles, les yeux écarquillés.

— Mais qu'est-ce qu'il vous a pris ? Holly, à quoi tu joues ?

— C'est bon, détends-toi, tout va bien. J'adore ton ex.

— Tu es saoule.

Holly fit la grimace.

— Regarde, avec vos histoires de meurtres, il n'y a plus personne dans mon resto.

— Moi, je suis là ! réagit un des habitués qui savourait un steak de cerf.

— Ralph, la ramène pas, lui intima Nimrod qui attrapa Judith par le bras. C'est toi qui l'as poussée ?

— Eh ! Lâche-la, c'est bon. Elle n'y est pour rien, le réprimanda Holly. C'est toi qui voulais qu'elle reste ici, alors on a fait connaissance. Je te jure, cette fille t'aurais jamais dû la quitter.

Nimrod n'en croyait pas ses oreilles. Il avait tout imaginé, mais certainement pas qu'elles deviennent amies !

— Tu me le rendrais ? s'enquit Judith pas moins alcoolisée que sa comparse.

— Tu parles, si tu touches à un cheveu de mon mec, je te défonce le crâne.

Judith partit d'un puissant rire et recracha l'alcool qu'elle était en train d'avaler.

— C'est bon. Terminé, le spectacle. Judith, va te coucher.

— Hé, t'es pas mon père.

— Viens. Ne m'oblige pas à te forcer.

— Mais c'est qu'il deviendrait violent, se moqua Judith.

Elle retrouva un semblant de lucidité avant de s'écrouler sur la table en pleurant.

— Jim, viens m'aider, dit Nimrod.

Le bras droit d'Holly s'approcha de la table. Judith lui passa les mains autour du cou, sans cesser de pleurer.

— Tu peux la monter dans la chambre d'amis ?

Jim hocha la tête. Nimrod les regarda s'enfoncer dans le saloon avant de se retourner vers Holly.

— Tu peux m'expliquer ?

— Bien sûr, lâcha-t-elle avec un grand sourire. Je voulais voir à qui j'avais affaire.

Nimrod fut pris d'un doute.

— Tu n'as rien bu, n'est-ce pas ?

— Je l'ai un peu aidée, mais tu devrais savoir que j'ai une très bonne résistance à l'alcool.

Nimrod soupira et attrapa la bouteille de tequila. Il prit le verre de Judith et le remplit.

— Et quel est ton verdict ?

— Elle est complètement paumée. Elle m'a beaucoup parlé de toi. En fait, elle n'a parlé que de toi.

— Dis plutôt que c'est toi qui n'as pas arrêté de l'interroger sur moi.

— Je reconnais que je l'ai un peu poussée au début, mais ensuite, je ne pouvais plus l'arrêter. Elle m'a raconté des dizaines d'anecdotes à ton sujet. Elle est toujours raide dingue de toi.

— Dommage, ce n'est pas réciproque.

— En es-tu bien certain ?

— Tu plaisantes, j'espère ? s'agaça Nimrod qui but son verre d'une seule lampée.

L'arôme de la tequila lui réchauffa aussitôt le gosier.

— Je ne sais pas. Elle est très jolie, marrante, ingénue, et son côté petit oiseau blessé pourrait faire tourner bien des têtes.

— Et tu crois que je te vois comment ?

Holly eut un petit sourire.

— Moi, un petit oiseau blessé ?

— Un bel oiseau, tout court, corrigea Nimrod.

S'il y avait quelqu'un qui ne montrait jamais ses blessures, c'était bien Holly.

— Sale type.

— Je sais, c'est pour ça que tu m'aimes.

— Et toi ?

— Moi, quoi ?

— Dis-le-moi.

— Ai-je vraiment besoin de le dire ?

— Oui.

— Tu sais que c'est la première chose que disent les hommes quand ils ont trompé leur femme.

— Mais c'est aussi ce que disent les hommes qui sont amoureux.

Les yeux dans les yeux, il lui prit la main et articula en silence : « Je t'aime. »

— Je n'ai rien entendu.

Nimrod prit son portable, et le lui répéta par SMS.

— Le pire est que je suis certaine que tu es fier de toi. À croire que je sors avec un muet.

— Personne n'est parfait.

— Ça c'est sûr et certainement pas toi. Judith m'en a dit de belles.

— Du genre ?

Holly articula des phrases silencieuses. Nimrod leva les yeux au ciel et avala une nouvelle rasade de tequila.

— Tu as faim ?

— Comme un ogre.

— On mange ensemble ?

— Avec plaisir.

Ils commandèrent une bouteille de champagne et trinquèrent.

— Allez, parle-moi de ta journée, demanda Holly.

— Je ne veux pas t'embêter avec ça.

— Tu as failli mourir ce matin. Judith m'a tout raconté, mais je veux ta version.

Nimrod n'avait pas vraiment envie d'en parler, néanmoins il se lança. Un flot quasi ininterrompu finit par sortir de sa bouche. Holly l'écouta avec attention.

— Bref, une journée à oublier et ce n'est pas fini, conclut-il alors qu'ils finissaient leur dessert.

— Tu es sûr que tu dois aller à ce rendez-vous ? s'inquiéta Holly.

— Oui, mon contact est déjà sur les dents. J'ai peur qu'il me lâche si je le décale à demain.

— Je ne le sens pas. Reste ici.

— Je reviens dès que possible. Je te promets qu'il ne va rien m'arriver.

— Tu as intérêt. Et ne te trompe pas de chambre quand tu rentreras, menaça Holly en serrant son couteau de table.

Nimrod sourit.

— Je t'aime, chuchota-t-il.

33

Lost Corner était la face cachée de White Forest. Autrefois, ce quartier était le centre-ville. Dans les années soixante, un jeune maire décida d'éloigner le centre des mines désaffectées. Il choisit de bâtir un nouvel ensemble près du port de marchandises. À cette période, le loisir devenait la principale source de dépenses des Américains et il était nécessaire d'investir dans le tourisme. Les premiers temps furent difficiles, mais il gagna son pari. White Forest devint la ville la plus visitée de l'Alaska, offrant un spectacle à nul autre pareil. Le seul bémol de ce plan d'urbanisme était la désaffection de l'ancien centre qui se transforma en refuge pour les miséreux et les classes les plus modestes.

Tracy se sentait toujours mal à l'aise dans Lost Corner. Elle ressentait une culpabilité dont elle ne pouvait pas se défaire. Les réseaux électriques de nombreux immeubles étaient défectueux, contraignant les habitants à se chauffer au bois. La moitié de la population était au chômage et vivait de divers trafics. Mais tant que cela restait contenu au périmètre, tout le monde fermait les yeux, y compris la police. Des bandes de jeunes zonaient sur les trottoirs, écoutant de la musique qui sortait d'enceintes portatives. Elle se sentit observée et regretta d'être venue avec sa voiture de fonction. « Pas vraiment discret », songea-t-elle, en suivant les indications du GPS. Elle s'enfonça dans la vieille ville et, après avoir tourné sur Quarter Street, passa devant une église orthodoxe centenaire, avant d'arriver sur Carlingford Street. La rue était constituée de petits immeubles à trois étages accolés les uns aux autres. Personne dans la rue.

— Votre destination est à cent mètres.

Tracy s'arrêta en amont pour ne pas se faire repérer. Elle sortit de la voiture et remonta la rue jusqu'au numéro 59. De vagues lueurs à tous les étages. Il ne restait plus qu'à prier pour qu'Heather ne se soit pas trompée. De la musique techno s'échappait des fenêtres ouvertes du deuxième étage. L'immeuble était un véritable squat. Elle frappa à la porte du rez-de-chaussée. Pas de réponse. Elle frappa de nouveau, en vain. Elle appuya sur la poignée et la porte s'ouvrit sans aucune résistance. Une odeur nauséabonde lui agressa les narines. L'appartement était plongé dans l'obscurité. Qu'est-ce qu'il y avait là-dedans ? Un cadavre ? Tracy referma la porte et monta au premier l'étage. Un jeune couple était en train de s'embrasser dans le couloir, canette de bière à la main.

— Salut, beauté, tu viens pour moi ? l'apostropha le jeune homme aux cheveux longs.

— Hé, arrête, elle pourrait être ta mère, se moqua la jeune fille.

Tracy grimaça. « Je n'ai que trente-six ans ! » eut-elle envie de lui répondre.

— Je viens voir Sam, il faut que je lui parle.

— Il est en haut. Mais je ne suis pas sûr qu'il veuille être dérangé.

— Ne t'inquiète pas. Quand y a de la place pour deux, y en a pour trois, dit-elle avec un sourire malicieux.

Le jeune homme en resta bouche bée. La jeune fille lui attrapa le menton et la regarda dans les yeux.

— N'y pense même pas !

Tracy sourit. Si le fantasme numéro un des hommes était de faire l'amour avec deux femmes, rares étaient celles qui acceptaient de partager leur homme avec une autre. Elle monta l'escalier. La musique était toujours aussi puissante, mais cette fois elle était mêlée à des sortes de râles. Personne dans le couloir du haut. Elle colla son oreille à la première porte. Pas un bruit. Elle passa à la deuxième, et n'eut aucun doute sur ce qui se passait à l'intérieur. Elle n'était pas très fière de ce qu'elle allait faire mais elle n'avait pas vraiment le choix. Elle ouvrit brusquement la porte. Sam Dafoe était allongé nu sur un matelas à même le sol, tenant dans ses mains les seins d'une jeune fille rousse empalée sur son sexe.

— Salut, je dérange ?

— T'es qui la vieille ? Dégage ! grogna la rousse.

Tracy hésita à sortir sa plaque, ce n'était sans doute pas plus mal de garder l'anonymat.

— Sam, dites-lui de partir. Il faut qu'on parle.

Le leader écologiste ne chercha pas à parlementer.

— Lucy, va me préparer un Island Cream. J'en ai pas pour longtemps.

— Mais c'est qui celle-là ? Une cougar ? cracha la rousse en se relevant sans aucune pudeur.

— Je t'expliquerai.

La jeune fille attrapa sa petite culotte et enfila une chemise d'homme bien trop grande pour elle avant de quitter la chambre.

— Comment m'avez-vous retrouvé ? demanda Dafoe qui saisit un joint posé près d'une paire de chaussures.

Le cinquantenaire avait plutôt de beaux restes pour son âge et ne s'en cachait pas.

— Je suis flic, ça aide.

Dafoe alluma son joint et savoura sa première bouffée. Tracy se baissa pour tirer le drap qui traînait près du lit, et le lui jeta sur le bas du corps.

— Qu'est-ce que vous me voulez ?

— On avait rendez-vous cet après-midi. Vous avez oublié ?

— Mmmm, désolé, mais je ne me sentais pas en sécurité. Je suis mieux ici.

— Il faut que vous me parliez, s'agaça-t-elle en attrapant une chaise et en se plantant face à lui. Je veux tout savoir sur Brent Collins, en particulier qui pourrait lui en vouloir.

— Je ne sais rien. Je vous l'ai déjà dit ce matin. Il m'hébergeait avec tous les autres. Il croyait en nos causes.

— C'est possible, mais Brent Collins n'était pas un saint, et je suis persuadée que vous savez des choses. On ne prête pas une baraque à trois millions de dollars rien que par idéologie. Dans ce pays, on n'a rien sans rien.

Dafoe tira sur son joint et eut un petit sourire.

— OK, il baisait toutes les filles. Tout comme moi, c'était un sacré queutard. Il n'arrêtait pas. Vous n'avez pas idée à quel point l'argent rend attirant.

Triste image de la femme.

— Vous ne l'aimiez pas plus que ça ?

— On ne se connaissait pas vraiment. Je lui faisais profiter de mon image d'écologiste et en échange, je profitais de ses largesses. Un bon compromis.

— Vous saviez sur quoi il travaillait en ce moment ?

Tracy sentit que la question le faisait tiquer.

— Aucune idée. Je n'y connais rien en informatique.

— Vous n'avez pas l'air d'avoir bien conscience de la gravité de ce qu'il se passe. Vous avez échappé à la mort ce matin, mais rien ne dit que ceux qui ont tenté de vous assassiner ne vont pas essayer de nouveau. D'après le FBI, c'était surtout le matériel informatique qui était visé.

— Justement, c'est pour ça que je me cache, mais faut croire que je n'ai pas été assez malin.

— Je peux vous offrir la protection de la police, à condition que vous me racontiez ce que vous savez.

— Rien de plus que ce que je vous ai déjà dit. On est tous des pacifistes. Faites l'amour, pas la guerre.

Nu et sans pudeur, il alla vers la fenêtre, son joint à la main.

— À présent, laissez-moi tranquille. Je vais devoir me trouver une autre cachette à cause de vous.

Il lui tournait le dos. Tracy ne put s'empêcher de regarder ses fesses joliment sculptées, mais ce qu'elle vit la fit tressaillir. Le même tatouage kabbalistique que Collins.

— Merde, dit-elle dans un souffle.

Dafoe se retourna et s'amusa de la voir ainsi troublée.

— C'est mon cul qui t'excite ?

Tracy vit son sexe se redresser.

— Parlez-moi de la Vérité première.

Son expression changea du tout au tout.

— Je vais t'en parler de la vérité, susurra-t-il en s'approchant d'elle, le regard fou.

La lieutenante fit demi-tour et tenta de s'enfuir, mais Dafoe, plus rapide, lui sauta dessus. Il la renversa et se mit à califourchon sur elle pour mieux l'étrangler.

— Laisse-toi faire, tu ne peux rien contre moi.

Tracy tenta de se dégager, lui griffant les avant-bras sans parvenir à son visage. Il était bien plus fort qu'elle. L'air commençait à lui manquer. Dans un sursaut de lucidité, elle fit glisser sa main jusqu'à ses testicules qu'elle broya de toutes ses forces. Dafoe se mit à hurler à la mort. Tracy réussit à le repousser et le fit basculer sur le côté. Elle tenta de se relever mais, encore à bout de souffle, elle n'en eut pas la force. Au même moment, la porte de la chambre s'ouvrit. La rousse entra, tenant un verre à cocktail dans la main.

— C'est quoi ce bordel ?

— Appelez la police, lui intima Tracy. Il a voulu me tuer.

Dafoe gémissait sur le sol.

— C'est ça, oui ! Connasse ! dit la rousse en lui envoyant son pied en pleine tête.

Tracy partit en arrière et perdit aussitôt connaissance.

34

NIMROD S'ÉTAIT TOUJOURS ÉTONNÉ qu'un établissement tel que le *Betty House* puisse exister. Situé à dix kilomètres au sud de White Forest, le *Betty House* était en pleine forêt, à l'abri des curieux. Son statut était celui d'un club privé, mais personne n'était dupe quant à ce qu'il se passait à l'intérieur. Il est vrai que l'Alaska n'était pas l'État le plus répressif en la matière. Avec tous les champs pétrolifères et les mines, de nombreux ouvriers vivaient éloignés de leur famille, si tant est qu'ils en aient une. Et là où il y avait des hommes isolés, le commerce du sexe n'était jamais bien loin.

Pourtant White Forest n'avait ni mine en activité ni pétrole. Seulement, elle abritait de nombreux clients qui, oubliant leur serment de fidélité, aimaient folâtrer dans les bras de jeunes femmes plus jeunes et plus dociles que la leur. Et si Nimrod n'avait que mépris pour ces individus, il ressentait beaucoup de compassion envers les femmes qui exerçaient ce métier. Combien de fois en avait-il secouru alors qu'elles avaient été amochées par un client mécontent ou un mac vindicatif ? Jeune sergent, il avait essayé de comprendre quelles étaient leurs motivations pour continuer à subir ce traitement, mais il n'avait jamais réussi à leur faire prendre un autre chemin, et finissait toujours par les retrouver sur le trottoir. Depuis, il s'était fait une raison.

Nimrod vit d'abord les lumières du chemin avant de découvrir un manoir dans le pur style victorien. Plusieurs voitures étaient garées en épi. Des véhicules à plus de cinquante mille dollars. « Un club très sélect », ironisa Nimrod. Il connaissait les tarifs qui s'y pratiquaient, outrageusement plus élevés que ceux des prostituées que l'on trouvait sur Lost Corner. Mais faire partie du *Betty House* était devenu un signe de reconnaissance pour certains hommes de la bonne société de White Forest. Nimrod gara son side-car à côté d'un imposant 4 × 4 rutilant. Il rangea son casque et ses gants dans le coffre. Deux vigiles en costume noir se tenaient en bas du perron. Ils le fixèrent d'un œil suspicieux.

Nimrod prit son téléphone et voulut appeler Duncan Wynn. Pas de réseau. Et si c'était un coup monté ? Un flic retrouvé dans un bordel ! Il hésita, mais tant qu'il ne touchait pas à la marchandise, il n'avait rien à craindre.

— Vous ne pouvez pas rester ici, c'est un lieu privé, prévint l'un des vigiles.

— J'ai une invitation.

— Nous ne donnons pas d'invitation, ajouta son collègue d'un ton menaçant.

Nimrod mit la main dans la poche intérieure de sa veste et en sortit sa plaque de lieutenant.

— Et ça, c'est quoi ?

— Je vais prévenir madame. Restez là.

— Je viens avec vous.

— Non.

— J'insiste, dit Nimrod en sortant son arme de son étui.

Des phares apparurent à l'orée de la forêt.

— Vous voulez vraiment que j'arrête votre prochain client ?

Le vigile abdiqua enfin :

— Suivez-moi.

Nimrod franchit la porte de ce lieu de plaisirs. C'était exactement comme il l'imaginait. Kitsch au possible. Reproductions de toiles de Toulouse-Lautrec représentant des femmes en jupons, tout droit sorties du Moulin-Rouge, moquette rouge, plafond drapé, lumière tamisée. Derrière un large comptoir, une jeune femme l'accueillit avec un sourire avenant.

— Je crains de ne pas avoir l'honneur de vous connaître, minauda-t-elle tout en jetant un regard interrogatif en direction des vigiles.

— Lieutenant Russell. J'ai rendez-vous dans la Suite bleutée.

— Je ne suis pas certaine…

Une femme d'un certain âge fit irruption dans le hall d'entrée.

— Nimrod Russell ! Comme tu as grandi ! Je n'en reviens pas, alors tu es flic ? Comme quoi le destin…, s'exclama la femme, amusée.

Plutôt ronde, maquillée à outrance, ayant à l'évidence subi de nombreuses opérations de chirurgie esthétique, elle n'était plus la femme qu'elle avait pu être.

— Je ne pense pas vous connaître.

Comment aurait-il pu ? Il était certain de n'avoir jamais mis les pieds ici auparavant.

— Appelle-moi Betty. Tout ceci m'appartient. Ton rendez-vous t'attend. Si tu veux bien me suivre…

Les deux vigiles et la jeune fille se détendirent et chacun retourna à son poste. Nimrod entendit une voiture se garer à l'extérieur. Un chef d'entreprise, un juge, un avocat ou le maire en personne ? Il préféra ne pas savoir et monta les marches qui menaient aux étages. Une musique différente s'échappait de chacune des portes devant lesquelles ils passèrent, mais elle ne couvrait pas pour autant les cris d'extase, sincères ou simulés, provenant des chambres. Ils montèrent jusqu'au troisième étage, parcourant un long couloir tapissé de tissu moiré rouge sang, avant de s'arrêter devant une porte sur laquelle étaient calligraphiés ces mots : *Suite bleutée*.

— Entre donc, ton rendez-vous t'attend.

Nimrod la remercia. À quoi jouait Duncan Wynn ? Drôle d'endroit pour lui présenter quelqu'un. Il ouvrit la porte. Personne. Juste un salon décoré dans le même esprit que le reste du manoir. Il referma la porte derrière lui et sortit son arme.

— Monsieur Wynn ?

Il entendit des pas venant de la chambre. Il braqua son pistolet, prêt à faire feu.

— Toi !

— Bonsoir, Nimrod. Décidément, tu as le chic pour te mettre dans de sacrées galères, l'accueillit Seth Russell.

— Qu'est-ce que tu fais là ? Où est Duncan Wynn ?

— De qui parles-tu ? s'étonna Seth.

Nimrod s'apprêtait à répondre à son père quand il se rendit compte que le SMS qu'il avait reçu provenait d'un numéro inconnu, et qu'il s'était tout simplement fourvoyé en croyant que c'était celui du journaliste.

— Rien, je ne pensais pas te trouver ici. Je n'ai rien à te dire.

Seth se dirigea vers le bar de la suite.

— Tu ne changeras donc jamais, soupira-t-il en se remplissant un verre de whisky. Il faut que tu apprennes à me faire confiance. Je suis ton père, tu me dois le respect.

Un torrent de haine coulait dans les veines de Nimrod. Un mot de trop et il se sentait capable d'abattre cet homme.

— Qu'est-ce que tu veux ?

— Moi, je ne veux rien. Du moins, je ne veux rien d'autre que protéger mon fils unique. La dernière fois, tu n'as pas voulu m'écouter, et c'est un miracle que tu sois encore en vie...

Nimrod avait encore en tête sa rencontre avec cet être infâme, six mois auparavant. Seth avait tout fait pour l'empêcher de continuer son enquête sur les marins disparus. Et s'il avait effectivement failli mourir, il avait aussi sauvé des centaines d'âmes en détresse.

— Tu crois vraiment que je regrette ce que j'ai fait ?

— Non, et c'est cela qui me chagrine. Tu crois que tu es un justicier, un redresseur de torts. Sais-tu seulement que parmi tous les gens que tu aides, aucun ne te rendra la pareille ? L'homme est un animal égoïste et lâche. Tu ne peux compter sur personne d'autre que toi.

— Dans ce cas, pourquoi devrais-je t'écouter ?

— Parce que je suis ton père. Tu es mon fils. Je me dois de veiller sur toi.

— Je ne savais pas que je risquais ma vie.

— Oh si tu le sais. Et c'est cela qui te plaît et qui m'attriste. Tu n'aimes pas la vie. Tu ne rêves que de finir comme ta mère.

Le ton était amer, Seth avait le regard ailleurs, perdu sur le liquide ambré qu'il faisait tournoyer dans son verre.

— Fais attention à ce que tu dis, je suis armé.

— Tu me tuerais ? Oui, tu en serais bien capable.

— Dis-moi ce que tu veux ou je sors.

— Très bien, j'espère que tu sauras entendre la voix de la raison.

— Je t'écoute.

— Oublie Judith Gibson. Laisse tomber cette affaire ou tu risques d'en payer le prix fort.

— Des menaces ?

— Non, un avertissement.

— Et que dois-je craindre ? Son mari ?

— Va savoir, éluda Seth en prenant un air patelin. Cette affaire ne te regarde pas. Tu sais, l'amour ça va, ça vient. Tous les couples connaissent ça. Un jour on s'aime, un jour on se déteste. Ne t'en mêle pas. Tu n'as rien à gagner dans cette histoire.

— Tu m'as fait venir pour me dire ça ?

— Oui. Paul Gibson n'est pas un tendre. Reste loin de tout ça et tu t'en sortiras.

— Je n'ai peur de personne, et surtout pas de cet homme.

— Tu ne sais rien de lui. Fous-lui la paix.

— Hors de question.

— Ne fais pas l'idiot. Je prends déjà de gros risques en venant te parler.

— Non, ce n'est vraiment pas ton genre. Tu sais très bien que je ne t'écouterai pas et que je vais aller jusqu'au bout.

— Alors tu vas mourir.

— Je sais me défendre.

— Pas contre lui.

— Qu'il en soit ainsi…

— Non, espèce d'idiot, tu ne comprends donc pas que tu dois vivre ?

— Tu te soucies de moi ? ironisa Nimrod. Je rêve.

— Oui, que tu le veuilles ou non, tu es mon seul lien avec ta mère. Et aussi pénible que cela soit pour moi. Je sais qu'elle n'aurait pas voulu que tu meures.

Nimrod sentit sa main trembler.

— Je n'ai pas l'intention de mourir et si tu connais Paul Gibson, tu peux lui dire que je vais le retrouver et qu'il va regretter d'avoir fait du mal à Judith.

Seth secoua la tête, empli de colère.

— Espèce de crétin ! jura-t-il avant de regarder Nimrod droit dans les yeux. Comment une femme aussi délicieuse que ta mère a-t-elle pu mettre au monde un fils aussi débile ?

— Papa, ne me cherche pas.

— Va te faire foutre !

Nimrod leva son arme et la braqua sur son père. Pourquoi son Seth réagissait-il ainsi ? Avait-il vraiment envie de mourir ? Non, il savait très bien qu'il ne tirerait pas. Il jouait avec lui comme il l'avait toujours fait. Le faire souffrir. Son seul plaisir dans l'existence.

— Je vais te tuer. Je vais le faire.

Sa main tremblait et son index effleura la détente. Seth reposa son verre calmement.

— Détends-toi, je plaisantais. Où est passé ton humour ?

— Fous le camp.

— D'accord, je m'en vais, mais repense à tout ce que je t'ai dit. Et, s'il te plaît, prends du bon temps, lui conseilla Seth en lui donnant une tape sur l'épaule. Je t'ai commandé une fille. Je l'ai déjà essayée, elle assure.

La sueur coulait sur le front de Nimrod. Il resta bras tendu devant lui, arme à la main, et quand il entendit la porte se refermer, il tira dans la bouteille de whisky qui explosa. Il entendit des gens courir dans le couloir. Des clients qui, après avoir pris leur pied, devaient prendre leurs jambes à leur cou, craignant un massacre. Nimrod sentit ses mains trembler et regarda les débris de verre. Il en ramassa un et s'entailla la paume. Pendant un court instant, la souffrance physique lui permit d'oublier les tourments de son âme…

35

— Seth, où vas-tu ? demanda Abigail.

— Au boulot. Je suis désolé, j'ai eu une dure journée.

Elle avait vu des marques sur ses mains. Il s'était sans doute battu. Elle l'aurait parié.

— Dis-moi ce que tu fais ? Aucun de nos voisins ne revient avec des plaies et des bosses.

Seth eut un petit sourire.

— On n'a rien sans rien.

— Dis-moi juste si c'est dangereux ?

— Vivre est dangereux. Ne t'inquiète pas pour moi.

— Mais qu'est-ce que tu fais ? Tu te bats ?

— Qu'est-ce que tu vas imaginer. C'est sur les chantiers. C'est compliqué. Tu ne comprendrais pas. Est-ce que je te demande ce que tu fais de tout le pognon que je rapporte ?

— Je peux te le dire.

— Non, je ne veux pas le savoir, car tu vois, moi, je te fais confiance, et ça me suffit.

Que répondre à cela ? Abigail resta prostrée sur la chaise de la cuisine et regarda son homme reprendre ses affaires et sortir de la maison sans avoir touché à son repas.

— Maman, il va où papa ? demanda Nimrod qui avait fini son dessert.

À cinq ans, Nimrod était le plus doux des enfants. Une bénédiction du ciel. Abigail eut comme un sursaut.

— On va le savoir, mon trésor. Viens avec moi.

Elle attendit que Seth ait démarré son 4 × 4 et qu'il se soit engagé sur la route, pour sortir à son tour. Elle monta dans la Ferrari qu'il lui avait offerte pour leur dernier anniversaire de mariage. Sans prendre le temps d'attacher Nimrod à l'arrière, elle mit le contact et pria pour qu'il soit encore en ligne de mire. Il était 20 heures et la circulation allait dans le sens des retours. Tous les maris rentraient chez eux pour passer la soirée avec leur épouse. C'était dans l'ordre des choses. Abigail vit les feux arrière du 4 × 4 et prit soin de ne pas trop s'approcher. Mais elle connaissait bien Seth. Trop sûr de lui, jamais il ne penserait que son épouse si soumise puisse prendre une telle initiative. D'ailleurs, plus les kilomètres passaient, plus elle se mettait à douter. Tout cela était stupide. Peu importe où allait son mari. Comme il le disait souvent : il suait sang et eau au travail, ce n'était pas pour avoir une femme qui le gonfle en rentrant.

« Sois une épouse modèle, rentre à la maison et occupe-toi de ton fils », pensa-t-elle. Elle regarda Nimrod dans le rétroviseur intérieur.

— Maman, pourquoi j'ai pas la ceinture ? Tu dis toujours qu'il la faut ?

— Je sais, mais on est pressés. Maman va faire très attention.

Nimrod lui sourit et se mit à genoux sur la banquette pour se rapprocher de la fenêtre.

« Abigail, tu es une mauvaise mère », lui dictait sa conscience. Mais elle était incapable de faire demi-tour. Non, elle devait savoir ce qu'il faisait. C'était ce soir ou jamais. Seth quitta la voie rapide et prit une route qui s'enfonçait dans la forêt. Aucune circulation, pas une seule habitation, aucun

panneau. Mais où allait-il ? Elle dut être attentive à ne pas trop se rapprocher, mais malgré les entrelacements de la route, elle voyait toujours ses feux arrière dans la nuit.

Soudain, elle distingua les lumières d'une vaste demeure et comprit que c'était là que Seth se rendait. Abigail s'arrêta sur le bord de la route. Il ne devait surtout pas la repérer. Elle sortit un paquet de cigarettes de la boîte à gants et s'en alluma une.

— Maman, tu peux me mettre ma ceinture ?

— Non trésor, ce n'est plus la peine, on est arrivés.

— Où ça ?

— Au travail de papa.

— Il fait quoi papa ?

— Justement, on va le savoir.

Elle tira sur sa cigarette et se rendit compte qu'elle tremblait comme une feuille. « Jamais je n'aurai le courage, je ne peux pas. » Elle fuma une première cigarette, puis une deuxième avant de trouver la force de sortir de la voiture.

— Viens, donne-moi la main, dit Abigail à son fils.

Elle remonta à pied les cent derniers mètres qui la séparaient d'un immense manoir, guidée par la lumière de la maison.

— On dirait un château hanté, s'extasia Nimrod.

Abigail commença à avoir des doutes. De luxueuses voitures étaient garées devant l'entrée.

Deux vigiles se tenaient sur le perron. L'un d'eux l'apostropha :

— Tu viens chercher du boulot ?

— Non, mon mari.

— Ne compte pas trop là-dessus ma jolie, tous les hommes qui viennent ici sont déjà mariés, plaisanta l'un d'eux.

— Va voir la patronne. Elle va tout t'expliquer.

Abigail les remercia, monta les marches du perron, puis poussa la porte d'entrée. Elle se retrouva dans un large vestibule.

— Salut, ma belle, tu viens chercher du travail ? lui demanda la femme qui se tenait derrière le comptoir.

— Non, fit-elle, comprenant enfin ce qu'elle se refusait à admettre.

Cet endroit était une maison de passe. Et, comme les vigiles, cette mère maquerelle la prenait pour une prostituée.

— Je veux voir mon mari, il vient juste d'entrer ! cria-t-elle en se sentant terriblement humiliée.

— Chut, tais-toi donc, tu vas faire peur à mes clients.

— Je veux voir mon mari. Je ne partirai pas tant que je ne lui aurai pas parlé.

— Tu es la femme de Seth, c'est ça ?

— Oui, je veux lui parler.

— Calme-toi, je vais aller le chercher, mais ne fais pas de scandale, dit-elle en quittant le comptoir. C'est qui ce petit bout de chou, c'est son fils ?

— Oui.

— Il s'appelle comment ?

— Je m'appelle Nimrod et j'ai cinq ans. Et toi comment tu t'appelles ?

— Betty, mon mignon. Allez, ne bougez pas, je reviens tout de suite.

La jeune femme monta l'escalier. Abigail se sentit chanceler et alla s'asseoir sur un des fauteuils de l'entrée. Les secondes semblèrent durer une éternité. « Va-t'en, rentre à la maison pendant qu'il est encore temps », pensa-t-elle, mais de toute façon c'était trop tard. La tenancière allait tout raconter, alors autant que cela se passe devant témoins. Abigail entendit des pas descendre l'escalier. Elle se leva et rajusta son chemisier. Seth lui envoya son plus beau sourire.

— Chérie, mais qu'est-ce que tu fais là ?

— À ton avis ? C'est ça ton travail ? Tu passes tes nuits à me tromper, c'est ça ?

— Mais qu'est-ce que tu vas imaginer ? Je travaille. Je suis le comptable de cet établissement, rien de plus.

— Tu t'imagines que je vais croire ça ?

— Oui, tu vas le croire, parce que c'est la vérité.

— C'est vrai, madame Russell, votre mari ne touche jamais aux filles, il m'aide dans ma comptabilité.

— Je ne te crois pas. Pourquoi étais-tu en haut ? Montre-moi ton bureau.

Seth attrapa son épouse par le bras et le serra très fort.

— Ça suffit maintenant, tu vas arrêter de te donner en spectacle. J'ai une réputation, et je n'ai pas envie que tout le monde pense que ma femme est une cinglée paranoïaque.

— Lâche-moi, tu me fais mal.

— Lâche-la, papa.

— Toi, tu la fermes ! tonna Seth en se tournant vers son fils.

Nimrod se fit tout petit et se retint de pleurer. Il connaissait trop bien les colères de son père.

— Je vais vous raccompagner à la voiture.

Abigail baissa la tête et suivit son mari à l'extérieur du manoir. Ils remontèrent la route sous une lune montante et dans un silence mortel. Quand ils furent à proximité de la Ferrari, Seth jeta un regard circulaire et il attrapa sa femme par les cheveux pour lui plaquer violemment la tête sur le capot.

— Tu vas bien m'écouter maintenant, lui chuchota-t-il à l'oreille. Plus jamais tu ne me fais honte en public.

— Seth, arrête ! supplia Abigail terrorisée.

Une main implacable lui collait la joue contre la carrosserie.

— Papa, laisse maman !

Nimrod lui donna un coup de pied dans le tibia. Seth ne sentit presque rien mais, emporté par sa colère, il relâcha son épouse, attrapa son fils par sa veste et le porta à hauteur des yeux.

— Petit merdeux, tu te prends pour qui !

Seth le jeta à terre de toutes ses forces, et Nimrod atterrit sur la route, tête en avant.

— Espèce de salaud ! hurla Abigail qui bondit sur son mari.

Il la frappa au visage. Elle partit en arrière et s'effondra à son tour sur le sol.

— Pourquoi tu m'obliges à faire ça ? Pourquoi ? Je me sacrifie pour vous, et voilà tout ce que j'ai en récompense !

Seth regarda son épouse dans le clair-obscur de la nuit et donna un ultime coup de pied dans la carrosserie de la portière, à un cheveu de sa tête. Il hurla :

— Rentre à la maison !

Abigail dévisagea son mari. Jamais il n'avait porté la main sur elle auparavant. Uniquement des insultes sous le coup de la colère ou de l'alcool, mais rien qu'elle ne puisse encaisser ou pardonner. Mais cette fois-ci, il était allé trop loin. Cela ne pouvait plus durer. Seth repartit vers le manoir et Abigail rampa vers son fils qui pleurait, la tête en sang.

★

Abigail entendit son mari rentrer. Les marches de l'escalier craquèrent sous les pas mal assurés de son homme. Elle s'était couchée dans la chambre de son fils, mais avait été incapable de fermer l'œil. Elle redoutait le retour de Seth et sa paupière gonflée la faisait souffrir. Elle se recroquevilla contre son fils qui avait réussi à s'endormir. Sa blessure à la tête était superficielle. Elle entendit Seth passer devant la porte de Nimrod et continuer son chemin jusqu'à la chambre conjugale. Abigail se mit à trembler. Elle serra son fils un peu plus fort contre son sein. Les pas revinrent en arrière et s'arrêtèrent devant la porte. « N'entre pas, je t'en supplie, n'entre pas. » Mais Seth abaissa la poignée et s'avança dans la chambre. Elle distingua vaguement sa silhouette et découvrit avec horreur qu'il tenait une arme dans sa main.

« Non, pas mon fils, ne tue pas mon fils ! » pria-t-elle.

— Abi, je suis tellement désolé. Il faut en finir. Je suis un monstre. Je ne te mérite pas.

Il avait la voix chevrotante des soirs où il avait trop bu.

— Seth, arrête, va te coucher.

— Non, il faut en finir.

Il s'approcha et se mit à genoux devant le petit lit. Il leva son arme. Abigail fut incapable de fermer les yeux. Sa seule pensée était que Nimrod ne souffrirait pas, et que c'était peut-être mieux ainsi.

— Prends cette arme et tue-moi. Tue-moi !

— Quoi ? Non, arrête, je ne peux pas faire ça.

Seth lui prit le bras et la força à prendre l'arme. Elle tremblait de tous ses membres.

— Abi, il faut que tu le fasses. Je ne sais pas ce qu'il se passe dans ma tête, c'est plus fort que moi. Mais je te jure que tu es la meilleure chose qui me soit arrivée. Je ne veux pas te perdre. Je pourrais mourir pour toi. Alors tue-moi, je t'en supplie.

— Il faut que tu te fasses soigner.

— Tire, bon sang.

— Va voir un psy. On peut s'en sortir, mais il faut que tu te fasses soigner.

Seth se mit à sangloter comme à chaque fois qu'il était totalement alcoolisé.

— Je t'aime, je t'aime, si tu savais comme je t'aime.

Abigail sentit la pression redescendre.

— Promets-moi de te faire soigner.

— Je te le promets. Plus jamais je ne te toucherai.

Abigail reposa l'arme et caressa les cheveux de son mari accroupi près du lit. « Mon Dieu, faites qu'il guérisse », pria-t-elle en s'accrochant à cet espoir.

36

Mercredi 27 août

TRACY ENTENDIT LE CHANT DES OISEAUX. Le temps semblait comme suspendu. Puis un point lumineux qui grossissait, qui grossissait. Mais aussi une douleur lancinante. L'esprit cotonneux, elle était incapable de la moindre réflexion, si ce n'est une totale incompréhension de la situation. Elle sentit une caresse, et s'accrocha à ce contact. Son pouls retrouva son rythme normal. Un bourdonnement autour d'elle. Puis la lumière s'accrut et elle ouvrit les yeux. Le visage angoissé de Vernon était penché au-dessus d'elle.

— Qu'est-ce qui se passe ? articula-t-elle, la bouche sèche.

La douleur sourde qu'elle avait ressentie s'intensifia.

— Tout va bien, ne bouge pas. Je vais appeler un médecin.

— Un médecin, mais où...

Elle ne finit pas sa phrase et se rendit compte qu'elle était dans un lit d'hôpital. Les stores étaient à moitié tirés et laissaient entrevoir, dans une aube naissante, les branches d'un saule. Elle entendit clairement le chant des ptarmigans, sans parvenir à les voir.

— Qu'est-ce que je fais ici ? s'étonna-t-elle.

— On t'a retrouvée inconsciente à Lost Corner.

Tout lui revint d'un seul coup. Elle revit Sam Dafoe penché sur elle en train de l'étrangler et eut un haut-le-cœur qui vida le peu de nourriture qu'elle avait dans l'estomac. Paniqué, Vernon la fit se pencher sur le côté pour éviter qu'elle ne s'étouffe. Il sortit dans le couloir, en criant à l'aide. Une infirmière se précipita dans la chambre.

— Ça va aller, ce n'est rien, dit Tracy qui se redressa dans le lit.

— Vous en êtes sûre ?

— Oui.

Vernon vint lui passer une serviette humide sur le visage.

À cet instant, le docteur Joseph Paltrow entra dans la chambre.

— Bonjour, lieutenant. Comment vous sentez-vous ?

— Un peu mal à la tête, mais ça va.

— Allongez-vous.

Il l'ausculta méthodiquement. Tracy se plaignait d'une douleur au cou et à la tempe gauche.

— Le scanner n'a rien révélé de préoccupant. Vous avez un bel hématome qui se résorbera naturellement. Vous avez eu de la chance.

— J'ai la tête dure, fit-elle en tentant de sourire.

Ils entendirent des bruits de pas en provenance du couloir. Les agents Milton Wilder et Grace Meadow entrèrent dans la chambre.

— Qui vous a donné l'autorisation d'entrer ? tempêta Joseph. Ressortez tout de suite !

— Agents Wilder et Meadow, se présenta Milton en sortant son insigne du FBI.

— Je m'en moque. Le lieutenant Bradshaw a besoin de repos. Vous reviendrez quand je vous en donnerai l'autorisation !

Vernon resta silencieux, ravi du comportement du médecin. Il connaissait son attitude très paternelle envers Tracy et ce n'était pas pour lui déplaire.

— Docteur, je vous en prie, nous n'en aurons pas pour longtemps, juste quelques questions à lui poser.

— Joseph, laissez-les, je dois leur dire ce qu'il s'est passé.

— Plus tard, vous n'êtes pas en état. Vous avez besoin de repos.

— Docteur, vous devez nous laisser faire, s'imposa Grace.

— Très bien, mais après, plus aucune visite. C'est compris ?

Tracy hocha la tête.

— Monsieur Bradshaw ? dit Grace en s'adressant à Vernon qui était resté en retrait dans la chambre.

— Lui-même.

— S'il vous plaît, nous n'en aurons pas pour longtemps.

Vernon ne supportait pas d'être laissé dans l'ignorance de ce qu'il était arrivé à sa femme. Mais il savait que la marge de manœuvre était inexistante avec le FBI.

— Faites vite, exigea-t-il en quittant la chambre.

Milton prit soin de refermer la porte et se plaça près de la fenêtre qui donnait sur le parc de l'hôpital.

— Tracy, vous pouvez nous décrire ce qu'il s'est passé hier soir ?

— Oui, mais tout d'abord je veux savoir comment vous m'avez retrouvée.

— Bien sûr, répondit Grace.

Elle lui expliqua que c'était son mari qui, vers minuit, avait alerté le central. Tracy était injoignable et Vernon très inquiet de ne pas la voir rentrer. Il avait alors appelé le commissariat. Le réceptionniste avait immédiatement alerté les équipes du FBI encore sur place. Ils avaient triangulé son portable et l'avait retrouvée inconsciente au dernier étage d'un squat fraîchement abandonné.

— Une chance qu'ils n'aient pas volé votre portable, intervint Milton quand Grace eut fini son explication.

Non, la chance était ailleurs. Sans l'intervention de la jeune fille rousse, elle aurait rejoint l'au-delà.

— Merci.

— On n'a fait que notre travail, mais si vous nous aviez prévenus que vous partiez en solitaire, nous aurions pu éviter d'en arriver là et peut-être aurions-nous arrêté la personne que vous comptiez interroger.

— Sam Dafoe. C'est lui qui a essayé de m'étrangler.

— Prenez votre temps, mais dites-nous tout. Comment avez-vous eu son adresse ? demanda Grace.

Tracy réclama un verre d'eau.

— C'était en fin de journée, j'étais sur le point de prendre ma voiture pour rentrer chez moi quand une des jeunes militantes que nous avons sauvées ce matin est venue me parler.

Elle continua son récit, expliqua la suite de la soirée et arriva au moment où elle avait découvert le tatouage.

— Il a compris que je l'avais remarqué, et il m'a sauté dessus. Il m'a renversée sur le sol, puis...

Tracy avait encore la sensation de ces mains autour de son cou. Son cœur s'emballa.

— Reprenez votre souffle. Tout va bien, dit Milton d'une voix étonnamment douce.

Elle hocha la tête et prit le verre d'eau que lui tendait Grace.

— Je me suis défendue et je l'ai frappé dans les parties génitales. Son cri a dû alerter les autres occupants. La fille qui était avec lui quand je les ai dérangés est entrée comme une furie et c'est elle qui m'a frappée à la tête.

— Sa complice ?

— Non, cette idiote croyait simplement que je voulais coucher avec son mec. Du moins, c'est ce qu'il m'a semblé. Seul Sam Dafoe est coupable.

Milton hocha la tête.

— Vous pensez vraiment qu'il a voulu vous tuer parce que vous avez découvert son tatouage ? demanda-t-il.

— C'est évident. Il a deviné que j'avais compris qu'il appartenait à une secte. C'est pour ça qu'il a voulu me tuer.

Milton n'avait pas l'air convaincu et se tourna vers Grace. Tracy détesta leur connivence.

— Quoi ? Vous ne me croyez pas ?

— Si, on ne doute pas des faits, seulement de votre interprétation. Ni Brent Collins ni Sam Dafoe ne sont fichés comme appartenant à l'Église de la Vérité première.

— Ça ne prouve rien !

— Cela fait des années que la NSA et d'autres agences surveillent ce genre de mouvements. Nous les avons à l'œil, mais à vrai dire, ils ne sont pas bien méchants.

— Ils ont corrompu des notables.

— La liberté de pensée fait partie des fondements de notre Constitution.

— Vous êtes en train de me dire que vous êtes d'accord avec ces cinglés ?

— Non, je vous dis simplement que je respecte le premier amendement et le droit d'appartenir à une religion, quelle qu'elle soit. C'est tout. Le FBI ne juge pas les gens selon leurs croyances, mais sur leurs actes.

— Vous vous trompez. Ces gens sont dangereux, s'entêta Tracy en pensant à l'enlèvement de Judith.

Même si les deux affaires n'étaient certainement pas liées, cela démontrait leur capacité de nuire.

— Je vais vous dire ce qu'il s'est passé hier soir, annonça Milton d'une voix assurée. Sam Dafoe a tenté de vous violer. Quand il s'est retourné, il a eu envie de vous, c'est tout.

— C'est tout ? le reprit-elle.

— Je veux dire, il n'a pas tenté de vous tuer, mais de vous maîtriser pour abuser de vous. Sam Dafoe a déjà été accusé de viol en Virginie, et dans le Tennessee, expliqua Milton. Mais, avec de bons avocats, il a toujours réussi à s'en tirer. Il est très difficile de prouver un viol.

— Et ça, c'est quoi ? lança-t-elle en passant sa main sur les marques de son cou.

— Nous avons fait un relevé d'empreintes à la base de votre cou et on en a trouvé. Certainement celles laissées par Dafoe, et c'est pour ça qu'il est en fuite. Il sait que cette fois-ci, on le tient.

— Il n'a pas voulu me violer, mais me tuer, corrigea Tracy, sûre de son fait.

— Il était nu sur vous, n'est-ce pas ?

— Et alors ?

— Tracy, vous êtes sous le choc, mais voyez les choses en face. Il voulait vous violer. Il ne vous aurait pas tuée alors qu'il y avait tant de monde dans ce squat.

Judicieuse affirmation. Elle refit toute la scène dans sa tête. Il est vrai que lorsqu'elle lui avait parlé de la Vérité première, il lui avait seulement demandé si ses fesses l'excitaient.

— À vrai dire je ne me souviens plus.

— Reposez-vous.

Tracy se sentit soudain très fragile et choquée. Aussi aberrant que cela puisse paraître, elle se rendait compte que l'idée d'avoir failli être violée lui était plus insupportable que celle d'avoir échappé à la mort !

— On va le retrouver et on va le faire tomber. Je vous le promets, assura Grace.

Tracy revit le visage de Sam Dafoe au-dessus d'elle. « Il voulait me violer, me violer ! »

Elle se mit à pleurer en silence.

37

NIMROD ÉTAIT EN SUEUR. Le souffle court. La bouche grande ouverte. Il se sentait pris d'une frénésie incontrôlable. Il accentua ses mouvements de bassin et s'enfonça plus profondément dans l'intimité d'Holly qui gémissait de plus belle. Elle lui griffait le dos et le regardait avec une passion dévorante. Il aimait la façon dont elle plongeait ses yeux dans les siens. Un amour total, éperdu, sans retenue. Fusion de deux corps et de deux âmes. Le lit grinçait sous leur poids et le sommier cognait la cloison.

— Viens, murmura Holly qui se sentait partir.

Une vague de jouissance la submergea. Elle ne put retenir de petits cris, et serra son homme contre elle, rapprochant son visage pour lui mordre les lèvres jusqu'au sang. Surexcité, Nimrod amplifia ses mouvements de bassin et l'orgasme tant attendu l'emporta dans un océan de plaisir. Épuisé, il bascula sur le côté pour reprendre son souffle. Holly vint se coller à lui, et ils restèrent ainsi de longues minutes à reprendre leurs esprits dans un silence apaisé. Elle lui caressait le torse et lui les cheveux.

— Je ne sais pas ce que t'a dit ton contact hier soir, mais si ça te donne autant d'énergie, tu peux le revoir quand tu veux, s'amusa Holly.

— Rien du tout. Je n'ai rien appris.

Il se revit prêt à tirer sur son propre père, et eut un frisson de dégoût.

— Ça va ?

Nimrod revoyait son visage et son air narquois. Ne pouvait-il pas sortir de sa vie, de son crâne à jamais ! Par réflexe, il claqua les fesses de sa partenaire.

— Hé ! cria-t-elle, surprise.

Mais sentant la vigueur de son amant gonfler sous son pelvis, Holly lui sourit. Elle savait ce qu'il aimait par-dessus tout et décida de lui faire ce plaisir...

★

— Bon, je dois descendre. Tout le monde va se demander ce que je fais, dit Holly en enfilant son jean.

Assis sur le lit, Nimrod la regardait avec émerveillement.

— Arrête.

— Quoi ?

— De me regarder comme ça !

Holly mit ses chaussures et vint lui déposer un baiser sur la bouche avant de sortir de la chambre. Nimrod se leva à son tour, enfila un caleçon et remonta le couloir en direction de la salle de bains. Il se posta devant la glace et leva sa main bandée. Après l'épisode du *Betty House*, il était repassé chez lui pour se faire un pansement. Quand il était arrivé au *Gold Digger*, Holly dormait déjà. Il s'était glissé doucement à côté d'elle sans la réveiller. Il avait eu un mal fou à s'endormir et s'était relevé pour avaler un Xanax. Miracle du sommeil, ou de la chimie, il s'était réveillé au petit matin avec une vigueur nouvelle. Comme si la soirée de la veille n'était qu'un simple cauchemar. Nimrod repensa à ses ébats matinaux, et se dit qu'à quelque chose malheur est bon.

Il se doucha et se rasa. Fin prêt, il décida d'aller frapper à la porte de Judith. Elle ne répondit pas. Il frappa un peu plus fort. Toujours pas de réponse. Il entrouvrit la porte. Les volets étaient ouverts. Ses affaires étaient là. Un pyjama froissé reposait sur le lit défait. Même s'il savait que Judith était une lève-tard, il se rendit compte qu'elle avait dû être le témoin auditif de leurs ébats. Cette pensée le fit grimacer. Il aurait détesté entendre les gémissements d'une ex-petite amie en train de faire l'amour avec un autre homme.

« Elle a dû prendre un petit déjeuner au *Gold Digger* », songea Nimrod. Il descendit et salua les employés du matin. Ils étaient tous affairés dans la cuisine où Holly, déjà à la manœuvre, galvanisait ses troupes. Il ne la dérangea pas et entra dans la partie centrale du saloon. Quelques touristes matinaux étaient attablés, impatients de savourer des boissons chaudes et divers gâteaux tout droits sortis du four. Il chercha Judith des yeux sans la voir. Peut-être n'avait-elle pas eu envie de croiser Holly ce matin. Nimrod prit son téléphone et l'appela. Le répondeur se déclencha aussitôt. Besoin de solitude ou coup de déprime après la beuverie de la veille et un réveil au son des râles extatiques d'un couple amoureux. C'est clair qu'ils n'avaient pas fait dans la finesse. Mais il ne le regrettait pas. Judith appartenait au passé, et son avenir était avec Holly. Un jour, elle serait prête à faire un enfant avec lui. Il n'en doutait pas un instant, quoi qu'elle dise.

Il regarda l'heure sur son portable. 8 h 12. Il était temps de partir au commissariat. Il vit qu'il avait des messages en absence. Il appela son répondeur et devint fébrile en entendant la voix inquiète de Vernon qui lui demandait si

Tracy n'était pas avec lui. Le message datait de la veille, 23 h 45.

À ce moment-là, Nimrod était dans son chalet en train de panser sa blessure à la main. Il se souvint qu'il avait éteint son portable, car il n'était pas en mesure de parler à qui que ce soit. Son rendez-vous avec son père avait failli lui coûter la raison. Il appela aussitôt Tracy, et pria pour qu'elle lui réponde.

— Il était temps que tu t'inquiètes pour moi, grogna-t-elle en décrochant.

— Qu'est-ce qu'il t'est arrivé ? Je viens à peine de trouver le message de Vernon. J'avais éteint mon téléphone.

— Viens à l'hôpital, je t'expliquerai tout.

— L'hôpital ?

— Ça va, je n'ai rien. Tu connais Joseph, au moindre bobo, il veut nous garder en observation pendant des jours !

— Dis-moi juste en quelques mots.

Il entendit Tracy inspirer à fond avant de répondre :

— J'ai déconné, mais c'est bon, tout va bien. Je t'attends.

38

— VOUS NE POUVEZ PAS VOUS TROMPER, c'est tout droit, indiqua une vieille femme qui s'aidait d'un déambulateur pour avancer.

Nimrod la remercia. Cela faisait dix minutes qu'il cherchait le réfectoire où Tracy lui avait donné rendez-vous. Il avait pris deux ascenseurs, parcouru une dizaine de couloirs pour enfin arriver à destination. Une large porte à double battant était ouverte face à lui. Il entra dans la salle et aperçut une dizaine de patients attablés qui prenaient leur petit déjeuner. Parmi eux, il vit Tracy en compagnie d'une personne en fauteuil roulant. Nimrod s'approcha et reconnut Scott. Il avait un bras en écharpe et une jambe immobilisée dans un strapping.

— Salut, lança-t-il.

Et aussitôt, il remarqua l'œil au beurre noir de sa partenaire.

— Qui t'a fait ça ?

— Assieds-toi, je vais t'expliquer.

— Dis-moi tout.

Nimrod s'efforça de se contenir et attrapa une chaise pour s'asseoir en face d'elle. Il vit alors les hématomes sur le cou de la lieutenante.

— Ne me dis pas qu'on a essayé de t'étrangler ?

Tracy valida d'un hochement de tête et entreprit de lui raconter sa terrible soirée. À ses côtés, Scott gardait le silence et finissait son petit déjeuner. Quand la lieutenante arriva au moment où Sam Dafoe lui avait bondi dessus, Nimrod serra son poing bandé, au risque de rouvrir sa plaie de la veille.

— Il était sur moi, je ne pouvais rien faire, j'ai eu tellement peur…

En temps normal, Tracy n'était pas du genre à se plaindre, mais elle se sentait salie par cet homme qui avait tenté de la violer.

— J'étais à bout d'oxygène quand j'ai eu le réflexe de lui attraper les parties. J'ai serré comme tu ne peux pas imaginer. Il s'est effondré sur le côté et, avant que je me relève, sa copine rousse est entrée et m'a frappée à la tête.

Tracy s'essuya les yeux et détourna le regard par-delà la baie vitrée du réfectoire. Le soleil éclairait d'une douce lumière les épicéas centenaires. Une belle journée. « Oublie tout, c'est fini », pensa-t-elle, soulagée d'avoir pu une nouvelle fois exprimer sa souffrance. Elle reprit une cuillerée de compote de pommes qui se trouvait sur son plateau. Nimrod se gratta derrière l'oreille. Quelque chose le troublait dans l'interprétation de Tracy.

— Excuse-moi de te reprendre, mais tu as bien dit que c'est au moment où tu as découvert son tatouage qu'il t'a sauté dessus ?

— Oui, enfin non, je ne lui ai rien dit. Il s'est retourné et m'a juste balancé que je reluquais ses fesses.

— Je sais que je ne devrais peut-être pas te dire ça, mais je me demandais s'il avait vraiment voulu te violer ou bien te tuer parce que tu avais vu son tatouage.

— Tu n'as pas à t'excuser, parce que c'est exactement ce que je pensais avant d'en parler au FBI. Finalement ils m'ont convaincue que je me trompais. Ni Brent Collins ni Sam Dafoe n'appartiennent à cette secte.

— Comment peux-tu être aussi affirmative ?

— Le FBI a des dossiers sur tout et tout le monde.

— OK, mais la force des sectes est justement d'être paranoïaques au possible. Peut-être sont-ils des agents dormants. Insoupçonnables, mais agissant toujours pour le compte de leur Église.

— Qu'est-ce que tu essaies de dire ? Qu'il n'a pas voulu la violer ! s'emporta Scott.

Les malades des autres tables se tournèrent vers eux.

— J'essaie seulement de comprendre. Parce que si ce n'est pas un viol, cela signifie que c'est en rapport avec cette secte et ça change tout.

Nimrod n'avait pas l'intention de lui parler de Judith. Mais si ces types avaient tué au nom de leur religion, l'enfant de Judith était mille fois plus en danger qu'ils ne l'avaient envisagé jusqu'à présent. Néanmoins, il n'avait aucune envie d'en parler à Scott, et il préféra s'adresser à Tracy.

— Tu dis que tu les as dérangés pendant qu'ils faisaient l'amour, n'est-ce pas ?

— Oui.

— Tu ne crois pas qu'il t'aurait sauté dessus dès sa copine sortie ? Les pulsions de ce genre de malade sont irrépressibles.

— Il attendait le bon moment, c'est tout. Je ne sais pas à quoi tu joues, mais c'est malsain, lâcha Scott en le fusillant du regard.

Tracy comprenait le trouble de Nimrod, mais un jour, il faudrait bien que ces deux-là apprennent à se respecter.

— Bon, j'ai fini, fit-elle en reposant sa cuillère. Tu me sors d'ici ?

— Quoi ? Tu plaisantes ? Hors de question, répondit Nimrod.

— Pour une fois, je suis d'accord avec lui. Tu restes ici.

— Eh les mecs, vous déconnez. Le type qui m'a fait ça est en liberté. Vous croyez que je vais rester là à attendre les bras croisés ?

— Ne le prends pas mal, mais tu t'es vue ?

— Justement, je compte bien impressionner ces morveux d'écologistes, insista Tracy qui se leva de table. Tu es venu en voiture ?

— Tracy, ne fais pas ça. J'ai promis à ton mari de prendre soin de toi, la supplia Scott.

— Tu sais que je t'adore, mais pour le coup, si quelqu'un peut me protéger en ce moment, ce n'est certainement pas toi.

— Sympa.

— Non, réaliste. Jure-moi que tu ne diras rien.

Scott fit la grimace et soupira en se demandant comment il allait expliquer le départ de Tracy au docteur Paltrow et au shérif.

— Allez, barrez-vous, avant que je change d'avis.

Tracy avait remis ses vêtements de la veille. Elle aurait bien aimé se changer, mais c'était inenvisageable. Si elle retournait à la maison, Vernon l'enfermerait à double tour dans leur chambre.

— Tu sais, c'est affreux, mais je préfère l'idée qu'il n'ait pas voulu me violer, confia Tracy alors qu'elle quittait le réfectoire au bras de Nimrod.

— La mort, ce n'est pas plus cool, la tempéra-t-il.

— Va savoir, peut-être que le paradis existe vraiment.

— Oui, bien sûr, et seules les âmes saintes y seront acceptées, ironisa Nimrod. Il n'aurait pas eu le temps de te convertir, ton type ?

— Il n'est pas né, celui qui me fera croire à toutes leurs idioties.

Ils sortirent de l'hôpital et se retrouvèrent devant le side-car. Nimrod lui tendit un casque.

— Tu veux que je te dépose où ?

— Comment ça ? On va au commissariat, non ?

— En fait, avant, il faut que je parle à quelqu'un.

— Qui ?

— Un journaliste qui aurait dû m'introduire auprès de quelqu'un de l'Église de la Vérité première. Il faut qu'il m'aide.

— Dans ce cas, je peux te demander un service ?

— Tout ce que tu veux.

— Dépose-moi au *Gold Digger*. J'en profiterai pour prendre une bonne douche et pour emprunter la voiture d'Holly.

— Pendant que tu y es, demande-lui d'arranger ton œil. Si le shérif te voit dans cet état, il va te renvoyer ici manu militari.

— Tu as raison, on fait comme ça.

39

TRACY SE REGARDA UNE DERNIÈRE FOIS dans le rétroviseur intérieur. Elles avaient fait ce qu'elles avaient pu avec la trousse de maquillage d'Holly et le résultat était plutôt satisfaisant. Elle resserra le foulard autour de son cou pour en cacher les ecchymoses, et sortit de la Chevrolet que lui avait prêtée son amie. Elle prit son portable et appela Melvin pour le prévenir de son arrivée.

Elle remonta le parking de la marina, et à la vue du rassemblement d'écologistes, les images de son agression lui revinrent de plein fouet. Elle ne devait pas craquer. Personne ne sembla la remarquer. Les militants de Lost Corner avaient dû s'enfuir pour d'autres horizons, loin de White Forest. Elle monta par l'arrière du bateau alors que Melvin l'attendait sur le pont inférieur. De la musique rock lui parvenait du salon intérieur.

— Salut, Tracy ! Mais qu'est-ce qui t'est arrivé ? Tu t'es pris une porte ?

— On peut retourner dans ta salle secrète ?

Melvin fronça les sourcils.

— Oui, suis-moi.

Ils avancèrent vers l'intérieur du bateau. Tracy s'assit sur un des fauteuils club, face au bureau. Une journée était passée et elle avait l'impression que c'était un siècle.

— Ce n'était pas une porte, n'est-ce pas ? dit Melvin qui sortit la bouteille de whisky.

— Non, grommmela-t-elle en retirant son foulard.

— Putain ! Quel est l'enfoiré qui t'a fait ça ?

— Donne-moi à boire, s'il te plaît.

Melvin lui remplit son verre qu'elle vida d'un trait.

— Qu'est-ce qui s'est passé ?

— Je me suis fait agresser. J'enquêtais sur la mort de Collins, et...

— Bordel ! Je t'avais pourtant prévenue que ça sentait mauvais ! Tu aurais dû m'écouter, s'emporta le jeune trentenaire qui but son verre cul sec.

— Tais-toi et laisse-moi terminer. C'est déjà assez pénible comme ça.

Melvin maugréa son assentiment, tandis qu'elle lui racontait tout ce qu'elle avait découvert jusqu'au moment où elle était entrée dans la chambre de Sam Dafoe, interrompant une partie de jambes en l'air.

— Ça ne m'étonne pas de lui, il paraît qu'il a une bite à la place du cerveau. Toutes les filles y sont passées. Il paraît que c'est un super coup. Tu n'as pas craqué, j'espère, car n'oublie...

— Tais-toi ! le coupa-t-elle sèchement. C'est cet enfoiré qui a tenté de m'étrangler.

— Non ? Tu déconnes !

— Ai-je vraiment l'air de plaisanter ?

Melvin prit la bouteille et porta le goulot à sa bouche avant de s'essuyer les lèvres du revers de la main.

— Je n'arrive pas à le croire. Mais comment ça s'est passé ?

Elle lui fit un bref résumé de la scène, et lui dit comment elle s'était finalement réveillée au petit matin, à l'hôpital.

— Vous l'avez arrêté ?

— Non, justement, c'est pour ça que j'ai besoin de ton aide.

— Tout ce que tu veux. On va le retrouver, ce salopard. Et si tu le souhaites, je te déniche un type sur le Darknet qui le butera à mes frais.

— C'est gentil, mais je veux l'arrêter et qu'on fasse son procès. Pour moi et pour toutes les autres.

— Comment ça ?

— Je n'en sais pas plus. Le FBI assure qu'il y a déjà eu deux plaintes contre lui, mais qu'elles n'ont jamais abouties.

— Les victimes de viol se sont rétractées ?

— En fait, je n'en sais rien et c'est là que tu interviens.

Melvin eut un large sourire.

— Tu veux que je rentre dans le département de la justice pour avoir le fin mot de l'histoire ?

— Je veux que tu me trouves tout ce que tu sais sur ce type. Tout. Absolument tout, de sa naissance à ses premiers flirts, ses amis, ses ennemis, ses goûts musicaux et, oui, ses ennuis avec la justice.

— C'est comme si c'était fait, mais ça peut prendre un peu de temps. Si tu veux repasser cet après-midi.

— Pas avant ?

— En fait, c'est un peu la loterie. Parfois, tu peux mettre dix minutes pour défoncer des pare-feu, d'autres fois, des heures. Ça dépend des systèmes, des mises à jour, même si les sites de nos chères agences gouvernementales restent de vrais fromages à trous, je dois dire qu'ils s'améliorent au fil des années. Mais je vais voir ce que je peux faire.

— Je peux attendre ici ?

— Tu es ici comme chez toi. Allonge-toi et repose-toi.

★

« Mais où est-elle passée ? » s'irrita Nimrod en raccrochant sans laisser de message. Il se trouvait devant l'entrée du *White Forest Weekly* et venait, une fois encore, d'essayer de joindre Judith. Elle n'avait toujours pas donné de nouvelles depuis qu'elle avait quitté sa chambre de bon matin.

Alors qu'une fine brise de fin d'été se glissait dans le corridor des bâtiments de cette zone d'activité commerciale, Nimrod entra dans les locaux du journal. Un immense *open space* où des journalistes s'agitaient en tous sens. L'un d'eux le reconnut et vint à sa rencontre.

— Vous êtes flic, n'est-ce pas ? Lieutenant Russell ?

— Oui, je viens voir votre directeur.

Après les événements de la veille, l'interview d'un policier valait de l'or.

— Je vais le prévenir de votre arrivée. Si vous voulez bien me suivre.

Ils traversèrent les locaux, et montèrent à l'étage. Nimrod aperçut Liam Mortimer à travers les vitres de la salle de rédaction. Il animait le briefing matinal de ses chefs de rubrique. Un visage attira particulièrement son attention : Duncan Wynn. Ce dernier l'aperçut, lui fit un signe de la main et sortit de la salle pour le retrouver.

— C'est bon, Marc, tu peux nous laisser, lança-t-il au journaliste qui avait accompagné Nimrod.

Le jeune homme eut un sourire pincé et retourna au rez-de-chaussée.

— Qu'est-ce que vous faites là ? Je vous ai dit que je ne pouvais plus rien pour vous.

— Un petit garçon a été enlevé et vous n'allez rien faire ? s'indigna le lieutenant.

— Pas ici. Suivez-moi.

Duncan le conduisit dans une petite pièce attenante à la salle de réunion.

— Je suis désolé, mais je ne peux plus rien pour vous. Pas après ce qui s'est passé. Ils ont essayé d'enlever votre amie. C'est trop risqué.

— Justement, vous n'allez tout de même pas baisser les bras, j'ai besoin de votre aide.

— Si ma couverture saute, Dieu sait de quoi ils sont capables.

— Votre but est de les démasquer. Si nous pouvons prouver que leur chef a commandité cet enlèvement, est-ce que ça ne vaut pas le coup ?

— Mon but n'est pas de faire arrêter le mari de votre ex-petite amie, mais de comprendre les liens des dirigeants avec les milieux politiques de la région, mais aussi économiques. Je suis journaliste, pas justicier.

Nimrod eut envie de l'attraper par le col de sa chemise bien repassée et de le secouer. Mais il savait que cela ne servirait à rien et surtout il comprenait son argumentation. Il ne pouvait espérer rencontrer qui que ce soit appartenant à cette secte en tout anonymat. Mais une idée germa alors dans son esprit.

— Et si je vous trouve quelqu'un pour me remplacer ? Vous accepteriez de la présenter à vos pairs de la secte ?

— Écoutez, j'ai intégré le mouvement il y a six mois seulement, je ne suis pas certain d'être la bonne personne.

— Donnez-moi juste un nom. Personne ne saura que c'est vous qui nous l'avez donné. Je vous en prie.

Duncan était très mal à l'aise, mais finalement il se décida :

— Rupert Osmond. Il est chef comptable d'un grand cabinet.

— Merci, lâcha Nimrod, soulagé.

— Surtout vous ne dites rien sur moi. Je risque ma vie, vous comprenez.

— Ne vous en faites pas, je n'ai pas pour habitude de trahir mes informateurs.

— Je ne suis pas votre informateur. Je ne vous dois rien, et ne cherchez plus à me joindre. J'ai déjà pris trop de risques.

Et ça se voulait journaliste d'investigation ! Nimrod se retint de ricaner, et ressortit simplement de la pièce. Il repassa devant la salle de réunion où Liam Mortimer lui fit signe d'attendre. Nimrod en profita pour appeler Tracy.

Répondeur. À croire qu'aucune fille ne voulait lui parler ce matin. Mortimer sortit de la salle.

— Lieutenant Russell, je suis sincèrement désolé de ce qu'il vous est arrivé hier.

— Vous n'y êtes pour rien.

— Votre cliente va bien ?

— Oui. Choquée, mais elle va bien.

— Vous comprenez que Duncan ne puisse plus vous aider, mais sachez que nous sommes derrière vous. Je n'aime pas l'idée que la religion prenne le pas sur la liberté de penser, dit Mortimer qui ajouta : Vous pouvez me parler de l'attaque du chalet ? Votre supérieur n'est pas prolixe en la matière. Le droit à l'information est un autre de nos droits sacrés.

L'homme ne perdait pas le nord. Peut-être était-il vraiment soucieux du sort de Judith, mais ce qu'il voulait surtout, c'était un scoop sur le massacre de la veille.

— Je ne peux rien vous dire. Le FBI a repris l'enquête.

— Je vois. Dans ce cas, je vous laisse, et surtout n'hésitez pas à nous recontacter quand votre aurez retrouvé le fils de votre cliente. Cette histoire fera la une, je vous le promets.

— Merci, mais je crois qu'elle préfère la discrétion.

— Excusez-moi de vous reprendre, mais ce sera à elle de choisir. Son témoignage pourrait être capital pour faire comprendre aux femmes les dangers du sectarisme.

— Très bien, je lui en parlerai.

— Bon, je dois y retourner. Bonne chance et à bientôt.

Même s'il appréciait le directeur du *White Forest Weekly*, il n'avait aucune envie d'y revenir de sitôt.

Policier et journaliste étaient comme chien et chat. Des animaux pas faits pour se côtoyer de trop près.

Nimrod sortit des locaux et fit un nouvel essai pour joindre Judith, sans plus de résultat. Il tenta alors sa chance auprès de Tracy. La sonnerie s'enclencha…

★

— Ça y est, je te tiens, enfoiré, chuchota Melvin, avachi devant son clavier d'ordinateur.

Il venait de passer plus d'une heure à pister des informations concernant Sam Dafoe, envoyant ses virus en quête de la moindre information, malheureusement souvent éradiqués avant d'avoir pu rapporter leurs découvertes. Il avait dû faire face à de nombreuses pertes, mais toute guerre implique la mort de bons soldats, l'important c'est la victoire. Et l'un de ses bébés venait de percer le dernier rempart de la forteresse gouvernementale.

Tracy sortit de son demi-sommeil. Allongée sur le canapé du petit salon, elle s'était laissé bercer par le léger tangage du navire.

— Tu as trouvé quelque chose ? demanda-t-elle en se redressant.

— Oui, j'ai toute sa fiche. Tu ne devineras jamais qui est ce type, dit Melvin qui faisait défiler les informations sur son écran.

Tracy vint s'asseoir à ses côtés, mais n'arrivait pas à suivre.

— On est où là ?

— Dans les rapports secrets de la justice et, accroche-toi bien : notre cher Sam Dafoe est loin d'être le gentil pacifiste qu'il prétend être.

— C'est qui ça ? C'est lui ? s'étonna Tracy en désignant sur l'écran un jeune homme aux cheveux coupés ras et avec un bouc.

Prise de face, la photo le montrait tenant dans ses mains un numéro d'identification.

— Oui, quand il s'est fait arrêter. Il y a plus de trente ans. Il avait vingt-deux ans à cette époque.

— Incroyable, je ne le reconnais absolument pas.

— C'est parce qu'il se teint en blond maintenant. Adieu le bouc, place à la barbe, aux cheveux longs, à l'embonpoint et aux rides.

— Pour quelle raison a-t-il été arrêté ?

— Trafic de drogue, répondit Melvin qui pianotait sur son ordinateur. Mais aussi cinq plaintes pour viol en réunion dont une pour acte de barbarie !

— Quelle ordure ! Je n'en reviens pas qu'on l'ait libéré, dit Tracy écœurée.

La justice était bien trop clémente envers les violeurs. La vie d'une femme valait-elle moins que celle d'un homme ?

— Écoute ça. Tu sais combien d'années il est resté en prison ?

— Non, mais je sens que la réponse ne va pas me plaire.

— Deux ans.

— Quoi ?

— Il a passé un accord avec le FBI.

— Mais quel genre d'accord peut-on passer pour libérer un violeur ?

— C'est un repenti. Nouvelle identité, et tout le toutim.

— Elle est belle la justice, dit-elle, encore plus dégoûtée.

— Il a fait tomber tout un réseau de narcotrafiquants. Plus de cent personnes incarcérées, six condamnations à mort. Trente-deux autres à la peine de prison à vie.

Tracy connaissait bien les subtilités de la justice, et si elle comprenait les raisons qui la poussaient à conclure des accords entre les parties, elle s'était toujours demandé si cela valait vraiment le coup. Libérer une crapule pour en mettre cent en prison. Sombre dilemme.

— Un beau palmarès, ironisa Melvin. Et tout ça pour quoi ? Dès le lendemain, tu peux imaginer qu'un autre cartel avait pris le relais dans les rues de Los Angeles.

Tracy ne pouvait mieux dire. À part les politiciens qui avaient dû se féliciter de la chose, qui avait vraiment gagné avec cet accord ? À l'évidence, pas la justice.

— Tu peux savoir ce qu'il a fait ces dernières années ?

— Oui, il s'est tenu à carreau, ou presque... Il a vécu dix ans en Caroline du Nord d'où il a déménagé après une plainte pour viol classée sans suite. Ensuite, dix ans de plus en Virginie. Là, rebelote, sans suite et déménagement à nouveau en Alaska.

Si le FBI n'avait pas joué franc-jeu, il ne lui avait pas tout à fait menti.

— Je comprends mieux pourquoi ils ont rappliqué aussi vite quand Trevor les a appelés. Je me demande même si ce ne sont pas eux qui ont insisté pour venir, s'interrogea Tracy.

— En tout cas, avec tous les types qu'il a fait mettre en prison, il a des couilles pour tenter de redevenir un homme public.

— Pas si risqué que ça. Nouveau nom, nouveau visage marqué par trente années de plus, embonpoint, teinture. Il est méconnaissable. Et surtout, très loin de Los Angeles.

— Mmmm, en fait je trouve quand même étonnant qu'il se mette en avant. Si un des types qu'il a fait mettre en prison le reconnaît, il est mort, dit Melvin.

— Il doit penser que suffisamment de temps a passé. Ce type est un prédateur, un homme qui aime dominer ses proies. Il a dû détester se cacher durant tant d'années et veut prendre sa revanche sur la vie.

— Ou alors, il travaille toujours pour le FBI. Une taupe cachée au sein du mouvement écologiste pour mieux le contrôler.

Tracy n'avait jamais été complotiste dans l'âme, mais cela tombait sous le sens. Sam Dafoe travaillait toujours pour eux ! Quand on mangeait avec le diable, mieux valait avoir une longue cuillère et, à l'évidence, il n'avait pas été assez prudent.

— Oui, j'espère vraiment que tu as tort, mais j'en doute, dit-elle en se levant.

— Tu comptes aller où ?

— À ton avis ?

— Ne fais pas ça. N'en parle à personne. Tu n'es pas censée avoir ces informations. Elles sont protégées. Tu risques de t'attirer de graves ennuis.

— Plus graves que de me faire étrangler ?

— Oui, tu risques de finir comme Brent Collins. Il a dû comprendre le double jeu de Sam Dafoe, et ce dernier l'a tué.

Ça non plus ce n'était pas idiot. Raison de plus pour parler au FBI.

— Ne t'inquiète pas pour moi. Je leur dis juste ce que je pense de leurs méthodes et je les laisse se débrouiller avec ce merdier.

— Laisse tout tomber. Pas la peine qu'ils sachent que tu sais. Pense à ta famille. Le FBI est capable de tout pour te faire taire.

Irait-il jusqu'à assassiner Vernon et ses enfants ? Elle ne pouvait le concevoir, et pourtant un doute subsistait.

— Je vais y aller. Merci et prends soin de toi.

Melvin leva la bouteille de whisky et en but une gorgée.

Tracy remonta sur le pont supérieur, puis repassa devant les jeunes militants qui la taquinèrent sur son âge. Accaparée par une multitude d'interrogations, elle les ignora. Que voulait Sam Dafoe ? Avait-il tué Collins ? Pourquoi ? Qu'est-ce que le FBI venait faire dans cette histoire ? Protégeait-il Dafoe ? Elle avait à peine quitté le yacht quand elle reçut un appel de Nimrod.

— Salut, il faut qu'on se voie, lança-t-elle en décrochant.

★

Nimrod arriva le premier. Il gara son side-car sous le porche, et vit aussitôt Laïka jaillir des fourrés.

— Viens par ici. Je suis désolé, ma jolie, dit-il en lui caressant le pelage.

Pour manifester son contentement, la chienne aboya deux fois, et suivit son maître à l'intérieur du petit chalet. Ils allèrent dans la cuisine où Nimrod, après lui avoir rempli sa gamelle, se prépara un café. Il se posta à la fenêtre, face à White Forest, l'esprit préoccupé. Il avait espéré retrouver Judith chez lui. Mais non, elle refusait de se montrer, boudant très certainement dans un des bars de la ville. Mais lequel ? Nimrod ne pouvait se défaire d'un sentiment de culpabilité. Il n'aurait pas dû faire l'amour avec Holly dans la chambre contiguë à la sienne. En même temps, il ne lui devait rien et surtout, il avait eu un besoin irrépressible d'évacuer tout le stress que la rencontre avec son père avait réveillé en lui. Il plissa les lèvres et but une petite gorgée de son café bouillant.

Une Chevrolet entra dans son champ de vision. Laïka aboya en reconnaissant le bruit du moteur de la voiture d'Holly et fonça vers la porte. Nimrod la suivit et alla ouvrir. Tracy sortit de la voiture et remonta la petite allée menant à l'entrée. Laïka grogna et aboya.

— Hé, ça va, c'est moi, dit Tracy.

— Laïka ! Arrête ! ordonna Nimrod, tandis que la chienne bondissait vers la Chevrolet.

— Tu crois qu'elle s'attendait à ce que ce soit Holly qui sorte de la voiture ?

— Oui. Tu sais, les chiens sont les animaux les plus intelligents du monde. Dès qu'elle a entendu le moteur, elle l'a tout de suite reconnu.

Tracy était dubitative. À cause de l'allergie de Ridley, ils n'avaient plus d'animaux de compagnie dans la maison. Et cela ne lui manquait pas.

— Ça a l'air d'aller mieux, ton œil.

— Tu parles, je me suis juste mis une belle couche de maquillage.

Ils rentrèrent dans la maison et Laïka préféra rester dehors.

— Tu veux un café ?

Tracy aurait volontiers pris un petit alcool, mais après celui qu'elle avait bu chez Holly, puis les deux verres chez Melvin, elle préféra ne pas abuser.

— Oui, dit-elle en enlevant sa veste. Tu as retrouvé Judith ?

— Non, elle ne répond toujours pas.

Tracy appuya ses fesses contre le plan de travail de la cuisine.

— Pas très malin, aussi, de baiser à côté d'elle !

— C'est bon, je ne veux pas en parler. Je ne sais même pas pourquoi Holly est allée te raconter ça.

— Bon, il faut que je te dise plusieurs trucs, et je te jure que ça craint un max.

Nimrod mit une tasse sous le déversoir de la machine à café et appuya sur le bouton rouge.

— Je t'écoute.

— Sam Dafoe n'est pas Sam Dafoe.

— C'est-à-dire ?

— C'est une nouvelle identité. Ce type est un ancien chef de gang qui a balancé tous ses contacts.

— Mais comment tu sais tout ça ?

— Melvin. Il est entré dans les ordinateurs du FBI ou je ne sais quelle agence, et il a découvert le pot aux roses.

Elle prit le temps de tout lui raconter et conclut :

— Je ne sais pas ce qu'il s'est passé hier, mais je me dis que le FBI doit avoir bien plus d'indices qu'ils n'ont voulu nous le faire croire.

— Tu penses à quoi ?

— Je crois que Sam Dafoe n'a jamais cessé de travailler pour eux, mais que cette fois-ci, les choses ont mal tourné.

Nimrod fit un bruit de bouche, l'air profondément perplexe. S'il voulait bien croire que le FBI n'agissait pas toujours dans le strict respect des lois, il pensait que c'était pour protéger le pays du terrorisme moderne. Quelques écarts aux principes n'étaient pas si graves. Mais était-il vraiment question de terrorisme dans leur cas ? Il n'y croyait pas un seul instant.

— Je ne sais pas quoi te dire. Les agents du FBI ont bien des défauts, mais de là à protéger un violeur durant tant d'années…

— Ils ont bien tué un président.

— C'était la CIA.

— C'est pareil.

— Admettons, mais la question essentielle est : qui a commis le massacre d'hier ?

Tracy n'avait cessé d'y réfléchir et était arrivée à une épouvantable conclusion.

— Tu ne devines pas ?

Nimrod avait lui aussi bien des hypothèses, mais aucune ne lui paraissait crédible.

— Non.

Tracy prit une grande inspiration.

— Le FBI.

— Quoi, le FBI ? Tu veux dire qu'ils auraient tué tout le monde ?

— Et pourquoi pas ? Dommages collatéraux. Une façon de se débarrasser de Sam Dafoe en le faisant passer pour une victime d'un attentat. Ils en ont peut-être assez de ses abus.

Cette théorie dépassait, et de loin, les plus folles que Nimrod n'ait imaginées. Il préféra ne pas abonder dans ce sens.

— Ça ne tient pas la route une seule seconde. S'ils en voulaient véritablement à Dafoe, rien de plus facile que d'éliminer une seule personne sans laisser de traces.

— Oui, sauf si cela fait partie d'un plan qui nous dépasse.

— Arrête, c'est n'importe quoi.

— Alors propose-moi autre chose.

Nimrod se passa la main sur le visage, cherchant un moyen de ramener Tracy à la raison.

— Je te propose qu'on aille les voir et qu'on en discute avec eux.

— À quoi bon ? Ils n'avoueront jamais rien.

— Dans ce cas, qu'est-ce que tu suggères ? s'agaça-t-il.

— On alerte la presse. Tu connais le directeur du *White Forest Weekly*, n'est-ce pas ?

— Et tu crois qu'il va publier en une : « Un massacre organisé par le FBI » ?

Tracy vit la limite de ses soupçons. Ils avaient besoin de preuves concrètes.

— Qui s'est chargé de récupérer les balles utilisées par les assaillants ?

— Le FBI, soupira Nimrod qui voyait où elle allait en venir.

— Et si ces balles étaient du même calibre que celles qu'ils utilisent ? Ils les récupèrent toutes, et les font disparaître comme par magie.

— Écoute, ça suffit comme ça. Tu fais comme tu veux, mais je vais aller leur parler.

— N'y va pas.

— Tracy, tu es en état de choc. Tu as failli mourir hier soir. Rentre chez toi, mets-toi au lit, ou encore mieux, va parler à un psy, et pourquoi pas à celle de Ridley, Mme Preston, c'est ça ?

— Nimrod, arrête, je ne suis pas folle. J'essaie juste de comprendre.

— Alors viens avec moi, et allons leur parler.

Tracy imagina le pire. Et si, en représailles, le FBI s'attaquait à sa famille ou mettait le feu au *Gold Digger* ? Tout était possible…

40

— ENTREZ !

Nimrod et Tracy ouvrirent la porte du bureau du shérif et le trouvèrent en compagnie du nouveau maire.

— Shérif, il faut qu'on vous parle, lança Tracy qui ajouta : Seul à seul.

— Ce n'est vraiment pas le moment, répliqua Trevor. Mais qu'est-ce que tu fais là, tu ne devrais pas être à l'hôpital ?

— Non, ils m'ont laissé sortir.

— Vous pouvez parler devant moi, suggéra Alan Warner.

— Je préfère ne pas vous mêler à ça. Disons que ce n'est pas très orthodoxe. Si vous n'assistez pas à cette conversation vous pourrez toujours prêter serment et affirmer que vous ne saviez rien, dit Nimrod en venant à sa rescousse.

— Vous m'inquiétez, dit Trevor.

— Pas de problème, je comprends, s'inclina Warner, et de poursuivre à l'intention de Trevor : Je retourne à l'hôtel de ville, appelez-moi dès que vous le pourrez.

— Je n'y manquerai pas.

Une fois le maire sorti, le visage de Trevor perdit toute sympathie.

— Vous vous rendez compte de la façon dont vous venez de parler au maire ?

— Shérif, c'est vraiment très important, insista Tracy. Je pense que le FBI est impliqué d'une manière ou d'une autre dans le massacre du *Lone Ranger*.

— Quoi ? Mais qu'est-ce que c'est que ces âneries ! Ton traumatisme t'a complètement dérangé le cerveau !

— Écoutez ce qu'elle a à vous dire, intervint Nimrod. C'est explosif.

Trevor secoua la tête et attrapa un cigare qu'il alluma en tirant de larges bouffées avant que l'extrémité ne devienne incandescente.

— Sam Dafoe n'est pas Sam Dafoe...

Et, comme elle l'avait précédemment révélé à Nimrod, elle répéta tout ce que Melvin lui avait appris sur cet homme et ses liens avec le FBI. Au fur et à mesure du récit, Trevor se calmait et devenait de plus en plus soucieux. Quand Tracy eut terminé, y compris les hypothèses conspirationnistes, il reprit la parole :

— Ce que tu viens de me dire est absolument incroyable. Tu es certaine des sources de Melvin ?

— Oui. On peut lui faire confiance, il l'a déjà prouvé par le passé.

Trevor se souvint de son intervention dans plusieurs affaires et dut reconnaître combien il avait été utile.

— Je comprends mieux leur zèle à présent et surtout pourquoi ils nous tiennent à l'écart. S'ils ont massacré tous ces pauvres gens, ils vont faire attention à ne laisser aucune trace.

— Excusez-moi de vous le rappeler, mais ce n'est qu'une hypothèse, intervint Nimrod étonné que le shérif prenne la paranoïa de Tracy pour argent comptant.

— Une hypothèse qui sonne très juste à mes oreilles. On en parlait justement avec le maire. Ils sont bizarres. Ils nous fuient. Ils ne partagent aucune information.

— Le FBI n'est pas connu pour être très coopératif, leur rappela Nimrod qui se retrouvait à les défendre alors qu'il n'avait que du mépris pour eux.

— Je sais, mais je ne les supporte plus. Ils arrivent dans ma ville comme s'ils étaient chez eux. Ils se prennent pour des caïds et nous considèrent comme des ploucs.

Trevor tapa du bout des doigts sur son imposant bureau et reprit :

— OK. Dès qu'ils reviennent, on va avoir une longue conversation avec eux.

— Où sont-ils ?

— À l'aéroport. Ils sont allés chercher du matériel et des renforts.

— Mais pourquoi ?

— Je ne sais pas, justement. Ils ont seulement précisé que c'était pour le bien de l'enquête.

— Dans ce cas, on va attendre ici, dit Nimrod.

À midi, les deux lieutenants avaient décidé de faire une pause déjeuner dans la pizzeria située en face du commissariat en attendant le FBI. Une serveuse chargée d'un plateau s'approcha de leur table. Nimrod tenta de joindre Judith.

— Alors, toujours sur messagerie ? demanda Tracy.

— Oui, je commence sérieusement à m'inquiéter, répondit Nimrod en raccrochant.

— Il n'y a pas de raison. Elle va revenir, ne serait-ce que pour reprendre ses affaires.

— Justement, c'est ça qui m'inquiète. Et si on l'avait kidnappée pour de bon, cette fois-ci ?

— Non, beaucoup trop risqué. Je suis persuadée qu'elle a dû faire très attention.

— Tu ne connais pas Judith. Dans le genre tête en l'air, on ne fait pas mieux.

— Peut-être, mais on a deux de leurs gros bras en prison, et je ne crois pas que les adeptes de cette secte s'en prennent à elle aussi vite.

— Oui, je suppose que tu as raison. Mais pourquoi ne répond-elle pas ?

— Tu le sais bien.

Tracy lui fit les gros yeux.

— Non, je veux bien qu'elle l'ait mal pris... tu vois ce que je veux dire, mais ce n'est plus une gamine.

— Elle est toujours amoureuse de toi, espèce d'idiot. Et si tu veux mon avis, tu devrais lui laisser un message et t'excuser pour ton comportement de ce matin.

— M'excuser d'avoir... Non.

— C'est toi qui vois. Je ne dis pas qu'elle ait raison de s'être vexée, mais si tu veux qu'elle revienne, il va falloir que tu mettes ton amour-propre de côté.

— Hors de question.

— Pense à son petit garçon. Il faut le retrouver et le faire sortir de cette secte.

— Ça, c'est un coup bas.

— C'est ma spécialité, dit Tracy en attrapant ses couverts.

Elle coupa franchement dans sa pizza au jambon et en savoura une large bouchée, pendant que Nimrod reprenait maladroitement son téléphone.

★

— Non, désolé, toujours pas de nouvelles, dit Trevor.

Tracy soupira. Nimrod regarda sa montre. 13 h 30. Ils venaient tout juste de rentrer de déjeuner et commençaient à perdre patience.

— Ils sont toujours à l'aéroport ? demanda Tracy.

— Je n'en sais rien. Personne ne me répond. J'ai appelé leur supérieur à Anchorage, il m'a assuré qu'ils étaient en mission et que tout se passait comme prévu.

— Mission ? lâcha Nimrod en écho. Mais quelle mission ?

— Ils ont répondu : « secret défense ». Mais je vous promets que dès qu'ils pointent le bout de leur nez, ils vont entendre parler de moi.

— C'est n'importe quoi, soupira Tracy. Il faut alerter les médias. Ils ne doivent pas s'en tirer comme ça.

— Attends qu'ils rentrent et qu'ils s'expliquent. Je ne veux pas créer d'incident.

— Ils n'ont aucun pouvoir sur nous, se défendit Tracy. Vous avez été élu par les gens de cette ville, alors qu'eux ne sont que des fonctionnaires !

Trevor ne put réprimer un sourire. Quoi que pensent les gros bonnets de Quantico, le shérif était le seul à avoir une vraie légitimité à faire la justice sur ses terres.

— Justement, je ne veux pas affoler nos concitoyens. Je préférerais qu'on règle notre problème en interne.

— Régler le fait qu'ils aient massacré tant d'innocents ? répliqua Tracy furibonde.

— J'ai bien réfléchi, et je ne suis plus aussi certain qu'ils aient commis une telle bavure.

Nimrod préférait ça. Malgré tous ses défauts, Trevor était un homme qui avait la tête sur les épaules. Il avait réagi à chaud face à la détresse de Tracy dans la matinée, mais depuis, il avait su se reprendre.

— Pourtant ils ont bien pactisé avec le diable. Si Sam Dafoe avait été envoyé à la potence il y a trente ans, jamais il ne me serait arrivé ça, s'emporta Tracy en baissant son foulard pour lui montrer les ecchymoses sur son cou.

Trevor détourna les yeux.

— Je sais, je n'ai pas dit qu'ils étaient complètement innocents, mais je veux connaître leur version des faits avant d'alerter qui que ce soit de nos soupçons.

— S'ils commettent d'autres crimes, ne venez pas vous plaindre ! fulmina-t-elle en sortant du bureau dont elle claqua la porte.

Trevor souffla un grand coup et reprit son cigare.

— Nimrod, va la calmer et ramène-la chez elle. J'ai eu le docteur Paltrow, il est fou de rage. Il ne lui a absolument pas donné l'autorisation de quitter l'hôpital. Si son mari l'apprend, ça va encore faire des problèmes et je veux que Tracy s'en sorte.

— Je vais aller lui parler, vous pouvez compter sur moi.

Il sortit à son tour et alla retrouver Tracy dans leur bureau. Elle était de dos, postée devant la fenêtre.

— Tracy, je crois qu'il vaut mieux que tu...

Elle se retourna et il vit des larmes dans ses yeux.

— Oh, merde, je suis désolé.

— Tu n'y es pour rien, mais ça me rend malade de savoir que cette ordure est dans la nature et que le FBI va à tous les coups l'exfiltrer et lui refiler une nouvelle identité.

— Ne dis pas ça.

— Si, tu sais très bien que c'est exactement ce qui va se passer.

— Écoute, j'ai une idée. J'ai envie de retourner au *Lone Ranger*. Puisque les agents du FBI nous ont menti sur leurs rapports avec Dafoe, peut-être qu'ils nous ont menti sur d'autres points. Peut-être qu'on n'a pas volé que les ordinateurs ?

Tracy s'essuya les yeux et réussit à ébaucher un sourire.

— Bien vu. Donne-moi les clés, c'est moi qui conduis.

41

— TU DOIS ME PRENDRE POUR UNE PARANOÏAQUE, s'excusa Tracy.

Au volant de la Chevrolet, elle venait de quitter la voie rapide pour emprunter la route qui s'enfonçait dans la forêt.

— T'inquiète, je le pensais déjà avant, répondit Nimrod.

— Non, sois sérieux. Tu crois que je me plante complètement ?

— Je n'en sais rien. Cependant, je n'arrive pas à les imaginer tuer de sang-froid autant d'innocents.

— Je me suis peut-être un peu trop emballée sur ce coup-là, mais ça ne signifie pas qu'ils n'ont rien à se reprocher.

— C'est le moins qu'on puisse dire. Pour autant, je ne crois pas que nos vies soient en danger.

— Espérons-le.

Sous la voûte sylvestre qui laissait filtrer la lumière d'un soleil au zénith, ils remontèrent toute la route, dont la seule issue était le *Lone Ranger*.

— Ça alors ! Regarde qui est là ! s'exclama Tracy. Mais qu'est-ce qu'ils font ici ?

Les berlines des agents du FBI étaient garées les unes derrière les autres en amont du chalet.

— Ils finissent leur « mission », précisa Nimrod en citant les propos rapportés par Trevor.

— Exact. Ils vont mettre le feu à cette baraque et ne laisser aucune trace !

— Arrête-toi et laisse-moi y aller seul.

— Pourquoi ? Je croyais qu'on ne risquait rien.

Nimrod n'en était plus aussi convaincu. A priori, le FBI n'avait plus rien à faire ici, sauf si Tracy ne s'était pas trompée.

— Je vais te confier quelque chose que je ne te répéterai pas deux fois : tu as peut-être raison sur toute la ligne.

— Heureuse de te l'entendre dire. Mais tu vois, s'ils venaient à te buter, tu crois que j'aurais le temps de m'échapper ?

Il était plus que probable que des agents aient déjà repéré leur présence. Nimrod ne répondit pas. Il jeta un coup d'œil dans les fourrés, mais n'observa rien d'anormal.

— Sors ton arme et enlève la sécurité, souffla-t-il avant de sortir du véhicule.

Alors qu'ils remontaient à pied la colonne de berlines, deux agents vinrent à leur rencontre.

— Wilder et Meadow, chuchota Nimrod, gardant son arme à la main.

— Et nous on est quoi ? Bonnie et Clyde ?

Nimrod espérait qu'ils finiraient mieux que le célèbre couple de malfaiteurs.

— Lieutenants Russell et Bradshaw, dit Milton Wilder. Je peux savoir ce que vous venez faire ici ?

— Je vous retourne la question, rétorqua Nimrod qui jaugea son homme.

L'air courroucé, mais pas d'une nervosité extrême. Se pouvait-il que d'un signe, il les fasse abattre ?

— Nous faisons notre travail, répondit Grace Meadow, plus diplomate. Vous pouvez ranger vos armes. Il n'y a rien à craindre. Tout est sécurisé.

— Ah oui ? Alors parlez-moi de Sam Dafoe, ou devrais-je plutôt dire : Harry Bentley ?

Milton se figea sur place et perdit de sa superbe.

— Je ne vois pas de qui vous parlez, répliqua-t-il néanmoins. Rentrez vous reposer avant que je ne vous fasse arrêter pour entrave à la justice.

— Vous ne voyez pas de qui je parle ?

— Non, cracha Milton d'un ton implacable.

Tracy leva son arme et visa le front.

— Et maintenant tu y vois mieux, espèce d'enflure !

Le bras de la lieutenante tremblait. Nimrod était stupéfait de sa réaction.

— Ne fais pas ça. Ne gâche pas une balle pour ce salopard.

— Lieutenant, baissez votre arme tout de suite, et je vous promets de ne pas engager de poursuites à votre encontre.

— Pourriture, tu vas avouer que vous protégez Sam Dafoe ou je te jure que je te tue.

La sueur coulait de son front. Tracy bluffait-elle vraiment ?

— Avouez, espèce de crétin, elle va vous tuer.

— Ce sont les risques du métier, lança Milton sans se démonter. Mais elle mourra dans la seconde qui suivra.

Grace comprit le message. Elle sortit son arme et visa Tracy.

— Lieutenant, ne faites pas de bêtise, vous êtes en état de choc. Rangez votre arme.

— Avouez, nom de Dieu. Elle a failli mourir à cause de vous et de vos mensonges. Qu'est-ce que vous croyez que la presse en pensera ? tonna Nimrod.

Cette situation le dépassait. Si c'étaient des ripoux, il ne leur restait plus que quelques secondes à vivre...

— Vous ne ferez pas ça, avança Milton.

— Pourquoi ? Parce que vous allez nous tuer ? hurla Tracy comme si des renforts pouvaient arriver.

— Non, parce que je vais tout vous dire, capitula Grace qui rangea son arme. C'est Melvin Hopper qui vous a renseigné ?

— Nous ne divulguons jamais nos sources, dit Nimrod, qui se sentit envahi par un intense soulagement.

S'il se savait d'un tempérament héroïque, il aimait trop la vie pour la perdre stupidement.

— Grace, tais-toi. Nous n'avons pas l'autorisation de leur parler.

— Ils savent déjà tout, n'est-ce pas ?

— Non, mais on sait que les assaillants de ce chalet ne venaient pas uniquement pour les ordinateurs.

Tracy regarda Milton dans les yeux et aurait adoré lui percer le front d'une balle, juste pour le plaisir de voir son petit sourire en coin se dissiper, mais, la raison reprenant le dessus, elle baissa son bras et rangea son arme dans son étui. Milton se tourna vers la forêt et fit un signe pour indiquer que tout allait bien. « Des snipers », pensa Nimrod qui comprit que leur vie n'avait tenu qu'à un fil.

— Suivez-moi, ordonna Grace, qui se tourna vers Milton. Je prends tout sous ma responsabilité.

— C'est toi qui vois, mais je ferai un rapport.

— Tu ferais ça ? dit Grace en prenant un air amusé.

Milton la regarda d'un air dépité et retourna auprès de ses hommes.

— L'agent Wilder est très procédural. Un peu trop strict, mais un bon agent, reconnut Grace.

— Ça, c'est vous qui le dites. J'aurais pu mourir hier soir. Vous auriez dû m'avertir de la véritable identité de Sam Dafoe. J'aurais pris des précautions.

— Je sais, mais vous auriez dû nous alerter avant d'aller le voir. Le shérif Reynolds nous avait précisé que toute information relative à cette affaire devait remonter jusqu'à nous, séance tenante.

— N'essayez pas de me faire passer pour la coupable. Je vous ai indiqué ce matin que j'avais découvert sa planque en sortant du commissariat. Tout est de votre faute. Je veux tout savoir et, en premier lieu, qu'est-ce que vous venez faire ici ?

— Vous allez comprendre. Venez.

Ils s'arrêtèrent près du poids lourd sur la route du chalet. Des hommes chargeaient des colis en provenance de la résidence.

— Il y a quoi là-dedans ? demanda Tracy.

— Des packs de cocaïne, souffla Nimrod.

— Oui, il y en a au bas mot deux tonnes.

— Mais comment est-ce possible ? Nos hommes avaient fouillé les lieux avant que vous arriviez, s'étonna Tracy.

Elle-même avait fait le tour du propriétaire à la recherche de survivants quand les renforts étaient arrivés.

— Une cache secrète dans la salle des machines. Placée sous la cuve de récupération des eaux usées, une salle de plus de deux cents mètres carrés.

— Brent Collins était un trafiquant de drogue ? Mais pourquoi ? Il était milliardaire.

— Oui, il était encore milliardaire grâce à tous ses trafics. Collins avait perdu la quasi-totalité de sa fortune dans des placements douteux et lors de ses quatre divorces. Il était au bord de la ruine quand, soudain, il y a près de cinq ans, ses affaires étaient soudainement redevenues florissantes.

— Vous le saviez et vous n'avez rien fait.

— Nous n'en savions rien, nous l'avons découvert hier soir en perquisitionnant une de ses villas à Los Angeles. Les langues se sont vite déliées quand nous avons offert notre protection.

— Comme vous l'avez fait avec Sam Dafoe.

— Oui, comme mes collègues d'alors l'ont fait avec Dafoe, il y a plus de trente ans.

Tracy avait envie de la gifler. Elle ne cherchait même pas à mentir. Sa sincérité était pire que désarmante, elle était insupportable.

— Et moi dans tout ça ? Vous avez pensé à moi ?

— Si nous avions su que vous alliez le voir, je serais venue avec vous.

— Pourquoi le protégiez-vous encore ?

— Nous ne le protégions plus. Il avait cessé de suivre nos recommandations. Il devait se faire discret. Mais c'est lui qui a jugé, il y a quelques années de cela, qu'il en avait assez de vivre dans la clandestinité. Il avait envie de mener une vie normale, il ne voulait plus de l'aide du FBI. Je peux vous assurer que nous le regrettons amèrement.

— Il a repris contact avec ses anciens amis, et s'est remis dans le business.

— C'est ce que nous pensons, valida Grace.

— On peut aller voir la réserve ? demanda Nimrod.

Il voulait voir de ses propres yeux la réalité de ce qu'elle avançait.

— Bien sûr, allons-y.

Ils entrèrent dans le chalet, tandis que les agents continuaient à évacuer les paquets de cocaïne.

Ils descendirent au sous-sol et arrivèrent dans la salle des machines. Une trappe de deux mètres carrés était ouverte dans le sol. Elle était cachée sous l'immense réservoir de traitement des eaux de pluie, non loin d'un volumineux groupe électrogène. Un monte-charge électrique remontait les kilos de cocaïne.

— Allez-y, je vous fais descendre.

Nimrod et Tracy posèrent pied sur le monte-charge. Grace enclencha le moteur et ils descendirent dans les entrailles du *Lone Ranger*. « Bienvenue en enfer », songea Nimrod. Et si c'était un piège ? Et s'ils s'étaient jetés dans la gueule du loup ? Le monte-charge s'arrêta dix mètres plus bas dans une grande cave remplie d'étagères sur lesquelles étaient entreposés des kilos de drogue. Plusieurs hommes étaient à l'œuvre pour vider la pièce. Ils reconnurent un agent du FBI arrivé la veille.

— Incroyable, murmura Tracy, fascinée par un tel étalage.

« White Forest, plaque-tournante de la drogue ! Qui aurait pu l'imaginer ? Personne et justement, tel était le but », comprit-elle.

— Cette découverte a dû attirer bien des convoitises, dit Nimrod.

— Tu penses ce que je pense ? demanda Tracy.

— Oui. Une guerre des gangs. Et même si ce n'est pas très rassurant pour nos concitoyens, je préfère ça à une attaque du FBI.

— Je me suis complètement fourvoyée.

— On avait des raisons d'être soupçonneux.

— Voilà, vous savez tout. Maintenant vous comprenez pourquoi nous tenons à rester discrets, dit Grace qui les avait rejoints.

— Non, au contraire, je ne comprends pas. Vous devriez vous en vanter. Vous avez démantelé un important réseau de drogue.

— Ce n'est que la partie émergée de l'iceberg. Ce qu'on veut c'est tout le réseau, et retrouver le reste du stock.

— Le reste du stock ?

— Oui, vous savez, la galerie, c'est ça qui a éveillé nos soupçons. Les chariots et les rails étaient en bon état, comme s'ils servaient encore. Nous avons fait analyser les chariots et nous avons trouvé des résidus de poudre de cocaïne.

— Mais la rivière souterraine ?

— Avec des canots pneumatiques. Des hors-bord devaient les attendre à la sortie pour rejoindre un plus gros bateau, et direction le Sud.

— Mais quel intérêt de passer par l'Alaska ?

— Toute cette drogue doit provenir d'Afghanistan et arrive chez nous par la mer de Béring. Certainement par des cargos d'approvisionnement. Une étape pour reconditionner la marchandise et, je suppose, la renvoyer par petit bateau plus discret sur tout le reste de l'Amérique.

« Les contrôles douaniers à White Forest étant des plus sommaires, il suffisait de deux ou trois hommes corrompus, et rien de plus facile que de débarquer des kilos de drogue », se dit Nimrod.

— Vous voulez qu'on retrouve toutes les personnes qui acheminent cette drogue dans les autres ports du pays ?

— Oui, c'est pour cela qu'on doit rester discrets. On suppose que le gang qui a attaqué cette maison a voulu faire main basse sur ce réseau.

— Dans ce cas, pourquoi ne pas avoir volé la marchandise ?

— Ils n'en ont pas eu le temps ou peut-être ont-ils leur propre approvisionnement. Nous en saurons davantage quand tous les coupables seront sous les verrous, affirma Grace.

— Que va devenir Sam Dafoe ? demanda Tracy.

— Dès qu'on mettra la main sur lui, nous vous l'amènerons et son procès pourra avoir lieu, répondit Grace qui soudain fut prise d'un doute. Vous avez déposé plainte ?

— Non, réalisa-t-elle.

— Faites-le dès que vous rentrez. Lieutenant Russell, vous prendrez sa déposition.

— Ce sera fait. Vous pouvez compter sur moi.

Grace lui sourit. Il révisa son jugement sur les agents du FBI. Tous n'étaient pas des machines insensibles au service d'un État tout-puissant.

— Je crois que je sais tout ce que je voulais savoir, dit Tracy. On va y aller.

— Je vous prie encore de nous excuser pour hier.

— Laissez tomber, je m'en remettrai.

Nimrod eut un dernier regard sur les kilos de drogue entassés sur les étagères. Il ressentit une impression de déjà-vu, mais sa mémoire lui jouait peut-être des tours.

— Tu viens ? lança Tracy.

— J'arrive.

42

*A*BIGAIL ENTENDIT LA VOITURE SE GARER. *Elle resta assise sur le canapé du salon à regarder la télévision d'un regard atone. La porte s'ouvrit.*

— Chérie ? fit une voix en provenance de l'entrée.

Sans y prêter attention, Abigail émit un petit rire en voyant les mimiques de Chandler qui racontait à Monica, Phoebe et Joey ses déboires de la journée. Seth entra dans le salon avec un bouquet de fleurs à la main.

— Abi, pourquoi tu fais ça ? Il faut que tu arrêtes, dit-il en voyant le verre de whisky et la bouteille sur la table basse.

— Pousse-toi, je ne vois plus rien, râla Abigail qui se pencha sur le côté.

Sur l'écran, Ross et Rachel s'engouffraient dans le Central Perk *pour retrouver leurs amis. Seth attrapa la télécommande et éteignit la télévision.*

— Hé, c'était presque la fin !

— S'il te plaît, regarde-moi, je t'ai acheté des fleurs. Elles te plaisent ?

Toujours assise, Abigail tendit la main et saisit le bouquet.

— Elles sont jolies, dit-elle avant de le poser sur le canapé.

— Abi, ma patience a des limites.

— Où étais-tu ? Encore avec tes putes ? Tu pues la luxure. Je te déteste.

— Je travaillais ! Est-ce que tu peux le comprendre ?

— Ton travail ! ironisa-t-elle en se levant du canapé. Comptable chez des putes ! Tu crois vraiment que j'ai avalé ça ?

Une année avait passé depuis l'incident du Betty House. *Seth avait bien vu un psy. Les séances s'étaient étalées sur un mois, et puis il s'était dit guéri. Il rentrait toujours aussi tard, et Abigail avait cessé de poser des questions. Elle s'était résignée à son triste sort. Un mari coureur de jupons qui était prêt à tuer toute sa petite famille si jamais elle le quittait. Était-ce ça la vie ? Vivre avec un homme qui vous trompait et qui vous terrifiait ? Où étaient passées les promesses de bonheur ? Qu'était devenu le prince charmant qu'elle avait épousé et qui lui avait promis monts et merveilles ? Certes ils croulaient sous l'argent, mais vivre dans une prison dorée, était-ce ce dont elle avait rêvé ? Abigail était en dépression. Elle avait commencé par un simple verre, histoire de se remonter le moral, puis elle était passée à deux. Elle avait ensuite renoncé à les compter pour simplement apprécier la douceur des rêves éthyliques.*

— Fais attention, Abi, ne me cherche pas.

— Tu me frapperais, hein ? Vas-y, tu en meurs d'envie.

— Abi, je ne te frapperai jamais.

— Tu oublies il y a un an.

— Tu sais à quel point je le regrette. Je suis là pour te protéger. Je t'aime, Abi.

— Tu m'aimes plus que tes salopes ? le provoqua-t-elle en plaquant sa main sur son entrejambe.

Son esprit était enfiévré par le demi-litre d'alcool qu'elle avait ingurgité dans l'après-midi et elle avait perdu toute inhibition. Elle se délecta de voir la surprise dans les yeux de son époux.

— Abi, il n'y a que toi. Tu es la femme de ma vie.

Elle aima le regard qu'il lui adressa et se rapprocha de lui. Elle vit son sexe durcir sous son pantalon. Elle ouvrit sa braguette et se mit à genoux devant lui. Seth apprécia comme jamais cette fellation inattendue. Aussitôt après, il se jeta sur son épouse qu'il mit complètement nue sur le canapé avant de la pénétrer avec une certaine violence. Abigail cria légèrement et ferma les yeux.

— Maman, j'ai trouvé ça dans la voiture de papa, dit Nimrod en entrant dans le salon.

— Casse-toi, espèce de merdeux ! hurla Seth qui se redressa, ivre de colère.

Abigail rouvrit les yeux et fixa son fils debout tenant un petit paquet entre ses mains.

— Qu'est-ce que vous faites ?

Rouge de confusion, Abigail rassembla rapidement ses vêtements pour se couvrir, tandis que Seth remarquait enfin ce que son fils tenait dans sa main.

— Où as-tu trouvé ça ? Donne-le-moi tout de suite.

Nimrod partit en courant et monta jusqu'à sa chambre où il s'enferma. Abigail s'approcha du paquet tombé à terre. Elle le saisit et le perça avec son ongle. Une fine poudre blanche s'en échappa.

— C'est ça ton travail ? C'est ça qui nous fait vivre ?

— Rends-le-moi, tu n'as pas à savoir, gronda Seth d'une voix sourde.

— Pourquoi tu fais ça ?

— Comment tu crois que je peux t'acheter tout ce qui te fait plaisir ? Si les gens veulent se droguer, où est le problème ? Allez, viens, ma belle, se reprit-il en la serrant contre lui. Tiens, renifle, juste un peu, tu vas voir.

Abigail sentit les larmes rouler sur ses joues et, oubliant son fils et ses dernières illusions, elle fit ce qu'il lui demandait, avant de se laisser prendre en levrette sur le tapis du salon. Elle ne ressentit rien, si ce n'est l'impression d'être morte.

43

— TU ES CERTAINE QUE ÇA NE T'EMBÊTE PAS ? demanda Nimrod.

Il venait de proposer à Tracy de rencontrer Rupert Osmond, le chef comptable qui appartenait à l'Église de la Vérité première, sur la recommandation du journaliste du *White Forest Weekly*.

— Non, au contraire, ça va me changer les idées. Et j'adore jouer les pauvres filles en mal de spiritualité.

— C'est gentil, mais si jamais tu ne le sens pas, laisse tomber.

— T'inquiète, je gère.

Elle fit le numéro du comptable et après être passée par une secrétaire à qui elle se présenta sous un faux nom, elle l'eut enfin au téléphone.

— Oui, que puis-je pour vous, mademoiselle Katy Pierce ? demanda Rupert Osmond.

— Excusez-moi de vous déranger, mais un ami commun m'a parlé de vous, et…, répondit-elle d'une voix mal assurée.

Elle laissa sa phrase en suspens.

— Allô ? s'impatienta l'homme.

— En fait, je ne sais pas si pouvez m'aider. Il m'a dit que je faisais fausse route et que c'est pour ça que ma vie partait en lambeaux.

— Je ne comprends pas ce que vous me voulez. Je suis désolé.

— Vous ne faites pas partie de l'Église de la Vérité première ?

Il y eut un moment de silence.

— Il m'a dit que depuis qu'il avait rejoint le mouvement sa vie avait totalement changé.

— Qui est votre ami ?

Elle faillit lâcher le nom du journaliste, mais elle se souvint de l'injonction de Nimrod et ne dit rien.

— Il veut rester discret, mais il m'a assuré que vous étiez quelqu'un d'important et que vous pourriez m'aider à refaire ma vie...

Tracy se mit à fondre en larmes. Nimrod n'en revenait pas de son talent.

— Écoutez, je ne suis pas sûr de pouvoir vous aider. Mais si vous le souhaitez, vous n'avez qu'à passer chez moi, ce soir. 21 heures. Cela vous convient ?

— Oui, c'est parfait, lança-t-elle sur un ton enjoué.

— J'habite au 1274 Long Road. À ce soir, mademoiselle.

— À ce soir, et encore merci de me recevoir.

L'homme raccrocha et Tracy serra le poing, très fière d'elle.

— Alors c'est qui la meilleure ?

Nimrod l'applaudit, épaté par son savoir-faire. Si seulement il pouvait continuer à travailler avec elle, après le retour de Scott.

— Tu es incroyable. Bravo.

— Tellement facile de manipuler un homme.

— Sans doute. Fais quand même attention. Il ne faudrait pas qu'il tente de te sauter dessus. Un rendez-vous nocturne...

— T'inquiète, j'aurai mon arme.

Nimrod ne savait trop quoi en penser. N'était-il pas en train de la jeter dans la gueule du loup ?

— Et Vernon, tu penses qu'il va accepter que tu sortes encore, ce soir ? En fait, je crois que tu devrais laisser tomber.

— Non, on doit sauver l'enfant de ton ex. Je vois avec Vernon et je te tiens au courant. D'accord ?

— On fait comme ça.

— Allez, je file. Au fait, merci pour tout. Je suis contente que tu sois de retour parmi nous.

Elle lui fit un clin d'œil et sortit du bureau. Nimrod se remit à son ordinateur. 18 h 12. Ils avaient passé l'après-midi en ville à interroger des manifestants écologistes au sujet de Sam Dafoe, leur demandant s'ils l'avaient vu récemment. Sans le moindre résultat. L'homme n'avait pas donné de nouvelles. C'est du moins ce que tous s'accordèrent à leur répondre. Sans charge probante contre les manifestants, ils ne pouvaient les arrêter pour procéder à un interrogatoire plus poussé. Nimrod pensa aux méthodes à l'ancienne quand la police avait le droit de malmener les suspects avant qu'un avocat ne vienne fourrer son nez dans la procédure. Un bon moyen d'avoir des renseignements. Mais trop de bavures avaient mis fin à ces méthodes, reconnut-il.

Au-delà de Dafoe, Nimrod tenait à connaître tous les tenants et les aboutissants de cette affaire. Si Collins était bien un trafiquant de drogue, qui l'avait tué ? Le gang adverse ? Mais pourquoi avoir attaqué le chalet dans un second temps ? Quel rôle Dafoe avait-il joué dans cette histoire ? Tant de questions auxquelles il n'était pas certain que le FBI lui donnerait un jour les réponses. À l'évidence, l'enquête leur échappait et ce n'était peut-être pas plus mal. Il reprit son portable et le regarda d'un œil dépité. À quoi bon essayer de joindre Judith ? Il n'avait cessé de l'appeler durant la journée et était toujours tombé sur sa messagerie. Il regarda par la fenêtre. Le soleil commençait à disparaître derrière les montagnes. Quelqu'un frappa à la porte vitrée. C'était Trevor, qui entra sans attendre.

— Tracy est partie ?

— Oui, je lui ai dit qu'elle avait assez travaillé pour aujourd'hui.

— Tu as bien fait. Et tu devrais y aller, toi aussi.

— Je finis de rédiger un compte rendu, et je m'en vais.

— Tu le finiras demain. Je passais juste pour t'annoncer que je viens d'avoir le FBI. Ils pensent que Dafoe est parti par la mer. Ils ont visionné les caméras du port et l'ont repéré. Ils vont tâcher de se procurer d'autres caméras de surveillance pour savoir sur quel bateau il est monté. On va choper cette ordure.

— Voilà une très bonne nouvelle.

— Oui, cet enfoiré peut compter ses heures de liberté.

Le portable du shérif sonna.

— C'est le maire, je dois le prendre, s'excusa Trevor.

Nimrod se remit devant l'écran de son ordinateur et fut incapable de se concentrer. Il n'avait plus l'esprit à travailler. Pourtant, il ne pouvait s'empêcher de penser à Dafoe et au moment où le FBI l'interpellerait. Il suivit le conseil du shérif et attrapa sa veste. Il était temps de retrouver Holly.

★

Entré par l'arrière des cuisines, Nimrod aperçut sa compagne en train de motiver ses équipes pour le service du soir. Il se trouva une place près d'une des plaques de cuisson, et picora des olives dans un bac sorti du frigo. Quand Holly eut fini son laïus, elle tapa dans ses mains et encouragea tout le monde à se mettre au travail, puis elle rejoignit Nimrod.

— Tu aurais une seconde à m'accorder ?

— Même plus, il n'y a personne en salle. C'est désespérant.

— Ils vont revenir, ne t'inquiète pas.

— Tu as des informations ?

— Oui, le FBI pense que ce n'était qu'un règlement de comptes entre trafiquants de drogue.

— Et tu ne crains pas qu'il y ait des représailles, après ce massacre ?

Il voulait surtout la rassurer, mais il se rendit compte qu'elle avait raison. Tant qu'ils n'auraient pas identifié ceux qui avaient commis ce forfait, le pire était encore à craindre.

— En fait, je n'en sais rien.

Holly secoua la tête.

— C'est gentil d'avoir essayé, mais c'est trop la poisse. En plus, ce soir c'est le grand soir. On ne va avoir personne.

— Le grand soir ?

— L'aurore boréale du siècle !

Cela faisait déjà plusieurs jours qu'ils en voyaient dès la nuit tombée, mais ils étaient trop préoccupés par les événements pour en profiter.

— Qu'est-ce qu'il va se passer ? Tout le ciel va s'éclairer d'un coup ?

— Va savoir ! En tout cas, ce qui est sûr, c'est que dès demain, White Forest va redevenir plus tranquille.

— Et pourquoi donc ?

— Parce que j'espère que ces militants écologistes nous foutront la paix !

Les militants voulaient protester contre l'afflux de bateaux de croisière attirés par cette fameuse « aurore boréale du siècle ». Nimrod pensait que c'était surtout un magnifique coup de communication des compagnies maritimes, car pour lui, elles étaient toutes aussi belles que les années précédentes. Ni plus ni moins.

— Judith est rentrée ? demanda-t-il sans trop y croire.

— Tu crois que je n'ai que ça à faire ? M'occuper de ton ex ?

— OK, je vais voir.

Il quitta les cuisines et suivit le couloir qui menait aux appartements privés. Il monta l'escalier et arriva devant la chambre d'amis. Il entra sans frapper. Personne. La chambre était telle qu'il l'avait vue le matin même. Toutes les affaires de Judith étaient encore là. Il regarda sa montre. 19 h 06. Cela commençait à devenir inquiétant. Peut-être fallait-il retourner voir les deux ordures qui avaient essayé de la kidnapper, et les faire parler d'une manière ou d'une autre. Mais s'il usait de la manière forte, il risquait de se faire virer de la police alors qu'il venait tout juste d'y revenir et, en vérité, il n'en avait guère envie. Judith devait se terrer quelque part, mais elle finirait bien par réapparaître.

Nimrod alla à la fenêtre et tira les rideaux. Le ciel commençait à s'obscurcir. Les prémisses des aurores se faisaient sentir. Une étrange lumière verte scintillait légèrement dans le ciel. Comment en vouloir à tous ces touristes qui souhaitaient assister à ce merveilleux spectacle ? Il pensa aux militants et à leur indignation. Il les trouva ridicules. Tout était périssable, alors pourquoi vouloir à tout prix protéger la terre ? La beauté était éphémère, la vie était éphémère, l'amour, la passion… Seule la mort était éternelle. « Arrête », se reprit-il en sentant les abysses toujours prêts à l'aspirer.

Il referma les rideaux et quitta la chambre pour redescendre retrouver Holly. Elle était accoudée au comptoir, et jetait un regard désespéré sur la salle du saloon où six malheureux clients mangeaient en silence, chacun seul à sa table.

— Tu bois une bière avec moi ? lui proposa-t-il.

— Si tu veux.

Elle remplit deux verres. Quand elle lui tendit le sien, il le leva et trinqua :

— À nous ! dit-il en lui faisant son plus beau sourire.

44

ROULANT LE LONG DU CANAL de Gastineau, Tracy était impatiente de retrouver sa famille et d'oublier les horreurs de ces deux derniers jours. Au volant de la voiture d'Holly, elle avait mis la musique à fond. « The Astonishing » de Dream Theater, un opéra rock de toute beauté. Elle rêvait de les voir en concert, mais aucun groupe ne venait jouer à White Forest. Ils s'arrêtaient parfois à Anchorage, et encore...

Peut-être faudrait-il déménager et retrouver la vie normale d'un Américain ordinaire dans un État plus apaisé. Le Kentucky, le Dakota, le Maine... Quoique, si elle en croyait Stephen King, ce dernier était loin d'être tranquille. Non, après tout, l'Alaska n'était pas si mal. Tracy était heureuse de retrouver des pensées aussi légères, espérant qu'aucun contrecoup ne viendrait la prendre par surprise dans les jours à venir.

Elle arriva dans le quartier de Mendenhall et remonta une allée de pavillons. Tous les habitants étaient sortis dans leur jardin pour contempler l'aurore boréale du siècle et observer les premières lueurs spectrales dans un ciel qui s'obscurcissait de plus en plus. Tracy arriva devant sa maison, et soupira en voyant le barbecue organisé chez leur voisin d'en face. Près d'une vingtaine de personnes se tenaient debout, à boire des bières en attendant les saucisses et autres grillades. Vernon était parmi eux. Elle se gara et sortit les rejoindre. Tous les regards se tournèrent vers elle. Des mines désolées et pleines de compassion la renvoyaient à ses tourments qu'elle voulait tant oublier.

— Salut Tracy, Vernon nous a raconté. On est vraiment désolés pour toi, dit Joe Walton.

— Oui, on est tellement désolés, enchaîna Patricia McCorson.

— J'espère que tes collègues l'abattront dès qu'ils le trouveront, assena Jim Berker.

Elle se sentit étouffer et pâlir.

— Tracy, ça va ? s'alarma Vernon.

— Oui, bredouilla-t-elle.

Elle vacilla et sentit des mains qui la retenaient, puis on la porta. Sa vision était brouillée. Ses oreilles bourdonnaient. Son souffle était haché. Des frissons lui parcouraient le corps. On l'allongea sur le canapé du salon.

— Maman ! s'écria Ridley.

— Tout va bien, ce n'est rien, le rassura Vernon. Elle a juste un coup de fatigue.

— Il faut lui donner à boire de l'eau sucrée ! conseilla une voix qu'elle ne reconnut pas.

— Il y a trop de monde, tonna Joey Walton. Il lui faut de l'air. Allez, tout le monde dehors.

— Laissez passer Henry ! fit une autre voix.

Henry Abrams, l'un des voisins, était médecin généraliste.

— Tracy, tu m'entends ?

La lieutenante réussit à ouvrir les yeux et aperçut le visage avenant du sexagénaire.

— Oui, ça va aller.

L'homme lui prit le pouls, et lui fit lever les deux bras devant elle pour tester son équilibre. Vernon était revenu avec un verre d'eau sucrée que Tracy avala d'un trait.

— Bon, je crois que ce n'est rien. Mais tu devrais aller te coucher.

— Non, j'ai juste eu un coup de chaud, dit-elle en s'asseyant sur le canapé.

— C'est ce que tu crois, mais tu dois te reposer. Tu as subi un traumatisme.

Pourquoi tout le monde s'évertuait-il à le lui rappeler ? C'était justement ce qu'elle voulait oublier !

— Non, c'est bon, ce n'est rien. Tout va bien.

— Et je t'interdis de mettre tout ce maquillage sur ton œil. Tous ces produits sont mauvais pour la guérison.

— Promis, juré. Je ne le ferai plus.

Tracy comprenait les bonnes intentions du médecin, mais là où il se trompait c'est que ce n'était pas pour paraître jolie, comme il l'avait suggéré, mais plutôt pour ne pas être confrontée au souvenir de son agression chaque fois qu'elle se regardait dans une glace. Le médecin se retira et Vernon le raccompagna jusqu'à la porte, laissant Ridley au chevet de sa mère.

— Maman, tu es sûre que ce n'est rien ? s'inquiéta le petit garçon qui s'était sagement tenu auprès d'elle durant toute l'auscultation.

— Oui, mon trésor, j'ai eu une journée difficile. Mais tout est fini.

Elle pensa au rendez-vous avec le chef comptable et même si elle avait promis d'y aller, il était hors de question qu'elle s'y rende. Tout ce qu'elle voulait, c'était prendre un bain et se coucher.

45

NIMROD ENTENDIT DES PAS DANS LE COULOIR. Assis sur le lit de la chambre d'amis, il se leva d'un bond et ouvrit la porte… C'était Holly.

— Ah, c'est toi.

— Cache ta joie !

— Excuse-moi, mais je pensais que c'était…

— Judith ?

— Oui, il est près de 10 heures. Je crains qu'elle ne rentre pas ce soir.

— Ça paraît évident. Je ne suis pas persuadée qu'elle se fasse une joie de dormir ici après m'avoir entendue hurler de plaisir à tes côtés, ronronna Holly qui se colla contre lui.

Elle sentait l'alcool. Pas très professionnel, comme attitude. Pour sa défense, à plusieurs reprises il était allé jeter un coup d'œil sur la grande salle du saloon, et il est vrai que si quelques touristes avaient fait leur apparition, globalement, elle était loin d'avoir fait le plein.

— Je sais bien, mais elle a laissé toutes ses affaires.

— Même son portefeuille ?

— Non. Mais pas un seul vêtement de rechange, et si tu la connaissais, tu saurais qu'elle déteste remettre les mêmes fringues deux jours d'affilée.

— Elle a très bien pu s'en acheter d'autres. Ce ne sont pas les magasins de vêtements qui manquent.

— Je ne sais pas quoi faire. Ça m'inquiète.

Il regarda les affaires déposées dans la chambre et s'arrêta sur l'ordinateur. Il avait essayé de l'ouvrir, mais il y avait un code d'accès.

— Qu'est-ce qui se passe ? Toi, tu as une idée ou je ne te connais pas.

Holly avait remarqué son changement d'attitude.

— En effet, mais elle risque de ne pas te plaire.

— Alors oublie. J'ai une bien meilleure idée qui va nous plaire à tous les deux.

Elle l'attrapa par sa chemise, mais Nimrod résista.

— Arrête, c'est sérieux. Elle est peut-être en danger.

— Nimrod, tu sais que j'adore ton côté bon samaritain, mais tu ne pourras pas sauver tout le monde. Si elle est vraiment en danger, tu n'y es pour rien. Elle n'avait qu'à te faire confiance et rester ici.

— Son fils est en danger.

— Je sais bien, mais qu'est-ce que tu peux y faire ?

— Déverrouiller son ordinateur et voir si je trouve des pistes.

— Melvin, soupira Holly. Tu vas aller voir Melvin à 10 heures du soir, alors qu'il doit faire la fête avec tous ses amis écologistes !

— Qui ne tente rien n'a rien, répliqua Nimrod en haussant les épaules.

— Quoi que je dise, quoi que je fasse, rien ne t'empêchera d'y aller, n'est-ce pas ?

— Je l'appelle. S'il ne répond pas, je reste.

— D'accord.

Nimrod prit son téléphone et trois sonneries plus tard, Melvin décrochait.

— Je peux passer ? lui demanda-t-il.

Holly poussa un nouveau soupir et préféra se retirer.

★

Tracy entendit un tir. Elle se réveilla en sursaut, sortit du lit et écarta le rideau de la fenêtre. La fête battait son plein dans le jardin d'en face. Une détonation retentit à nouveau. Un simple pétard. Elle vit Ridley courir comme un dératé, suivi par deux de ses petits copains. Elle aimait tant le voir s'amuser et rire à gorge déployée après le calvaire qu'il avait vécu à faire cauchemar sur cauchemar. Elle repensa au dessin que lui avait montré Vernon. Elle-même en train de tuer un méchant. Était-ce si grave, après tout ? Devait-elle en parler à Mme Preston, la psy qui le suivait ?

Ridley trébucha et tomba. Tracy sentit son cœur se serrer. Mais l'enfant se releva aussitôt et courut rejoindre ses petits camarades. Avec Alyson, il était sa seule raison de vivre. Même si son mari comptait énormément à ses yeux, elle savait qu'elle ne l'aimerait jamais autant qu'elle aimait ses enfants. Les mères sont ainsi faites, pour donner de l'amour à leurs enfants. Tracy s'était toujours demandé quelle serait sa réaction si elle apprenait que ses enfants étaient devenus des criminels. Les soutiendrait-elle quel que soit leur crime ou les renierait-elle ? Elle osait croire que des enfants élevés dans l'amour ne pouvaient pas mal tourner. L'image du fils de Judith s'imposa à elle. Un garçon élevé par son père et embrigadé dans une secte. Un enfant innocent dont le destin allait se jouer dans les prochains jours. Du bon côté, si Nimrod le retrouvait, sinon...

Comme si un sixième sens les liait, elle vit Vernon tourner le regard vers la fenêtre. Elle lui fit un petit coucou. Elle était en train de se rhabiller quand il entra dans la chambre conjugale.

— Qu'est-ce que tu fais ? Tu devrais rester au lit.

— Les enfants m'ont réveillée. De toute façon je n'ai plus sommeil.

— Tu en es sûre ?

— Mais oui.

— Tu sais, on va bientôt tous rentrer, il est plus de 10 heures.

— Je sais. En fait, il faut que j'aille quelque part.

— Qu'est-ce que c'est que cette lubie ! Ne me dis pas que c'est pour le boulot ?

— Je dois sauver un enfant.

— Tracy ! Envoie donc Nimrod. Lui n'a pas de famille !

— Justement, il ne peut pas y aller, répondit Tracy qui finit d'enfiler son jean. S'il te plaît, fais-moi confiance. Je dois le faire, je suis de retour dans deux heures maximum.

— C'est ce que tu m'as déjà dit hier soir, et j'ai failli te perdre. Je t'interdis de sortir. Laisse tomber ces histoires et recouche-toi.

— Vernon, il faut que je le fasse. Si jamais j'apprenais demain qu'il est arrivé malheur à ce gamin et que je n'ai rien fait, tu crois que je pourrais encore me regarder dans la glace ?

Vernon se passa nerveusement la main dans les cheveux et fit quelques pas dans la chambre en maugréant, avant de s'arrêter.

— Ce boulot va finir par te tuer, Tracy. Tu prends trop de risques. Je suis fou amoureux de toi et je ne veux pas te perdre.

Une très touchante déclaration qui, en temps normal, l'aurait poussée à lui sauter dessus. Mais, là, elle ne pouvait plus reculer.

— Tu sais, je crois que je t'aime autant que les enfants, finalement.

Vernon eut un regard d'incompréhension et la laissa descendre l'escalier. Tracy prit son portable et envoya un texto à Rupert Osmond pour s'excuser de son retard et lui demander si elle pouvait toujours passer. Un bip, puis un simple « OK » s'afficha sur l'écran.

★

Nimrod jouait des coudes et des épaules pour avancer sur le parking de la marina. Des enceintes avaient été placées en hauteur pour le plus grand plaisir des centaines de manifestants qui se trémoussaient de façon hypnotique au son d'une musique techno. Un DJ animait la soirée sur une estrade. Les lumières du port avaient été éteintes et tous les yeux étaient fixés sur le ciel où l'aurore boréale semblait danser. Habituellement, Nimrod détestait ce genre de musique, mais il se rendit compte que cette sorte de grand-messe païenne avait un certain attrait. Il remonta par les quais et faillit tomber dans les eaux du port quand un jeune couple totalement éméché le bouscula, poussés eux-mêmes par les mouvements de la foule.

« La mairie n'aurait jamais dû laisser faire ça. S'il n'y a pas un noyé dans la nuit, ce sera un miracle », songea-t-il en espérant se tromper. Il atteignit le *Sailor Moon* et grimpa à bord. La fête continuait sur les divers ponts du navire. À l'intérieur, il trouva Melvin entouré de jeunes filles à moitié nues, la tête collée à la table en train de sniffer des rails de cocaïne.

— Nimrod ! s'exclama Melvin.

— Tu as deux secondes à m'accorder ?

— Et comment ! Ces filles sont folles de mon corps, j'en peux plus de les fourrer.

Le jeune trentenaire se leva difficilement et conduisit Nimrod dans les entrailles de son yacht.

— Tu sais, tu peux baiser celle que tu veux.

Quand son père, la veille, lui avait fait la même proposition, il avait eu des envies de meurtre, mais venant de la part de Melvin, il avait plutôt envie de rire. Le garçon ne pensait pas à mal. Il était juste un ancien gros, timide de surcroît, mais devenu un sex-symbol grâce à ses millions.

— Non, ça va aller, j'ai la plus belle femme du monde à la maison.

— La magnifique Holly. Pardon, tu sais, je ne suis pas dans mon état normal.

— Je vois, mais tu crois que tu pourras quand même me débloquer ça ? demanda-t-il en sortant un ordinateur portable d'une sacoche.

Melvin explosa de rire.

— J'adore ton humour ! Tu es beaucoup plus drôle que cet abruti qui travaille avec Tracy. Tu vois qui je veux dire ?

— Scott Wright. Ce n'est pas un mauvais bougre, mais j'aime bien l'idée que tu me préfères à lui.

Ils arrivèrent dans la pièce sécurisée et Nimrod posa l'ordinateur sur le bureau. Melvin s'assit dans son fauteuil et ferma les yeux. Nimrod crut un instant qu'il s'était endormi, mais le garçon les rouvrit et se frotta les mains.

— Voyons voir.

Il alluma l'ordinateur puis, alors que l'écran réclamait un code, il entra une clé USB dans un des ports, et deux secondes plus tard, la page d'accueil de Windows s'ouvrait devant eux.

— Et voilà !

— C'est tout ? s'étonna Nimrod.

— Oui. Aucun verrouillage spécial. Il fallait juste donner le mot de passe. Je suis sûr que j'aurais pu l'ouvrir moi-même en faisant 12345, abcde, ou azerty !

— Non, j'ai essayé, dit Nimrod qui avait utilisé tous les mots de passe usuels avant d'abandonner.

— Bon, tu as besoin d'autre chose ?

— Non, ça devrait aller. Je vais me débrouiller.

— De toute façon, je ne suis pas loin. Si tu le bloques, n'hésite pas à m'appeler.

Nimrod le remercia et prit la place de Melvin. Tout un tas de fichiers se trouvaient sur la page d'accueil. Il commença à naviguer et tomba sur le fichier photos de Judith et sa petite famille, puis il trouva plusieurs fichiers relatifs à la secte. À sa grande surprise, il découvrit un grand nombre de photos de Judith en compagnie d'inconnus en train de prier et de se recueillir dans un lieu de culte. Il trouva aussi des fichiers vidéo, où il vit Judith chanter avec ferveur avec d'autres membres de l'Église. Et brusquement, une anomalie lui sauta aux yeux. Son mari n'apparaissait sur aucune de ces images. « Nom de Dieu ! » comprit-il en ouvrant les yeux sur la réalité. Il prit son téléphone et appela Tracy.

★

Tracy venait tout juste de se garer devant la maison de Rupert Osmond, une belle propriété située dans les quartiers résidentiels en bordure de forêt, quand elle reçut l'appel de Nimrod.

— Un problème ?

— Oui, en fait, je ne sais pas trop. Je suis allé voir Melvin pour débloquer l'ordinateur de Judith.

— Elle n'est toujours pas rentrée ?

— Non, mais écoute. Tu connais Melvin, il m'a craqué le code d'accès et j'ai pu entrer dans tous ses fichiers.

— Violation de la vie privée. Tu es sûr que Judith est ton amie ?

— S'il te plaît, ne m'interromps pas. Je crois que Judith fait toujours partie de la secte, tandis que son mari, lui, n'en a jamais fait partie, ou alors il n'y est plus.

— Comment peux-tu être aussi affirmatif ?

Des lumières s'éteignirent à l'étage de la villa d'Osmond. Il ne faudrait pas qu'il aille se coucher.

— Il y a tout un tas de photos et de vidéos d'elle où on la voit dans cette secte, et à l'évidence, elle a l'air plutôt heureuse.

Tracy fronça les sourcils.

— Dis-moi, tu es sûr qu'elle est mariée au moins, et qu'elle a vraiment un enfant ?

— Je n'ai plus aucune certitude. Elle a très bien pu me mentir depuis le début avec de fausses photos de famille.

— Mais dans quel intérêt ?

— Je n'en sais rien. Je vais aller voir les parents de son mari, dit Nimrod qui demanda : Au fait, ton rendez-vous avec Osmond, ça a donné quoi ?

— Je ne l'ai pas encore vu. Je me suis assoupie et j'ai raté le rendez-vous.

— C'est bon, reste chez toi, je crois que ça ne sert à rien.

— Je suis déjà devant chez lui. En fait, on a convenu de retarder le rendez-vous.

— Laisse tomber, Tracy, je ne le sens pas. Tant que je n'en saurai pas plus sur Judith et sa famille, pas la peine de perdre du temps à creuser de ton côté.

— Je vais juste lui parler. Maintenant que j'y suis, autant en profiter. Il connaît peut-être Judith.

— Je ne crois pas. N'oublie pas qu'elle est de Fairbanks.

— C'est ce qu'elle t'a dit.

Nimrod ne sut quoi répondre.

— D'accord, fais comme tu le sens. Mais appelle-moi dès que tu seras sortie de chez lui.

— À tout de suite, fit Tracy qui raccrocha.

Elle sortit de sa voiture, et jeta un regard sur l'aurore boréale. Les scientifiques n'avaient pas menti. Un faisceau magnifique de lumières vertes balayait la nuit au-dessus des sapins. « White Forest ou la plus belle ville du monde », pensa-t-elle en allant sonner à la porte. Un homme en complet gris, tiré à quatre épingles, lui ouvrit. Cinquante ans. Petites lunettes et fine moustache.

— Mademoiselle Pierce, je suppose ? Qu'est-ce qu'il vous est arrivé ? demanda-t-il en voyant son œil au beurre noir.

Tracy secoua la tête.

— Mon mari.

— Vous ne devez pas vous laisser faire ça. Avez-vous porté plainte ?

— Il me tuerait si je le faisais.

Rupert Osmond prit un air compatissant.

— Sauf s'il allait en prison.

— Il sera libéré un jour ou l'autre, et à ce moment-là il me retrouvera.

— Pourquoi venir me voir ?

— Notre ami commun m'a dit que vous pourriez me protéger.

— Ce n'est pas moi, mais le Seigneur.

— Je ne crois pas en Dieu, dit Tracy d'une voix dépitée.

— Lui, croit en vous. Entrez, je vous en prie.

— Vous êtes sûr que je ne vous dérange pas ?

— C'est le Seigneur qui vous a menée jusqu'à moi. Il faut apprendre à Lui faire confiance.

— Je vous le dis, je n'y crois pas. S'il existait, pourquoi permettrait-il autant de malheurs dans le monde ?

Tracy avait déjà eu mille fois ce genre de discussion avec Vernon qui croyait fermement à l'existence divine. Elle ne doutait pas d'être crédible aux yeux de ce fanatique.

— La liberté de conscience, c'est cela que nous a offert le Seigneur. Le choix de faire le Bien et le Mal. Si nous n'étions que des animaux, alors oui, toute idée de mal et de bien nous serait abstraite, mais justement, en nous donnant la conscience, le Seigneur nous a fait le don le plus précieux qui soit : une âme.

— Vous croyez au paradis ?

— Comment pourrait-il en être autrement ? Vous croyez vraiment que le monde a été créé à partir de rien ? Comme ça ? ironisa Osmond en claquant des doigts. Non, il y a forcément un créateur à toute chose, à vous de savoir l'entendre.

— Je ne sais pas si j'y arriverai. Je n'ai pas toujours été quelqu'un de bien.

— Tout le monde peut changer. Le Seigneur pardonne à tous ceux qui font acte de contrition.

— J'aime la façon dont vous parlez, dit Tracy d'un ton naïf.

— C'est le Seigneur qui parle par ma bouche. Si vous nous rejoignez, votre vie changera. Vous allez enfin apprendre ce qu'est le bonheur, la rassura Osmond, qui ajouta : Si je crois au paradis, je crois aussi qu'il est ici sur notre terre. Encore faut-il se donner les moyens de vouloir être heureux.

— Si seulement vous aviez raison.

— J'ai raison. Ne ressentez-vous pas la paix qui règne en ces lieux ?

Tracy n'aimait pas son regard. Une certaine duplicité. Le même œil que Sam Dafoe. Elle ne prendrait aucun risque ce soir.

— Je vais retourner chez moi. On peut se revoir demain ?

L'homme semblait déçu, mais fit contre mauvaise fortune bon cœur.

— C'est comme vous voulez, mais attendez un instant, je vais vous offrir un petit présent qui vous protégera.

Une bible, à n'en point douter.

Rupert Osmond ouvrit le tiroir de la commode de l'entrée et, avant que Tracy ne puisse réagir, il sortit un Taser et lui tira dessus.

★

Nimrod était arrivé devant la demeure des Gibson. Il se revit deux jours plus tôt en train de faire le guet. Une éternité. Il sonna à l'interphone de la bâtisse.

— Oui, c'est à quel sujet ? demanda une voie masculine.

— Bonsoir. Lieutenant Nimrod Russell, de la police de White Forest. Je voudrais m'entretenir avec M. Gibson.

— Lui-même. En quoi puis-je vous aider ?

— J'aurais quelques questions à vous poser.

Un silence, puis Gibson demanda :

— Vous pouvez me montrer votre plaque ?

Nimrod la plaça devant la caméra de l'interphone.

— Vous avez un mandat ?

— Non, vous n'êtes accusé de rien, mais vous pouvez nous aider dans une affaire.

— Je ne vois vraiment pas en quoi ?

— Monsieur Gibson, laissez-moi entrer et je vous expliquerai tout.

— Rien ne m'y oblige.

— Non, mais je peux revenir dans une heure avec un mandat et une dizaine de voitures, puis vous passer les menottes pour entrave à la justice, et cela au vu de tous vos voisins.

L'immense portail coulissa sur la droite. Nimrod entra et remonta l'allée, éclairée par de petits réverbères. Un joli jardin se profilait dans l'ombre. « Une maison à plus d'un million de dollars », réalisa Nimrod en arrivant devant la porte d'entrée.

Un homme sortit sur le perron. La soixantaine grisonnante. Un port droit. Une certaine allure.

— Lieutenant.

— Monsieur Gibson, pouvons-nous parler à l'intérieur ?

— Vous n'êtes pas mon invité.

— Je ne suis pas votre ennemi. Je viens vous parler de Judith. Votre belle-fille.

Quitte ou double. L'homme hocha lamentablement la tête.

— Très bien, entrez.

Nimrod aperçut une femme qui se tenait en retrait dans le couloir.

— Madame Gibson ?

— Vous êtes vraiment policier ?

— Oui, dit Nimrod qui ressortit sa plaque de lieutenant.

— Venez, je vous en prie. Je peux vous préparer une boisson chaude, un thé, un café ?

— Non, merci, ça ira.

Ils s'installèrent dans un vaste salon décoré avec goût. Une large baie vitrée ouvrait sur un jardin plutôt spacieux.

— Bien. Qu'est-ce que vous voulez savoir ? demanda Gibson, quand ils furent assis autour d'une table basse en marbre gris.

— Je veux savoir quels sont les rapports entre Judith et votre fils.

— Je vois, fit l'homme en hochant la tête. Elle a porté plainte, c'est ça ?

— À quoi pensez-vous ? demanda Nimrod qui ne voulait pas dévoiler son jeu le premier.

— À vous de me le dire.

Si Judith était à l'évidence la belle-fille des époux Gibson, il n'était pas impossible qu'elle ait dit la vérité à propos de l'enfant qu'elle avait eu avec leur fils.

— Où est Adam ?

— En sécurité, loin de ces cinglés.

— De qui parlez-vous ?

— Vous le savez très bien. Cette secte qui a tenté d'embrigader mon fils. Mais c'est fini maintenant. Il est sauvé, tout comme notre petit-fils.

— Adam est un amour de petit garçon. Il ne devait pas vivre dans cette secte.

— Votre fils a-t-il vraiment divorcé de Judith ?

Mme Gibson baissa les yeux.

— Ils l'ont menacé quand il leur a dit qu'il voulait en partir, alors il a préféré fuir. Mais nous avons à notre tour porté plainte contre eux pour harcèlement, dit M. Gibson.

— À quand cela remonte-t-il ?

— La semaine dernière.

Dès lors, Nimrod comprenait mieux la précipitation de Judith.

— Une question. On vous a vu entrer il y a deux jours dans leur centre situé à Little Austria. Qu'est-ce que vous alliez y faire ?

— C'est Judith. Elle m'a demandé de la retrouver là pour une conciliation, mais quand je suis arrivée, il n'y avait personne. Ils m'ont simplement répété de ramener Adam, sinon la colère divine s'abattrait sur nous.

Nimrod se revit faire le guet devant la maison des époux Gibson, et se souvint de l'impatience de Judith. La garce ! Elle avait dû en avoir assez d'attendre et leur avait envoyé un texto pour les faire sortir de chez eux.

— Je vous repose la question : où est Adam ?

— Nous ne vous le dirons pas.

— Je peux vous faire inculper pour kidnapping. Vous savez combien vous risquez ?

— Qu'est-ce qui nous prouve que vous n'êtes pas des leurs ?

Nimrod n'était pas du genre à se vanter de ses hauts faits, sauf en cas d'extrême urgence.

— Mon nom est Nimrod Russell. Je suis celui qui a sauvé tous les enfants russes il y a six mois. Vous pensez réellement que je suis un monstre ?

— Cela ne prouve rien.

— Écoutez, appelez votre fils et dites-lui qu'un lieutenant de police veut lui parler, et surtout que je suis de son côté.

— Vous rêvez ! Vous allez pister son appel. On connaît vos méthodes.

— Si la police était liée à cette secte, vous ne pensez pas qu'on vous aurait mis sur écoute depuis que votre fils est parti de Fairbanks ? Et n'allez pas me faire croire que vous ne l'avez pas appelé depuis.

Le raisonnement sembla produire son effet.

— Je l'appelle, mais je ne veux pas que vous m'écoutiez.

Nimrod s'en voulait d'abuser de la confiance de ces vieilles personnes, mais il n'avait pas le choix. Dès qu'il sortirait de chez eux, il appellerait Melvin pour qu'il trace l'appel, et le tour serait joué. Mme Gibson s'éclipsa discrètement.

— Judith était une fille bien avant de tomber dans les filets de cette secte. Mon fils a toujours refusé d'en faire partie, il espérait qu'elle en sortirait d'elle-même. Mais je vous le redis, nous n'avons rien contre Judith. C'était une chic fille.

— Merci, dit Nimrod.

— Merci de quoi ? Nous ne vous promettons pas de vous aider.

— Bien sûr, excusez-moi, reprit-il.

Il l'avait uniquement remercié pour avoir dit du bien de Judith. L'idée qu'elle ait pu le manipuler de A à Z lui était insupportable. Judith était certainement tombée dans cette secte, mais elle n'était pas le monstre insensible qu'il avait envisagé un instant. Elle devait sincèrement aimer son fils autant que son mari. Un divorce difficile, un drame conjugal comme il en existait des millions à travers les États-Unis et dans le monde. Et dont l'enfant était toujours la victime. Ils entendirent Mme Gibson revenir dans le salon. Elle faisait une drôle de tête.

— Il veut bien vous parler. Il est sur le... Elle hésita une fraction de seconde, puis ajouta : sur le *Prince du Pacifique*. C'est un bateau de croisière. Il quitte le quai dans un quart d'heure.

Nimrod n'en revenait pas. Il n'aurait pas parié un dollar que Paul Gibson accepte de lui parler. Qu'avait-il à gagner ? Surtout s'il était en fuite...

46

TRACY SE RÉVEILLA DANS L'OBSCURITÉ TOTALE et tenta de se redresser. Elle se rendit compte qu'elle était allongée et attachée de la tête aux pieds. Mais où était-elle ? Elle paniqua et tira sur ses liens, mais rien n'y fit. Ils étaient solidement fixés. Elle comprit que cela ne servirait à rien. Il valait mieux économiser ses forces pour plus tard. Reprendre son calme, juguler sa respiration.

Allongée sur une couche des plus sommaires, elle essaya d'analyser la situation avec le plus de discernement possible. Primo : elle n'était pas morte, donc on voulait la garder en vie. Deuxio : pourquoi la garder en vie ? Pour la violer ? Non, elle serait déjà nue ou pour le moins un peu dévêtue. Tertio : où était-elle ? Elle grelottait de froid. Une cave. La cave de Rupert Osmond ? Quarto : il ne restait qu'une seule chose à faire : hurler !

Tracy cria de toutes ses forces en demandant de l'aide. Quand elle fut à bout de souffle, elle reprit sa respiration et tenta de dominer la panique qui ne demandait qu'à la submerger. Elle entendit des pas, puis une clé dans la serrure et de la lumière entra dans la cave… « Non pas une cave, mais une chambre », estima Tracy en voyant les murs de pierre et la large fenêtre aux volets clos sur sa gauche. Une silhouette tenant une lampe à pétrole s'approcha.

— Désolé pour l'inconfort, fit une voix d'homme.

Il posa la lampe sur une table de nuit antique.

L'homme portait une bure et avait rabattu en avant une capuche qui lui mangeait presque tout le visage.

— Qui êtes-vous ?

— Allons, ne me dites pas que vous n'avez pas une petite idée ?

— Vous faites partie de l'Église de la Vérité première.

— Vous voyez, quand vous voulez.

— Où suis-je ?

— À l'abri de tout.

— Qu'est-ce que vous me voulez ?

— C'est plutôt moi qui devrais vous poser cette question.

— Libérez-moi.

— Allons. Dites-moi d'abord qui vous êtes ?

Que répondre ? User de sa fausse identité ou avouer qu'elle était flic ? Quelle était la mauvaise réponse ?

— Katy Pierce, se présenta-t-elle.

Peut-être que tout cela était un rite d'initiation. Autant continuer à jouer le jeu pour l'instant. L'homme releva sa capuche.

— Elie Jacobson, lâcha Tracy en reconnaissant le gourou de cette secte.

Elle avait vu des dizaines de photos de cet homme sur Internet.

— Effectivement, chère Tracy Bradshaw, répondit-il en sortant un couteau d'une poche de sa bure. Savez-vous que mentir est un péché ?

— Et assassiner son prochain ? rétorqua-t-elle, terrifiée par la lame qui s'approchait d'elle.

— Je ne suis pas un assassin. Ne bougez pas, et surtout ne tentez rien de stupide. Il y a deux frères devant cette porte. Ils sont armés et prêts à tout si vous ne vous montrez pas raisonnable.

— Je croyais que vous n'étiez pas un assassin.

— C'est exact. Si je n'ai jamais tué personne, il n'en va pas de même de nos soldats de l'Armée sainte dans notre croisade contre le Mal.

Il trancha ses liens. Tracy avait du mal à imaginer qu'ils en arrivent à la tuer. Des dingues très certainement, mais des tueurs ? Elle n'y croyait guère. Jacobson recula et Tracy s'assit sur le lit.

— Où sommes-nous ?

— Dans un lieu saint, très chère. Une relique honteusement laissée à l'abandon durant des décennies. Nous l'avons réinvestie.

— C'est-à-dire ?

— Nous sommes dans la maison de Dieu, voyons.

« Une église », comprit Tracy. Une vieille église abandonnée par les premiers colons ?

— Qu'est-ce que vous me voulez ?

— Je veux savoir tout ce que savez sur notre compte.

— Je ne comprends pas.

Jacobson fit la moue.

— Pourtant ma question est simple : qu'est-ce que vous savez ? Qui sont vos complices ?

Devait-elle leur parler de Judith Gibson au risque de la mettre en danger ?

— Je n'ai aucun complice, vous êtes totalement paranoïaque.

— Alors pourquoi venir interroger Rupert et vous faire passer pour une certaine Katy Pierce ?

— Une source m'avait laissé entendre que cet homme était un pervers sexuel. Je voulais le prendre en flagrant délit et je crois que c'est réussi, improvisa-t-elle.

— Très amusant. Je vois que vous ne comprenez pas qui nous sommes. Alors suivez-moi, s'il vous plaît. Je vais vous montrer à quel point nous pouvons être déterminés.

L'homme alla vers la porte et Tracy le suivit.

★

Nimrod arriva devant l'embarcadère du *Prince du Pacifique*. L'énorme navire de croisière se dressait face à lui : trois cent trente-trois mètres de long, soixante-cinq mètres de hauteur, mille sept cent quarante-trois cabines réparties sur dix-huit ponts. « Incroyable qu'une telle masse d'acier puisse flotter », s'émerveilla-t-il, comme chaque fois qu'il s'approchait de l'un de ces paquebots surdimensionnés. Ce bateau était une véritable ville flottante pouvant accueillir quatre mille touristes et un peu plus de mille deux cents hommes et femmes d'équipage. Plus jeune, Nimrod s'était intéressé à ces monstres des mers. Il adorait les regarder entrer dans le canal de Gastineau, se demandant à chaque instant s'ils n'allaient pas en racler les fonds et s'échouer sur le côté. Mais non, le *Titanic* appartenait à l'Histoire et depuis, la navigation avait fait bien des progrès. Des capteurs, radars et sonars étaient là pour prévenir tous les obstacles. Nimrod oublia ces pensées d'un autre temps et s'approcha de la passerelle d'embarquement. Un steward et une hôtesse l'accueillirent avec un large sourire.

— Votre billet s'il vous plaît, demanda la jeune femme avec courtoisie.

Nimrod sortit sa plaque de police.

— Lieutenant Russell. Il faut que je monte à bord.

— Nous allons partir d'ici dix minutes.

— Faites ce que vous avez à faire, mais je dois monter sur ce navire.

— Il nous faut prévenir notre commandant.

— Prévenez-le, dites-lui que le lieutenant Nimrod Russell est à bord. Appelez le shérif si vous voulez.

— Vous devez nous laisser votre arme. Vous connaissez les consignes de sécurité.

— Je suis lieutenant de police. Je ne peux pas me séparer de mon arme, le reprit Nimrod qui s'agaçait de plus en plus. Appelez votre commandant et passez-le-moi.

Le steward saisit son portable et joignit le commandant. Il lui fit part de l'arrivée d'un lieutenant de police du nom de Nimrod Russell, puis raccrocha.

— Notre commandant est d'accord pour que vous montiez.

Tout bateau de croisière avait une plateforme d'atterrissage pour les hélicoptères. Il voulait croire que le shérif lui en enverrait un le moment venu si les choses devaient dégénérer. Nimrod monta le long de la passerelle et, dès qu'il eut posé le pied sur le pont du navire, il se mit à la recherche de Paul Gibson. Dans la précipitation, il avait oublié de demander aux époux Gibson si Paul leur avait indiqué un lieu de rencontre. Nimrod connaissait bien son visage, mais comment le repérer parmi les milliers de touristes ?

★

Flanquée de deux gardes du corps vêtus de bure, Tracy longea un couloir en pierre. Les lieux étaient bien trop grands pour être une église.

— Nous ne sommes pas dans une église, n'est-ce pas ?

— Effectivement, nous sommes dans le monastère Saint-Georges. Bâti au début du XIXe siècle par des moines orthodoxes russes venus de Novgorod, expliqua Jacobson. Ces hommes saints en furent chassés après le rachat de l'Alaska par les États-Unis d'Amérique. Au temps de la ruée vers l'or, ce lieu fut utilisé comme halte par ceux qui allaient dans le Grand Nord. Quand les mines furent abandonnées, plus personne ne passa par ici, le bâtiment tomba dans l'oubli et la décrépitude avant que nous ne lui redonnions vie.

Elle n'avait jamais entendu parler d'un tel édifice dans les environs de White Forest.

— Où sommes-nous exactement ? Comment suis-je arrivée jusqu'ici ?

— Assez de questions, c'est à votre tour de me donner des réponses, dit Jacobson qui s'arrêta devant une porte.

Avec toutes ces torches accrochées aux murs et ces hommes habillés en moine, elle avait l'impression de se retrouver en plein Moyen Âge.

— Vous connaissez Duncan Wynn ? demanda Jacobson la main sur la poignée de la porte.

— Non, répondit-elle sans hésitation.

Il faisait allusion au journaliste qui leur avait donné le nom de Rupert Osmond.

— Encore un mensonge. Vous ne m'aidez vraiment pas, s'agaça-t-il en ouvrant la porte.

Tracy entra dans ce qu'elle croyait être une cellule monacale. En réalité elle fut confrontée à une vision d'horreur. Le corps supplicié d'un homme était accroché à une énorme roue celée dans un mur de pierre.

— Le diable a plus d'une voie pour tenter de corrompre les plus purs, expliqua Jacobson. Mais vous savez, le Seigneur voit tout, le Seigneur sait tout, et les âmes impies seront punies.

À la lumière des torches, la peau de Jacobson luisait comme de la cire. Un visage de fou, les cheveux aussi longs que la barbe.

— Duncan, qui est cette femme ? demanda-t-il.

L'homme ouvrit difficilement les paupières.

— Je vous ai déjà tout dit.

— Oui, mais le lieutenant Bradshaw assure ne pas te connaître ?

— Elle dit vrai. Nous ne nous sommes jamais rencontrés. C'est son collègue que j'ai eu au téléphone.

— C'est bien, Duncan, je constate que tu as retrouvé le chemin de la raison.

— Je suis désolé, s'excusa le journaliste qui chercha le regard de Tracy.

Tracy imaginait facilement les tortures que l'homme avait dû subir. Son corps n'était que plaies, entailles et hématomes. Du sang le souillait entièrement.

— Tu n'as pas à l'être, répondit Jacobson. Tu as été faible, et tu n'as pas su résister à la tentation du diable. Tu nous as trahis alors que nous avions confiance en toi.

Duncan referma lentement les yeux. Il était à bout de forces.

— Détachez-le, ordonna le gourou.

Les deux gardes obtempèrent et obligèrent Duncan à se mettre à genoux. Jacobson se posta devant lui et lui souleva le menton.

— Demande pardon au Seigneur pour toutes tes trahisons.

— Non.

— Duncan, dans Sa grande miséricorde le Seigneur te laisse une dernière chance de t'accueillir au paradis. Tu veux vraiment finir en enfer ?

— Vous êtes complètement fou !

Jacobson soupira et fit un geste à un de ses acolytes qui alla ouvrir la fenêtre. Un vent frais entra dans la pièce. Les volutes colorées de l'aurore boréale scintillaient dans les cieux.

— Regarde, le Seigneur t'attend. Préfères-tu les ténèbres à la lumière ?

— Allez vous faire foutre, geignit Duncan.

— Seigneur, aie pitié de lui, lança Jacobson qui recula.

Les deux hommes en bure saisirent Duncan sous les aisselles et le tirèrent jusqu'à la fenêtre.

— Non, non ! hurla Duncan qui tenta d'échapper à ses tortionnaires.

— Satan, tu sortiras de gré ou de force de ce corps, psalmodia Jacobson.

À ces mots, les deux sbires poussèrent Duncan par la fenêtre. Le corps bascula dans le vide, sans un cri. Tracy était horrifiée, incapable de crier ou d'émettre le moindre son.

— Seigneur, que Ta volonté soit faite sur la Terre comme aux Cieux, pria Jacobson. Détachez-la et conduisez-la à la Salle du Jugement, dit-il sur un ton moins cérémonieux.

Tracy eut envie de hurler de désespoir, mais son instinct de survie l'empêcha de manifester son horreur. Elle profita de ce court instant de relâchement de ses geôliers pour se ruer dans le couloir et courir aussi vite qu'elle le pouvait.

★

Nimrod regarda les quais s'éloigner. Ils quittaient enfin le port. Plus personne ne pouvait monter ou descendre. « À nous deux », se dit-il en espérant que l'homme était toujours sur le bateau. Mais peut-être était-ce une ruse pour le faire monter à bord et le bloquer en mer, tandis que Paul Gibson aurait tout le temps nécessaire pour organiser sa fuite par les voies terrestres.

De toute façon, les dés étaient jetés. Nimrod commença son inspection des lieux. Il remonta le pont, le regard affuté. Des centaines de touristes se tenaient près des rambardes de sécurité et regardaient les lumières de White Forest diminuer au fur et à mesure que le navire s'éloignait. Il parcourut tout le pont de façon méthodique. Il se focalisait sur les personnes seules. Heureusement ce n'étaient pas les plus nombreuses. Nimrod entra dans un premier salon où plusieurs hommes lisaient des journaux. Il le traversa et gagna le pont supérieur. Il suivit le bastingage de droite sur plus de cent mètres sans aucun résultat. Il s'efforça de reprendre courage et entra dans une salle de sport, puis dans une salle de spectacle, un restaurant, une salle de danse... Chaque fois pour le même résultat décevant. Paul Gibson pouvait être n'importe où et surtout dans une cabine. Avait-il réservé à son nom ? Il en doutait, mais cela valait la peine d'essayer. Il s'arrêta dans un des innombrables salons du paquebot et se posta au comptoir du bar, attendant que le serveur finisse de s'occuper d'une famille.

— Bonsoir, je ne crois pas vous avoir déjà vu ?

Nimrod se retourna et aperçut une dame dans la force de l'âge. Elle faisait tout pour paraître jeune, mais le maquillage avait ses limites.

— Je suis fiancé, s'excusa-t-il.

— Et alors, moi aussi, lui répondit-elle en montrant un gros monsieur assoupi dans un fauteuil club.

Le serveur vint prendre leur commande. Nimrod sortit son insigne de lieutenant et le posa sur le comptoir.

— Je dois parler à votre commandant, il sait que je suis là.

— Il y a un problème, lieutenant ? dit-elle en se rapprochant.

— Non, inspection de routine. Un exercice.

Le serveur avait pris le combiné posé près du bar puis, après avoir plusieurs fois hoché la tête, il raccrocha et revint vers Nimrod :

— On va vous accompagner.

— Je peux le faire si vous voulez. J'ai visité la cabine de pilotage. Le commandant est un homme exquis.

— C'est très aimable à vous, mais je crois que votre mari a besoin de vous, répondit Nimrod d'un ton un peu sec.

Une jeune hôtesse arriva et le convia à la suivre. Ils traversèrent tout le bar, passèrent par deux coursives avant d'arriver devant un ascenseur. Une minute plus tard, ils se retrouvaient dans le poste de pilotage. L'océan dans toute sa splendeur s'offrait à eux. Deux hommes et une femme en uniforme étaient en poste devant les multiples écrans et boutons lumineux qui tapissaient le cockpit.

— Lieutenant Nimrod Russell, se présenta-t-il en sortant sa plaque.

Un homme à la fine barbe bien taillée et vêtu de sa tenue de commandant vint à sa rencontre.

— J'ai entendu parler de vous. Vous avez fait la une de la presse il y a quelques mois, si je ne m'abuse ?

— En effet, et j'aurais besoin de vos services.

— Devons-nous retourner au port ?

— Non, pas du tout. En fait, je cherche un homme et son fils. J'ai besoin de savoir s'ils sont sur votre bateau.

Nimrod sortit une photo de Paul Gibson et d'Adam qu'il avait imprimée chez Melvin. À cet instant, la porte de la cabine s'ouvrit dans son dos.

— Commandant, je peux vous aider ? demanda le nouveau venu.

Nimrod se retourna et tomba des nues.

— Toi ?

★

Tracy jeta un coup d'œil en arrière et ne vit personne à sa poursuite. Mais elle ne s'arrêta pas pour autant. Elle prit une nouvelle galerie, descendit un escalier pour arriver dans une large cour éclairée par la lumière spectrale de l'aurore boréale. Elle entendit des voix du haut des marches. Elle reprit sa course éperdue et, restant à l'abri sous les arcades intérieures, elle fonça vers une lourde porte en bois. Tracy l'ouvrit doucement et se retrouva dans le noir total. Après avoir refermé la porte, elle s'avança à tâtons. S'habituant à l'obscurité, elle perçut une pâle lumière provenant de vitraux. Une salle de prière. Elle se cogna contre un banc. Les voix se rapprochaient. Tracy était sur le point de céder à la panique, mais, chassant de son esprit les images de Duncan qui l'assaillaient, elle parvint jusqu'à l'extrémité de la salle. Devinant plus que discernant les formes faisant obstacle devant elle, elle trouva une nouvelle porte, plus petite que la précédente. Elle l'ouvrit et déboucha dans une nouvelle galerie obscure.

Tracy referma la porte et avança, les mains en avant, en suivant la paroi de pierre. Elle se surprit à prier le Seigneur, et s'en voulut de s'en remettre à une illusion. Mais ce n'était pas le moment pour des considérations théologiques. Elle buta sur un pilastre et retint par miracle un cri de douleur. « Surtout, ne craque pas, ne pense à rien », s'exhorta-t-elle. Mains en avant, elle trouva une nouvelle porte qu'elle ouvrit et referma derrière elle.

Elle était dans ce qui était sans doute le scriptorium, salle faiblement éclairée par l'aurore boréale que l'on apercevait derrière les hautes fenêtres en ogives. Tracy se rua vers l'une d'elles pour l'ouvrir. La forêt s'étalait devant elle. Non sans difficulté, elle parvint à enjamber le rebord de la fenêtre et elle courut droit devant dans les premiers fourrés qui entouraient l'ancien monastère.

Elle se retourna une dernière fois, et vit des points lumineux qui avançaient à sa recherche.

« Je vais m'en sortir », se promit-elle en accélérant sa course dans la nuit.

★

— Je vous présente mon second, dit le commandant. Mais je crois savoir que vous vous connaissez déjà.

— C'est exact. J'ai été son professeur, il y a fort longtemps, dit Seth Russell qui portait son uniforme comme s'il avait toujours travaillé dans la marine.

— La police recherche cet homme et son fils, reprit le commandant.

Seth regarda la photo, et prit un air concentré.

— Je ne voudrais pas m'avancer, mais il me semble bien l'avoir vu. Si vous voulez bien me suivre, lieutenant.

Nimrod était stupéfait. Il savait que son père était le pire des arnaqueurs que la terre ait connus mais arriver à se faire passer pour un second de commandant, c'était au-delà de tout !

Il repensa à l'histoire de Franck Abganale adaptée à l'écran par Spielberg. L'homme s'était fait passer pour un pilote d'avion, un médecin, un avocat et bien d'autres usurpations d'identité. La réalité dépassait souvent la fiction. Mais la grosse différence entre son père et Abganale était que le premier utilisait ses fausses identités uniquement pour semer le malheur autour de lui. Que faisait-il sur ce bateau ?

— Ça va, lieutenant ? demanda le commandant.

— Oui, de vieux souvenirs me reviennent en mémoire. Quel est votre nom déjà ? dit-il en s'adressant à son père.

— Jonathan Walken, se présenta Seth qui lui tendit la main.

Nimrod prit sur lui pour la serrer sans la broyer.

— Venez, on va retrouver cet homme et son fils.

Ils sortirent de la cabine de pilotage, mais à peine avaient-ils franchi la porte que Nimrod se figea et plaqua son père contre une cloison.

— Qu'est-ce que tu fabriques ici ?

— Allons, fiston, calme-toi. Je t'avais prévenu de ne pas rechercher Judith. Mais une fois de plus tu n'en as fait qu'à ta tête.

— Où est-elle ? tonna Nimrod en lui appuyant son bras sur la gorge.

— Relâche-moi, idiot, on va se faire repérer.

Nimrod entendit la porte de la cabine s'ouvrir et libéra son père. Un des marins passa devant eux, et les regarda sans sourciller.

— Tu devrais me remercier de t'avoir supporté toute ma vie. Combien de pères t'auraient abandonné après ce que tu as fait à ta mère. Moi, non. J'ai décidé de te garder et de t'élever du mieux que j'ai pu.

— Ne va pas sur ce terrain…, grogna Nimrod dont le sang recommençait à bouillir.

— Je voulais juste te dire que j'étais désolé d'avoir fait de toi un raté. Tu aurais pu être un grand homme, mais tu n'es qu'un petit flic qui croit qu'il peut sauver le monde, ironisa Seth.

S'il croyait l'humilier, c'était tout le contraire.

— Où est Judith ? répéta-t-il sans desserrer les dents.

— Comme tu es impatient ! Tu veux la voir, eh bien, allons-y.

— Elle est sur ce bateau ?

— Oui, avec son mari et son fils. L'histoire finit bien, tu vois. C'est bien ce que tu voulais ?

— Judith a divorcé de son mari. Je ne crois pas qu'elle veuille encore de lui.

— Tu te trompes grandement. Les femmes ne savent pas ce qu'elles veulent. Un jour elles vous aiment, le lendemain elles vous font la tête. À nous d'être grand seigneur et d'accepter leurs sautes d'humeur.

Seth prit l'escalier sur sa droite et ils ressortirent à l'air libre. Ils étaient à présent en plein océan. L'aurore boréale resplendissait comme jamais.

— Regarde tous ces abrutis qui ont payé dix mille dollars pour être ici, s'exclama Seth en montrant les autres bateaux de croisière qui se tenaient à distance réglementaire les uns des autres. Si tu savais la marge que se font les croisiéristes !

— Ton nouveau travail ? Tu as des parts dans leur société ?

— Non, j'ai bien mieux que ça, répondit Seth qui s'accouda sur le bastingage de sécurité.

— C'est-à-dire ?

— Tu veux vraiment le savoir ?

— Non.

— La plus convoitée des denrées après les femmes, répondit Seth. L'incroyable poudre blanche.

Nimrod se retourna vers son père.

— Tu veux dire que le massacre du chalet, c'est toi ! s'exclama Nimrod qui prit son père par le col, prêt à le jeter par-dessus bord.

— Bien sûr que non, espèce d'idiot. Brent Collins était notre fournisseur. C'était lui, notre homme pour la région.

Il stockait les arrivages de l'Asie, ensuite nous les transportions par petites quantités dans les soutes des navires peu regardants. Notre cher commandant est un grand ami, il me doit bien plus qu'il ne pourra jamais me rendre.

— Il y a des kilos de cocaïne sur ce bateau ?

— Exactement. À chaque escale, lors du retour sur la côte, des dockers se chargeront de les faire sortir des soutes. Ni vu, ni connu.

— Le FBI ?

— Tu crois que nous avons peur d'eux ? Ils sont nos fidèles alliés. La corruption gangrène tout notre pays. Il suffit d'avoir les bons leviers, des vidéos compromettantes ou beaucoup d'argent. Si tu as les leviers, tu as le pouvoir. Les narcotrafiquants sont les maîtres de ce beau pays.

— Tu délires complètement !

— Ah oui ? As-tu idée des tonnes de drogue qui entrent chaque année dans ce pays ? Des millions. Tu crois vraiment que ce serait possible sans des appuis très haut placés ?

Nimrod n'avait jamais abondé dans le sens des thèses conspirationnistes, ce n'est pas aujourd'hui qu'il allait le faire. Son père se voyait plus important qu'il ne l'était, et comme bien d'autres avant lui, il tomberait de haut quand son jour viendrait.

— Je pourrais te dénoncer. Là, tout de suite.

— Oui, mais tu ne le feras pas, du moins si tu veux revoir Judith.

— Tu m'as assuré qu'elle était heureuse avec sa petite famille. Qu'ai-je à perdre ?

Seth ne sourit plus.

— Holly, Laïka, Tracy... Tous ceux auxquels tu tiens sont encore en vie parce que je le veux bien. Un seul mot de ma part et tu les retrouveras baignant dans leur sang.

Nimrod retrouva le diable dans les yeux de cet homme.

— Je vois que tu comprends qui est le plus fort. Ne me sous-estime jamais, Nimrod. Je te laisse en vie mais seulement en souvenir de l'amour de ta mère.

— Ma mère ? Tu n'as fait que la mépriser.

— Ne dis jamais ça. Je n'ai jamais aimé aucune autre femme qu'Abigail. Elle était un trésor, une merveille dans un monde corrompu. Je lui ai tout offert, et toi tu as été incapable de la protéger.

La lueur du ciel enflammé par l'aurore boréale brillait dans les yeux de son père.

— Mais bon, tout cela est du passé, il est temps de retrouver Judith et son mari.

Soudain une question essentielle percuta Nimrod.

— Qui est Paul Gibson pour toi ?

Seth retrouva le sourire.

— Un de mes plus fidèles collaborateurs. C'est lui qui est à la base de tout ce trafic et c'est lui qui a convaincu Brent Collins de travailler avec nous.

— C'est toi qui as organisé le kidnapping de Judith ?

— Oui, si je peux rendre service à un ami... mais il a fallu que tu t'en mêles. Tu n'imagines pas ce que j'ai dû faire pour t'éviter la mort.

— Qui a organisé le massacre du chalet ? Vous êtes en guerre, n'est-ce pas ?

— Oui, mais une guerre dont tu n'imagines rien. Allez, viens, il est temps de retrouver Judith.

★

Tracy était épuisée, elle n'en pouvait plus. Courant à la seule lumière de l'aurore boréale, elle s'était pris plusieurs fois les pieds dans la végétation. Les branches les plus basses s'accrochaient à elle, lui écorchant les mains et le visage. Ses poursuivants étaient toujours à une distance respectable, mais se rapprochaient inexorablement. « Je suis foutue », se dit-elle en commençant à perdre espoir. Elle ralentit, se sentant près de s'effondrer. « Ne craque pas, tu peux t'en sortir, tu dois t'en sortir », s'exhorta-t-elle. Elle entendit le cri d'un oiseau nocturne au-dessus d'elle et leva les yeux. D'un coup, Tracy comprit que son salut ne viendrait pas de la terre, mais des airs. Enfant, elle était la reine de l'escalade. Elle pouvait y arriver.

Elle retrouva espoir et regarda attentivement les arbres qui l'entouraient. Elle en trouva un aux branches assez basses et, puisant dans ses dernières ressources, elle réussit à grimper le plus haut possible. Réfugiée contre son tronc, elle régula son souffle. Les secondes semblèrent durer une éternité tandis que les lumières se rapprochaient. Bientôt, elle discerna les silhouettes qui tenaient les torches. Elle en compta plus d'une trentaine ! Mais combien étaient-ils donc dans ce monastère ? Un frisson la fit tressaillir. Il faisait froid. L'un des fidèles s'approcha sur sa droite, puis un autre sur sa gauche. Tracy ferma les yeux, et pensa à ses enfants et à son mari qui croyait dur comme fer à un Dieu d'amour. « Prouve-moi que Tu existes, et je croirai en Toi pour toujours », pria-t-elle.

Lorsqu'elle rouvrit les yeux, l'une des silhouettes se trouvait à moins de trois mètres de son arbre. Elle se figea, faisant corps avec le tronc, espérant que les branches suffiraient à la cacher. Une crampe lui saisit la jambe droite. « Non, pas maintenant, s'il vous plaît. » La douleur monta jusqu'à en devenir insupportable. Elle se mordit la lèvre pour retenir un cri, et remua lentement sa jambe. La silhouette continua son chemin, puis disparut. Tracy remercia les Cieux et, quand toutes les lumières se furent éloignées, elle sut qu'il était temps de descendre. Elle atterrit douloureusement sur le sol. Et reprit sa course, perpendiculairement au trajet qu'avaient suivi ses poursuivants. Elle trébucha plusieurs fois. Une sueur glacée lui coulait sur le visage. Elle l'essuya distraitement d'un revers de manche. Elle se sentait ailleurs. Plus rien d'autre n'existait, que ce besoin d'avancer sans s'arrêter. Elle n'avait aucune idée de la distance qu'elle devrait parcourir pour se trouver à l'abri. Peut-être s'enfonçait-elle de plus en plus dans la forêt et ne retrouverait-elle jamais âme qui vive. Elle entendit un drôle de bruit. Un ours ? Un nouveau frisson la parcourut.

Alors qu'elle commençait à perdre espoir, elle aperçut une clairière. Elle la traversa en courant et, après l'avoir dépassée, elle quitta les abords de la forêt pour se retrouver sur une route goudronnée. « Je suis sauvée ! » se dit-elle, prête à pleurer de soulagement. Mais la route semblait déserte. Alors qu'elle ne l'espérait plus, Tracy vit des phares de voiture se profiler dans le lointain. Une onde de bonheur l'envahit. Elle allait se planter au milieu de la route, quand elle prit conscience qu'il s'agissait peut-être de membres de la secte partis à sa recherche. Son père, qui n'était pas avare de proverbes et adages, lui répétait toujours : « Patience est mère de sûreté. » Elle ferait mieux d'attendre jusqu'au lendemain et de trouver un village d'où elle pourrait téléphoner, se dit-elle. La voiture avançait lentement. Tracy hésitait encore, jusqu'au moment où elle découvrit que c'était une voiture de police. Nimrod avait dû alerter les secours. Oui, tout le monde avait dû essayer de la joindre. Peut-être bien que Melvin avait repéré l'existence de ce monastère en étudiant la secte. Elle bondit sur la route en faisant de grands gestes avec les bras. Le lieutenant Finley se trouvait au volant, accompagné du sergent Morrison.

— Dieu soit loué, s'exclama-t-elle en se jurant d'annoncer à Vernon que désormais elle était prête à croire en la Sainte Trinité.

— Tracy, monte vite, lança Finley. Dépêche-toi.

La lieutenante ne se le fit pas répéter.

— Merci. Ces types sont des cinglés. Il faut appeler des renforts.

— Nous sommes les renforts, répondit le sergent qui lui braqua son arme sur la tête.

Tracy écarquilla les yeux et un tremblement la saisit avant que des larmes ne coulent sur ses joues. Le monastère réapparut bientôt au bout de la route.

★

Seth ouvrit la porte d'une cabine. Une véritable suite située sur le pont supérieur du navire, avec vue sur une des piscines où barbotaient des vacanciers qui profitaient des eaux chauffées pour admirer le spectacle des cieux luminescents.

— Où est-elle ? demanda Nimrod.

— D'abord, donne-moi ton arme, exigea Seth.

— Pas question.

— Je veux seulement prendre des précautions. Paul est très susceptible. Je lui ai promis que tu ne serais pas armé.

Nimrod hésita, mais que risquait-il ? De toute façon il n'avait pas l'intention de s'en servir. Il la sortit de son étui et la lui tendit. Son père le regarda enlever le cran de sécurité, et braqua son fils.

— Avance. Tout droit.

— À quoi tu joues ? Tu veux me tuer ? Eh bien, tire !

— Cesse de faire l'imbécile. Je fais ça pour te protéger de toi-même. Allez, avance.

Nimrod obéit et traversa le salon de la suite avant d'ouvrir la porte de la chambre. Son cœur tressauta dans sa poitrine quand il vit Judith, pieds et poings liés, la bouche recouverte d'un ruban adhésif, le visage boursoufflé d'hématomes.

— Espèce de pourriture ! s'écria Nimrod qui se retourna, prêt à frapper son père.

— Arrête ou je la tue ! tonna Seth qui braqua Judith.

— Je te jure que je vais te crever.

— Ce n'est pas moi qui l'ai mise dans cet état. Enlève l'adhésif.

Le visage de Judith était méconnaissable. Arcades ouvertes, lèvres fendues, plaies sur les joues… Il s'approcha du lit, et ne put soutenir les yeux embués de larmes de Judith. Il s'assit à côté d'elle et décolla délicatement l'adhésif. Un filet de sang sortit de la bouche de Judith.

— Va dans la salle de bains, il y a tout ce qu'il faut.

Nimrod enleva les liens qui emprisonnaient Judith, puis regarda le pistolet que son père braquait sur elle. Était-ce du bluff ? Il croisa son regard et sut que le diable était de retour dans ses yeux. Il préféra gagner du temps et alla dans la salle de bains. Il y trouva l'armoire à pharmacie, puis humecta une serviette de toilette.

— Ça risque de piquer, la prévint Nimrod en lui passant la serviette humide sur ses plaies.

Judith émit un léger sifflement quand il les désinfecta, mais ne montra pas d'autre émotion.

— Elle a besoin de soins, dit Nimrod quand il eut terminé. De vrais soins.

— Chaque chose en son temps. Tout d'abord rassure mon fils, lança-t-il à l'adresse de Judith. Dis-lui que je ne t'ai rien fait.

La jeune femme déglutit et répondit :

— C'est Paul.

— Il est où ? demanda Nimrod.

— Il est avec Adam. Je crois que le gamin voulait une crème glacée, répondit Seth.

— Il n'était pas là quand il t'a frappée ?

— Non. Nous ne sommes pas des monstres, C'est moi qui le promenais. C'est un petit garçon très attachant, continua Seth d'un ton léger.

Nimrod avait des tonnes de questions à poser à Judith, mais il se refusait à l'accabler. Il ne fallait surtout pas qu'elle puisse croire qu'il était de leur côté.

— Tu n'aurais pas dû venir. Ils vont te tuer, regretta la jeune femme.

— Chut, ne parle pas. On va s'en sortir.

— Bon, tout cela est très touchant, mais il va falloir qu'on discute tous les trois, dit Seth, tout en gardant son pistolet braqué devant lui. Judith, ma très chère Judith, vas-tu enfin me dire où se trouve votre quartier général ?

— De quoi parle-t-il ? s'étonna Nimrod, totalement déconcerté.

— Tu le sais très bien. Paul m'a dit que tu avais rendu visite à ses parents ce soir, et que tu as enfin compris que Judith te menait par le bout du nez.

— Excuse-moi, je ne voulais pas te mentir, mais je ne pouvais rien te dire, intervint cette dernière.

Nimrod ne savait quoi répondre.

— Ta chère Judith fait partie d'une secte. Et figure-toi que ces tarés ont décidé de faire le ménage contre les gens comme moi !

— Tu veux dire que ce sont des membres de ta secte qui ont perpétré le massacre du chalet ?

La jeune femme prit un air surpris.

— Je n'y suis pour rien. Je te le jure. Je ne sais pas de quoi il parle.

— Tu ne sais pas de quoi je parle ? ironisa Seth. Tu ne te rappelles pas qu'il y a trois ans, Paul a eu une révélation et l'envie soudaine d'entrer dans l'Église de la Vérité première ?

Judith baissa les yeux.

— Ton mari n'a jamais cru une seule seconde en leurs dogmes. C'est moi qui l'ai envoyé pour essayer de voir ce qui s'y tramait. Plusieurs sources nous avaient indiqué qu'ils allaient nous causer des problèmes tôt ou tard. Alors, Paul t'a emmenée avec lui chez ces cinglés. Le hic, c'est que Paul n'a pas pu les supporter. En revanche, ce que nous n'avions pas prévu, c'est que toi, tu y adhères complètement !

« Une femme malheureuse en amour se jetant à corps perdu dans une religion », estima Nirmod désolé pour Judith.

— Paul a préféré quitter cette secte plutôt que de se faire repérer, et c'est pour ça que nous avons envoyé Sam Dafoe pour les infiltrer. Malheureusement il en est toujours au stade de disciple et ignore où se trouve votre quartier général. Mais toi, Judith, tu le sais, n'est-ce pas ?

— Je ne vois pas de quoi vous parlez. Je ne sais rien.

— Judith, ne mens pas. Il est temps que tu parles, et je ne te poserai la question qu'une seule fois. Si tu ne me réponds pas, je le tue, dit Seth en braquant son arme sur Nimrod.

— Vous ne ferez pas ça !

— Je suis prêt à tout pour pourrir la vie de mon fils, dit-il en regardant Judith fixement. Tu ne trouves pas étrange que je connaisse ton mari ? Drôle de coïncidence, non ?

— Je ne vois pas où vous voulez en venir ?

— Cette pourriture a tué ma femme, ma chère Abigail. Sa propre mère. C'est pourquoi j'ai juré que je passerais ma vie à le rendre le plus malheureux des hommes. Et même si nous avons coupé les ponts il y a bien longtemps, je me suis régulièrement tenu au courant de ce qu'il devenait.

— Pauvre type ! cracha Nimrod.

Seth eut un rictus moqueur.

— Quand on m'a dit que Nimrod filait le parfait amour avec toi depuis six ans, j'ai su qu'il était temps d'en finir. Je t'ai mis un bourreau des cœurs dans les pattes, et la faible femme que tu es a cédé.

— Vous mentez ! s'écria Judith.

— À ton avis, qui a vendu la mèche à mon fils ?

Nimrod se remémora le courrier contenant des photos compromettantes. Il n'avait jamais su qui les lui avait envoyées.

— Pourquoi vous avez fait ça ? hurla Judith en pleurs. Vous n'aviez pas le droit !

— Tu n'as à t'en prendre qu'à toi-même. « Tu ne céderas pas à la tentation. »

— Ordure ! s'exclama Nimrod, écœuré.

Il venait de se rendre compte que sa vie aurait pu être totalement différente si son père l'avait laissé en paix.

— Bon, j'espère que tu comprends que je me fous de la vie de mon fils. Mais si toi, tu y tiens encore, je te conseille de tout me dire. Je veux que tu me donnes le repaire de ta secte.

— Allez vous faire foutre !

Une détonation retentit et une balle traversa la jambe de Nimrod. Son père lui avait tiré dans le mollet. Pas d'artère touchée, vu le filet de sang qui s'échappait de sa blessure, mais il devrait tout de même arrêter l'hémorragie

— La prochaine est pour sa tête. Je t'avertis, tu dois répondre vite si tu ne veux pas qu'il se vide de son sang.

— Je vais tout vous dire ! s'affola soudainement Judith. Mais ne le tuez pas, je vous en conjure.

— Non, ne lui dis rien. Il nous tuera quoi qu'il arrive.

— Non, ne crois pas ça. Je suis un pragmatique. Je serai réglo : si j'obtiens ce que je veux, je vous laisse la vie sauve. Dans le cas contraire, c'est ma propre vie qui est en jeu, j'ai des comptes à rendre à mes supérieurs. J'ai besoin de cette adresse.

— Tue-moi, qu'on en finisse !

— Non, Nimrod, tu ne dois pas mourir, dit Judith avec une intonation mystique.

Seth leva son pistolet et visa la tête de son fils.

— Un, deux et...

— Arrêtez ! Je vais tout vous dire.

— Judith, ne fais pas ça. Si tu donnes l'adresse, ils vont tous les tuer. Mon père est un mafieux, n'attends aucune clémence de sa part.

Nimrod n'avait pas que du mépris pour ces religieux. Si certains avaient commis l'attaque du chalet, tous n'étaient peut-être pas coupables. Il espérait qu'il n'y ait pas d'enfants.

— Le monastère Saint-Georges, répondit Judith la mort dans l'âme.

— Tu vois, quand tu veux. Si tu avais parlé plus tôt, tu aurais évité à Paul de te corriger et à Nimrod d'être blessé. Maintenant, il va falloir expliquer tout ça à Adam. Mais, bon, on trouvera une explication, dit Seth qui reprit d'un ton plus sombre : J'ai des coups de fil à passer. Vous, vous restez tous les deux sagement ici.

Seth quitta la chambre, qu'il ferma à clé. Judith se rapprocha aussitôt de Nimrod.

— Il faut retrousser la jambe de ton jean pour que je te soigne.

★

Atone, l'esprit vidé de toute émotion, Tracy fut conduite par les deux policiers à l'intérieur des bâtiments monastiques. Ils traversèrent des galeries, passèrent sous des arcades et atteignirent le cloître. Une chaise était placée en son centre. Elle était entourée aux quatre coins par de grandes torches plantées dans le sol. Les arcades étaient, elles aussi, éclairées par des torches. On la força à s'asseoir. Elle obéit sans résister. Tracy avait l'impression d'être dans une arène. Elle vit des dizaines de silhouettes vêtues de bure, la capuche couvrant leur visage, se presser dans le cloître. Des hommes, mais aussi des femmes. Combien étaient-ils ? Elle en comptait déjà plus de soixante, mais d'autres arrivaient encore. Cérémonie sacrificielle païenne ! Et ces gens se réclamaient d'un Dieu qui prônait l'amour sur terre ! Soudain la masse des fidèles s'écarta telles les eaux de la mer Rouge et Elie Jacobson remonta le passage ainsi ouvert en compagnie d'un autre membre de la secte. Jacobson vint se placer devant Tracy.

— Tu ne manques pas d'audace. As-tu réellement cru que le Seigneur te laisserait partir ?

Tracy ne perdit pas son temps à répondre. Elle se savait morte et prit conscience qu'elle était à la dernière phase de l'acceptation de sa mort. Après le choc et le déni, la colère, le marchandage, la dépression, venait enfin l'acceptation de son sort. Si ce n'est que Tracy n'avait pas eu l'occasion de marchander. Elle avait su dès le premier instant que ces hommes n'entendraient rien d'autre que les voix qui leur parvenaient de leur esprit enfiévré.

— Tu n'es plus très loquace. Mais peu importe, l'heure est venue de faire pénitence.

— Allez vous faire foutre, dit-elle avant de leur cracher dessus.

Le deuxième homme encapuchonné s'approcha d'elle.

— Tu nous as causé bien du souci, petite dévergondée, gronda l'homme.

Tracy connaissait cette voix. Mais elle était incapable de mettre un nom dessus.

— Qui êtes-vous ?

— Qui je suis ? répéta en écho l'homme qui repoussa sa capuche.

— Nom de Dieu, jura-t-elle.

Alan Warner, le maire de White Forest.

— Et dire que j'ai voté pour vous ! Pourquoi ? Pourquoi faites-vous ça ?

— La parole divine a été dévoyée par les Églises officielles qui ont fait fuir les vrais croyants. Nous sommes les Fils de l'homme, nous allons sauver notre terre au nom du Seigneur, bannir les impies, et faire disparaître tous les enfants du diable.

Tracy eut alors une intuition.

— Le shérif est aussi des vôtres ?

— Non, mais nous pensons qu'il le deviendra un jour. C'est un homme intelligent et croyant, mais il est encore sous le joug d'un clergé perverti.

— Vous étiez au commissariat sous prétexte de connaître les avancées de l'enquête sur le massacre du chalet, mais en fait vous étiez venu vous assurer que nous n'avions rien trouvé. Car c'est vous qui avez commis cette horreur.

— Très perspicace. Je comprends les éloges que fait votre supérieur à votre sujet.

— Mais pourquoi tuer tous ces pauvres gens ?

— Parce que ce sont des enfants de Satan qui vivent dans la débauche et la luxure. Et surtout, vous n'ignorez pas quel genre de trafics se perpétrait dans ces lieux de perversion. La drogue est la pire des abominations. Elle ronge le cerveau, elle ouvre une brèche pour la parole du diable. Toute drogue doit être bannie en ce monde.

Tracy secoua la tête et observa la centaine d'hommes et de femmes qui la considéraient comme une sorcière. La scène lui semblait tellement irréelle. Elle aurait dû cesser de jouer leur jeu. Elle voyait bien qu'il jouissait de leur échange verbal. Pourtant elle posa une nouvelle question :

— Pourquoi avoir caché la mort de Brent Collins, si vous vouliez faire un coup d'éclat ?

— Nous n'avons pas tué Collins. Bien au contraire, il était l'un des nôtres. Il nous a rejoints il y a quelques mois. C'est lui qui nous a révélé l'ampleur des trafics. Il voulait y mettre un terme. Il avait été touché par la grâce. Mais quelqu'un a compris ce qu'il tramait et l'a abattu.

— Qui ça ?

— Vous ne devinez pas ?

— Non, je ne vois pas.

— Son fidèle bras droit, un homme qui a fait semblant de nous rejoindre pour mieux nous trahir, mais nous nous doutions de sa duperie. Il ne savait rien de bien compromettant sur nous.

— Sam Dafoe.

— Exactement. Lui et Collins sont entrés dans notre mouvement pour le compte de mafieux, et croyaient pouvoir nous berner. Mais Brent Collins fut réellement touché par les paroles du Seigneur, à l'inverse de son comparse qui a préféré rester du côté des forces du Malin.

Jacobson claqua des doigts, et un fidèle s'approcha, tenant par les cheveux une tête ensanglantée.

— Dafoe a tout avoué avant de se repentir. C'est lui qui a tué Collins quand il s'est rendu compte que son complice avait changé de camp pour rejoindre véritablement celui du Seigneur.

— Vous êtes fou. Vous n'avez aucune chance. Toutes les autorités de ce pays vont vouloir vous faire la peau.

— Détrompez-vous ! Tout le monde est persuadé que c'est une banale histoire de guerre de gangs pour le contrôle de la drogue. Nous avons des oreilles partout et je peux vous assurer que personne ne nous recherche. Et encore moins après notre nouveau coup d'éclat qui va parvenir ce soir.

— Quel coup d'éclat ?

— Vous voulez vraiment le savoir ?

Tracy n'en était pas vraiment sûre, mais elle s'entendit tout de même répondre :

— Oui.

Quand Warner eut finit de lui expliquer la suite de leur sauvetage de la terre, ses cheveux se dressèrent sur sa tête. « Des milliers de morts ! » se dit-elle en prenant conscience de l'horreur de ce qui allait advenir.

★

Assis sur le lit, le dos contre la cloison, Nimrod évitait de regarder sa jambe et le sang qui détrempait la serviette de bain. Cette compresse de fortune avait l'air de fonctionner, mais la douleur était terrible. Néanmoins il savait que, pour l'heure, il ne pourrait rien faire de mieux. Judith cessa de se battre contre la porte et revint auprès de lui.

— Ton père est un monstre. Sans lui, nous serions toujours ensemble.

— Ça, personne ne le sait. Il cherche seulement à nous faire du mal.

— Alors c'est réussi. Mais peut-être qu'il n'est pas trop tard. On peut tout recommencer.

— Judith, pour l'instant, on va simplement essayer de survivre.

— Oui, excuse-moi.

Nimrod la regarda avec compassion. Elle semblait totalement perdue. Une pauvre fille qui était tombée dans les bras du mauvais mari pour finir dans celle d'une secte !

— Je peux te poser une question ? demanda-t-il.

— Oui.

— Qu'est-ce que tu fais ici ? Pourquoi avoir quitté le *Gold Digger* ?

— Paul m'a appelée dans la nuit, il m'a demandé de le rejoindre seule. Il voulait qu'on parle. Il était prêt à me rendre Adam. Mais je te jure que je ne savais pas qu'il travaillait pour les trafiquants de drogue. Sinon je n'y serais jamais allée.

— Mais comment ont-ils su que c'était ta secte, ou plutôt ta communauté qui avait organisé ce massacre ?

— Paul m'a dit qu'ils avaient quelqu'un à eux qui essayait de s'y introduire. Sam Dafoe, je crois qu'il s'appelle. Et quand le massacre a eu lieu, ils ont fait le rapprochement. Mais rien ne dit que ce sont les miens qui ont fait ça.

— Pourtant tu leur as donné leur adresse.

— Je n'avais pas le choix.

Nimrod sentit la douleur le relancer et serra les dents.

— Ça va ?

— Oui, fit-il en respirant à fond. Mais pourquoi m'as-tu laissé croire que Paul était dans ta secte si tu savais qu'il n'en faisait plus partie ?

Judith haussa les épaules.

— J'avais oublié cette photo dans le diaporama, mais je n'aurais jamais pensé que tu partes au quart de tour.

Tu m'as prise par surprise. Tu avais l'air tellement persuadé que la solution se trouvait là, que je me suis dit que si j'essayais de t'écarter de cette piste, tu risquais au contraire de trouver ça suspect.

— Il a vraiment kidnappé ton fils ?

— Si l'on veut, répondit-elle en rougissant.

— Je ne comprends pas.

— Ce n'est pas son fils. Même s'il croit être son père.

— Tu as trompé Paul ? conclut Nimrod.

Alors que ça ne changeait rien au passé, il songea que finalement, même sans l'intervention de son père, elle l'aurait trompé quoi qu'il arrive...

— Qu'est-ce que tu vas imaginer ! Tu ne comprends toujours pas ?

— Comprendre quoi ?

— Tu as bien regardé Adam ?

Nimrod plissa les yeux et sortit une photo de la poche de sa veste. Celle sur laquelle on voyait Paul et Adam.

— Et alors ?

— Et alors, regarde bien.

— Ne me dis pas...

— Si. Adam est ton fils.

Nimrod était comme hypnotisé par la photo. Il était incapable de prendre conscience de ce que Judith venait de lui avouer. Son fils. Il avait un fils !

— Mais pourquoi ? Pourquoi ne m'en as-tu jamais parlé ?

— Au départ, j'étais très en colère contre toi. Je ne voulais pas que tu puisses en obtenir la garde. Puis Paul a cru que c'était le sien. Ça se jouait à quelques semaines. Il a cru qu'Adam était un prématuré, et je ne l'ai pas détrompé.

— Sept ans que tu vis avec ce secret. Pourquoi me le révéler maintenant ?

— Si on doit mourir, je voulais que tu le saches. Paul ne tuera jamais Adam. Même si nous mourons, notre fils nous survivra et c'est tout ce qui importe.

Nimrod fut incapable de lui en vouloir une seconde de plus.

— Viens ici, lâcha-t-il en tapotant la place auprès de lui.

Judith monta sur le lit et se blottit contre lui. Ils admirèrent l'aurore boréale à travers le hublot.

Nimrod sentait la chaleur de Judith contre son corps, et appréciait de l'avoir à ses côtés. Il était papa ! Alors qu'il n'était pas certain de survivre à cette nuit, il n'arrivait pas à être effrayé. Adam était son fils.

— Le bateau. C'est bizarre, fit soudain Judith.

— Quel bateau ?

— Regarde ce bateau, on dirait qu'il vient sur nous.

Nimrod sortit de ses réflexions et remarqua que l'un des navires de croisière du secteur se rapprochait dangereusement du *Prince du Pacifique*.

— Il va manœuvrer. Ne t'inquiète pas. Ces bateaux sont équipés de tous les instruments imaginables pour éviter toute collision.

— Non. On va tous mourir !

— Ne dis pas ça.

— Tu n'en sais rien. Nos dirigeants ont parlé d'une action de grande envergure contre les trafiquants. Je croyais qu'il s'agissait du chalet. Mais, je pense maintenant qu'ils visaient bien plus haut.

Le navire ne cessait de grossir devant eux. La proue allait les frapper de plein fouet. Aucune chance que le *Prince du Pacifique* encaisse un tel choc.

— La cargaison de cocaïne. Ils savaient, pour la cargaison, marmonna Nimrod.

Il tenta de se lever, mais fut tétanisé par une douleur fulgurante à la jambe. Au même moment, quelqu'un ouvrit la porte en grand.

— Judith. Tu ne m'avais pas tout dit. C'est vraiment nul de ta part, tonna l'homme qui fit irruption dans la pièce.

Paul Gibson.

Il se rua sur sa femme et l'attrapa à la gorge.

— Ce sont tes amis cinglés, n'est-ce pas ?

— Oui, et ils vont tous vous tuer ! Espèce de salaud.

En réponse, elle reçut une gifle qui la fit tomber à terre. Nimrod en avait profité pour se redresser et, malgré la douleur, il parvint à passer derrière Paul et à le prendre à la gorge d'une clé de bras. Paul possédait une musculature imposante. Malgré la pression, Nimrod n'arrivait pas à lui briser le cou. Paul se jeta au sol et écrasa Nimrod de tout son poids. Judith bondit en avant et sauta à son tour sur son mari, munie d'un stylet qu'elle venait de trouver sur une petite table. Elle le lui planta profondément dans le cœur. Paul n'eut pas le temps de crier. Il jeta un regard incrédule à son épouse avant de rendre son dernier souffle. Nimrod repoussa le cadavre, et Judith l'aida à se redresser.

Les voyageurs venaient de prendre conscience de la catastrophe imminente. Des hurlements leur parvenaient de toutes parts. Nimrod jeta un regard vers l'extérieur. Le navire fonçait à toute vitesse, droit sur eux. Le *Prince du Pacifique* avait réussi à dévier quelque peu sa trajectoire, mais l'impact allait néanmoins être fatal.

— Va chercher Adam, va vite.

— Non. je reste avec toi.

— Sauve-toi, idiote.

— Oui, sauve-toi ! tonna Seth qui entra brusquement dans la chambre, tenant Adam dans ses bras. Regarde ce que ta mère a fait.

— Maman !

Seth posa le canon de son arme sur la tempe de l'enfant. Nimrod était tétanisé d'horreur. Si seulement le bateau pouvait les percuter. Mais il était encore trop loin. Dix secondes trop loin.

Seul un miracle pouvait les sauver. Mais Nimrod ne croyait plus aux miracles depuis bien longtemps.

— Dis adieu à ta mère ! hurla Seth, prêt à tirer.

— Vous ne tuerez pas votre petit-fils ! Adam est la chair de votre chair ! s'écria Judith.

— Quoi ?

— Il a sept ans, j'étais avec votre fils, espèce de sinistre crétin sénile…

Seth parut troublé, mais avant qu'il ne puisse prendre en compte ce que cela impliquait, un terrible choc fit valdinguer tout le monde. Les vitres volèrent en éclats, les cloisons se fissurèrent. Le pistolet de Seth bondit dans les airs. Une main l'attrapa au vol.

— Va en enfer !

— Non ! cria Seth en se protégeant le visage de ses mains.

Nimrod tira. La détonation fut engloutie par le fracas des cloisons qui venaient d'exploser. Seth continuait de crier tandis que son fils le dévisageait, un rictus vengeur sur les lèvres.

— Au moins nous serons sur un pied d'égalité. Bonne chance.

Seth regarda son genou totalement pulvérisé par l'impact de la balle. Nimrod n'avait pu se résoudre à le tuer. Il savait qu'il regretterait très vite ce manque de courage, mais il avait été incapable de commettre un parricide.

Le navire cessa de tanguer. La proue de l'autre navire était encastrée dans le flanc du *Prince du Pacifique*. Nul doute que ce dernier n'allait pas tarder à couler, mais Nimrod savait que cela pouvait prendre de très longues minutes avant que les eaux ne l'engloutissent.

— Adam, tu n'as rien ? s'inquiéta Judith qui venait de récupérer son fils.

Le bateau penchait sur bâbord.

— Maman, il faut aider papa ! s'écria Adam qui se tenait près de Paul Gibson.

— C'est trop tard, mon chéri. Il faut qu'on sorte d'ici, sinon on va tous mourir.

Sous l'effet de l'adrénaline, Nimrod ne ressentait plus la douleur. Aidé de Judith qui le soutenait par l'épaule, ils quittèrent la chambre, laissant Seth marmonner des insultes indistinctes. La suite était totalement dévastée. Tout le mobilier était plaqué contre la cloison de gauche. Une chance pour eux que le navire penchât vers bâbord, sinon ils auraient tous été éjectés par la baie vitrée béante, sur le pont inférieur. Ils atteignirent le couloir. Les hurlements résonnaient encore plus fort. Partout, la même confusion. La panique était totale. Pourtant il y avait suffisamment de canots pour embarquer les quatre millle passagers. Au pire, les autres navires venus assister à l'aurore boréale du siècle n'allaient pas tarder à leur porter secours. Sur ces pensées positives, Nimrod et ses protégés remontèrent la coursive, dans une obscurité presque totale. Des craquements inquiétants ne cessaient de se faire entendre, mais le navire ne tanguait plus.

— On va tous mourir ! hurla une voix de femme affolée, un peu plus loin.

Ils atteignirent enfin la zone des ascenseurs qui jouxtait les escaliers. La porte était déjà ouverte, mais l'électricité avait été coupée. Une foule s'agglutinait dans les escaliers. Nimrod se sentit de plus en plus coincé contre Judith et Adam.

— Calmez-vous. Le bateau est sécurisé, il ne va pas s'enfoncer avant des heures. Nous avons tout le temps ! expliqua un homme au ton péremptoire.

« Un bon samaritain. Heureusement qu'il y avait encore des gens pour prendre les choses en main », songea Nimrod qui ne pensait qu'à Judith et Adam. Nimrod regarda son fils. Ce dernier avait le regard vide, encore sous le choc d'avoir vu son papa mort sous ses yeux. Ils mirent quelques minutes pour arriver en haut des escaliers. Puis ce fut leur tour de descendre en file indienne pour rejoindre le pont où se trouvaient les canots de survie. Derrière eux, un jeune couple se tenait par la main.

— On va s'en sortir, mon amour. C'est fini, dit le jeune homme à la jeune femme qu'il pressa contre lui.

Mais brusquement, le bateau se mit à pencher et ils se retrouvèrent inclinés à plus de trente degrés dans l'escalier. Tout le monde bascula massivement. Les hurlements repartirent de plus belle. Nimrod observait Adam qui restait silencieux, le regard atone. Les escaliers étaient quasiment impraticables. Un semblant d'ordre s'installa lentement, et la progression reprit, à un rythme considérablement ralenti.

— Comment va ta jambe ? demanda Judith.

— Ça va.

La douleur était sourde, mais la plaie avait cessé de saigner. De toute façon, la survie de Judith et d'Adam n'avait pas de prix. Ils réussirent à atteindre le pont inférieur, et entendirent les consignes qui s'égrenaient par les haut-parleurs, leur demandant de ne pas s'affoler et de se rendre sur le côté gauche du navire. La foule venait de tous côtés grossir les rangs sur le pont, mais le bateau ne bougeait plus. Les canots de sauvetage étaient ouverts les uns après les autres. Le speaker ne cessait de dire qu'il y avait de la place pour trois cents personnes par canot.

« Cela devrait aller », se rassura Nimrod.

Les hurlements avaient cessé et un calme relatif s'était installé. Judith avait pris Adam dans ses bras, tandis que Nimrod boitillait à leur côté. Ils étaient presque arrivés devant un canot quand le bateau tangua une nouvelle fois, mais dans le sens contraire. Nimrod sentit ses pieds quitter le sol et retomber près de la rambarde qui penchait désormais vers l'océan. Il réussit à s'y agripper, alors qu'Adam et Judith glissaient devant ses yeux. Il leva la main vers eux, mais elle ne saisit que le vide. Il les regarda s'enfoncer dans les eaux, près de dix mètres plus bas, par les trouées du bastingage.

— Non, non, non ! hurla-t-il en se sentant mourir pour la deuxième fois de sa vie.

47

L'HIVER ÉTAIT PARTICULIÈREMENT RUDE. La neige tombait dru depuis plusieurs jours. À l'abri dans son 4 × 4 flambant neuf, Abigail n'avait pas froid. Elle avait monté le chauffage à fond et entre rires et larmes, elle reprenait en chœur les paroles d'une vieille chanson de Bob Dylan.

— Maman, ça va ? demanda Nimrod.

Assis à l'arrière, le petit garçon, âgé de sept ans, voyait bien que sa mère pleurait plus qu'elle ne riait.

— Oui, mon trésor, tout va très bien.

Il était tout juste 17 heures. Le soleil s'était couché depuis un petit moment en cette journée du 24 décembre.

— Mais où on va ?

— C'est une surprise. Il faut que tu me fasses confiance, dit Abigail qui se moucha du revers de la main.

— Et papa, il va nous rejoindre ? Moi, je veux mes cadeaux.

— Tu les auras, mon bébé. Ne t'en fais pas.

Plus ils s'enfonçaient dans la forêt bordant White Forest, plus Abigail se sentait forte. C'était fini. Plus jamais elle ne remettrait les pieds dans le chalet familial. Elle ne pouvait plus continuer comme ça. Il fallait que ça s'arrête. Elle détestait ce qu'elle était devenue. Une épave gorgée d'alcool qui écartait les jambes sur simple demande d'un mari qui rentrait quand il le voulait bien à la maison. Le pire étant que pour Seth, c'était la vie idéale. Il ne cessait de lui vanter la chance qu'ils avaient de vivre dans une aussi belle maison, sans jamais manquer de rien. Une vraie famille modèle ! À des années-lumière de ce qu'avait espéré Abigail en se faisant passer la bague au doigt. Peut-être que certaines femmes auraient envié une telle vie. Abigail, elle, ne pouvait plus supporter ses colères, ni être sa chose, sa boniche, sa cuisinière et encore moins sa pute ! Si au moins il avait été un bon père. Mais il ignorait son fils, et l'humiliait à la première occasion.

— C'est encore loin ? ronchonna Nimrod.

— Non, on y est presque.

La tempête de neige ne faiblissait pas. Ils arrivèrent cinq minutes plus tard sur un vieux pont en bois qui passait au-dessus de la rivière Kanina. Abigail s'arrêta. Ses phares éclairaient les flocons toujours plus nombreux.

— Pourquoi tu t'arrêtes ?

— On est arrivés, dit Abigail en regardant son fils dans le rétroviseur intérieur.

Elle se rendit compte qu'elle agrippait le volant, comme un rapace le ferait avec sa proie.

« Il faut que tu le fasses, il faut que tout s'arrête. »

Elle ouvrit la portière arrière et détacha Nimrod avant de le serrer dans ses bras.

— Maman, mais il n'y a rien ici.

— Fais-moi confiance. Là où on va aller, le monde sera plus beau, il faut que tu me croies.

— C'est papa ? Tu t'es disputée avec papa ?

— Chut, il faut se taire. Maintenant, tu vas voir. On va être heureux tous les deux, mon chéri.

Elle s'approcha du parapet. Sur le pont, le vacarme était fracassant. Le flot incessant des eaux de la rivière défilait sous eux.

— J'ai froid, maman. J'ai peur.

— Tu n'as pas à avoir peur.

Abigail regarda la frimousse de son fils à la lueur des phares, et sentit son cœur se serrer. Elle se mit à pleurer. Elle savait qu'elle devait le faire, mais c'était plus fort qu'elle : elle ne le pouvait pas. Abigail retourna vers la voiture et fit entrer Nimrod avant de l'attacher sur le siège arrière. Elle se pencha une dernière fois vers lui, sa seule lumière dans ce monde de ténèbres.

— Tu vas fermer les yeux, Nimrod, et je veux que toute ta vie, tu n'oublies jamais que ta maman t'aimera toujours et qu'elle t'attendra jusqu'au jour où tu la rejoindras.

— Mais où tu vas ? Je ne veux pas que tu partes.

— Promets-moi que tu vas fermer les yeux.

— Maman, tu me fais peur.

Abigail sentit les larmes monter, mais elle devait être forte. Elle embrassa son fils sur la joue, puis claqua la porte et ferma les portières avec le bip automatique. Sans un regard en arrière, elle enjamba le garde-fou et, laissant enfin couler ses larmes, elle se laissa tomber dans les eaux noires.

— Maman ! Maman ! hurla Nimrod qui frappait contre la vitre de la voiture. Maman ! pleura-il encore et encore, alors que le monde s'effondrait autour de lui.

Le souvenir avait jailli comme une pique en plein cœur. Nimrod regarda les flots et, alors que le navire de croisière s'était à nouveau stabilisé, il se jeta dans le vide. Dès qu'il toucha les eaux, un froid glacial le saisit. Il remonta à la surface et inspira une large bouffée d'air. D'autres personnes tombées à l'eau criaient à l'aide. La lumière scintillante de l'aurore boréale lui permit de discerner leurs silhouettes.

— Judith, Adam ! cria-t-il à pleins poumons.

Pas de réponse. Il y avait une telle cacophonie de « à l'aide », « sauvez-nous », « on est là », qu'il tenait du miracle d'entendre une réponse.

— Judith, Adam ! hurla-t-il encore une fois.

Toujours pas de réponse. Il nagea vers des têtes qui émergeaient, mais c'étaient celles d'inconnus. Quand des bouées commencèrent à tomber, tous les survivants se mirent à nager dans leur direction. Les cris cessèrent aussitôt.

Nimrod en profita pour hurler encore, alors que les larmes roulaient sur ses joues :

— Judith, Adam !

Le silence.

— Judith, Adam, chuchota-t-il enfin, près de se laisser emporter dans les abysses.

Toujours pas de réponse.

— Judith, Adam, dit-il dans un simple murmure en sentant le froid gagner son cerveau.

Nimrod se souvint des dernières paroles de sa mère. Peut-être était-il temps de la rejoindre.

— Aidez-moi, entendit-il derrière lui.

Le cœur de Nimrod explosa d'une violente émotion.

— Adam ?

— Je veux pas mourir, s'écria le petit garçon.

Nimrod oublia sa jambe blessée et se rapprocha de l'enfant qui s'était accroché tant bien que mal à une bouée de secours. Quelques secondes plus tard, il l'attrapait dans ses bras.

— Tu vas vivre, je te le promets, lui dit-il alors que les premiers canots de sauvetage descendaient jusqu'à l'océan. Tu vas vivre.

★

Toujours assise au centre du cloître, Tracy essayait d'imaginer la catastrophe que venait de lui prédire Alan Warner. Un bateau de croisière fonçant dans un autre mastodonte des mers afin de l'éventrer. Ces ordures avaient tout prévu. Le commandant de bord du *Roi des mers* faisait partie des leurs. Une mission quasi suicidaire que l'homme avait acceptée.

— Pourquoi tuer tous ces innocents si votre but est uniquement d'arrêter les trafics de drogue ? Appelez la police, alertez les médias, et toute la cargaison sera confisquée puis brûlée, plaida-t-elle. Il y a des milliers de personnes sur ces bateaux. Il doit certainement y avoir des pénitents parmi eux, n'est-ce pas ? Et si tel n'était pas le cas, sauvez au moins les enfants.

— Nous n'avons pas le choix. Il faut marquer les esprits. La population est trop passive. Tout le monde est coupable. Nos forces vives plongent par milliers dans la drogue et aucun gouvernement ne mettra les moyens pour lutter contre si nous ne provoquons pas un électrochoc. Ce n'est qu'après la chute des Twin Towers que l'Amérique a pris conscience du danger du terrorisme islamiste. Après le naufrage du *Prince du Pacifique*, vous verrez que les citoyens demanderont des comptes aux trafiquants de drogue.

— Vous allez faire passer ce massacre pour une guerre de gangs, n'est-ce pas ?

— Oui, comme pour le chalet. De toute façon, vous n'avez pas à vous inquiéter pour les enfants. Dieu saura reconnaître les siens, conclut Warner, qui recula.

Jacobson s'avança à son tour. Entre-temps, on lui avait remis une épée tachée de sang.

Celle qui avait servi à décapiter Sam Dafoe, comprit Tracy.

— Il est temps de vous repentir ou vous rejoindrez les ténèbres à jamais, dit le gourou de la secte.

— Je vous maudis, tous autant que vous êtes, et vos âmes iront pourrir en enfer.

— Seigneur, donnez-moi la force de détruire cette fille du diable, dit Jacobson qui leva son épée d'un geste théâtral.

Une lumière surgit du ciel, suivie d'un bruit qui tonna dans les cieux. Tracy n'en crut pas ses yeux, mais c'était bien une escouade d'hélicoptères qui survolait à présent le monastère. Tous les disciples prirent peur et s'enfuirent à toutes jambes. Des fumigènes et du gaz lacrymal furent lancés du ciel. Tracy se jeta au sol, et ne bougea plus. Elle entendit des tirs de mitraillettes, puis des hurlements provenant de toutes parts. « Ne bouge surtout pas », se dit-elle. Elle vit des cordes tomber du ciel et des membres des forces spéciales descendre arme à la main et munis de lunettes infrarouges. Elle resta plaquée au sol, alors que les tirs reprenaient de plus belle. Quelques minutes plus tard, tous les disciples qui ne s'étaient pas enfuis dans la forêt étaient désormais allongés sur le sol, les mains derrière la tête. Tracy décida alors de se faire connaître.

— Restez à terre ! tonna un des soldats, qui la braqua de son arme.

— Elle est avec nous.

Tracy tourna la tête : Milton Wilder et Grace Meadow dans leur costume du FBI !

— Vous ? Mais comment ? dit Tracy qui n'en revenait pas de ce retournement de situation.

Elle entendait déjà Vernon lui parler de miracle et d'intervention divine.

— Nous pourrions vous poser la même question, répondit Grace.

— Nous vous avions pourtant recommandé de ne plus faire bande à part et de nous tenir informés de tous les renseignements que vous pourriez obtenir, ajouta Milton plus sèchement.

— Je vous jure que cette fois-ci, ce n'est pas faute de précautions, se défendit Tracy qui voulait satisfaire sa curiosité. Mais comment avez-vous su que cette secte était derrière tout ça ? Quand je vous en ai parlé, vous m'avez expliqué que c'était une guerre de gangs ?

— Nous avions des doutes, mais nous voulions vous éviter de trop vous approcher de cette bande de cinglés.

— Et qui vous a prévenus qu'ils étaient ici ?

— Vous pensez bien que je ne vais pas vous dévoiler nos sources, dit Milton.

Tracy haussa les épaules. Après tout, quelle importance. Elle leva les yeux vers le ciel et fut heureuse de penser qu'elle verrait, une fois de plus, le soleil se lever.

48

Jeudi 28 août

ALLONGÉ SUR SON LIT D'HÔPITAL, Nimrod s'était réveillé une heure plus tôt. Holly était assise à ses côtés. Ils avaient longuement parlé. Il lui avait tout raconté, mais il venait de lui demander de le laisser prendre du repos. Il avait besoin de réfléchir, de faire le point. À peine était-elle partie qu'il avait allumé la télévision. Toutes les chaînes étaient bloquées sur la tragédie du *Prince du Pacifique*. Trois cent quarante-cinq victimes. Cinquante-six disparus et des centaines de blessés. Des hélicoptères filmaient en permanence la zone où se trouvaient les deux paquebots encastrés. Les journalistes s'évertuaient à dire qu'ils avaient évité le pire. Mais Nimrod ne partageait pas le même avis. Il espérait encore que Judith se ferait connaître. Malheureusement, elle faisait partie des disparus. Certainement noyée quand elle était tombée la tête la première. Il s'en voulait tellement. Il aurait dû la sauver. Dans son malheur, il avait simplement la certitude qu'elle serait heureuse de savoir son fils en vie. *Leur* fils ! Il n'arrivait pas à s'y faire. Pourtant, les dates concordaient. Adam lui avait assuré être né sept ans plus tôt, et non six comme le lui avait fait croire Judith quand elle avait débarqué chez lui. Il entendit frapper.

— Entrez.

Tracy ouvrit la porte, un paquet à la main.

— Salut, Nimrod.

— Salut, lâcha-t-il en se redressant dans son lit.

— Je ne te dérange pas ?

— Non, je t'en prie.

— J'ai eu Holly, elle m'a tout raconté. Tu as eu beaucoup de chance, dit-elle en lui tendant son paquet.

Nimrod le lui prit des mains et découvrit avec plaisir une boîte de chocolats.

— Merci. Je crois plutôt que mon père savait ce qu'il faisait. Il m'a seulement tiré dans le muscle.

Un simple bandage lui entourait le mollet. Ni plâtre ni strapping, mais interdiction de marcher sans béquilles.

— On l'a retrouvé ?

— Non.

— Il est peut-être mort noyé.

— Oh non, je peux t'assurer qu'il est bien en vie. Il a dû fuir avec d'autres comparses sur un hors-bord.

— Et Judith, toujours pas de nouvelles ?

— Non, et pour le coup, je n'ai plus aucun espoir.

— Ne dis pas ça. On ne sait jamais. Les opérations de repêchage ont duré des heures et les survivants ont été placés sur différents bateaux...

— Je sais tout ça. J'y étais, n'oublie pas.

— Excuse-moi, mais je voulais que tu gardes espoir. Tu sais, moi-même...

— Oui, justement, parle-moi de toi. Qu'est-ce qui s'est passé hier soir. Je n'ai rien compris. Qu'est-ce que tu faisais dans ce monastère ?

Elle lui expliqua tout, depuis le début et, tandis qu'il avalait chocolat sur chocolat, Nimrod trouva enfin les pièces manquantes du puzzle. Il comprit que c'était son père qui avait alerté le FBI et leur avait indiqué la cache de la secte quand Tracy lui nomma ceux qui les avaient sauvés. Le FBI travaillant avec les narcotrafiquants, ce ne serait pas une première. Main dans la main pour mettre à terre cette secte funeste. L'ennemi de mon ennemi était-il mon ami ? Il préféra garder le silence et ne pas inquiéter Tracy.

— ... ils m'ont embarquée en hélicoptère et rapatriée au commissariat pour un interrogatoire, avant de me relâcher quand ils ont admis que j'étais bien une victime de ces cinglés.

— Et c'est toi qui me disais que j'avais beaucoup de chance !

Tracy sourit, elle n'en revenait toujours pas. Comme si c'était un mauvais film d'horreur. Et pourtant...

— Bon, parlons de toi. Tu te doutes que j'ai appris, pour Adam. Ça me fait bizarre de te savoir papa.

— Ne t'emballe pas. On n'est encore sûrs de rien. Joseph a fait les prélèvements génétiques, on en saura plus dans la journée.

— Tu as vraiment besoin de tests pour savoir si c'est ton fils ?

— Oui.

— Et s'il ne l'est pas, qu'est-ce que ça changera ? Tu pourrais l'élever quand même. Ce garçon a perdu ses parents dans d'atroces circonstances. Tu te vois l'envoyer dans un orphelinat ?

— Il a ses grands-parents paternels. Et même si je suis son père, je ne suis pas certain de demander sa garde. Les parents de Paul Gibson pourraient s'en occuper, légalement ils sont ses grands-parents.

— Tu feras un bon père, Nimrod. N'aie pas peur de te lancer. Cet enfant, c'est ta chance, ou du moins, c'est la sienne.

— Holly n'est pas très enthousiaste. Ce garçon est un inconnu, ce n'est pas son fils.

— Tu l'as tenu dans tes bras, tu lui as sauvé la vie. Tu n'as rien ressenti ?

Bien sûr que si. Il aurait donné sa vie pour ce gamin, mais son propre père n'avait-il pas été un bon père quand il était tout petit, avant de devenir un monstre ? Nimrod n'avait aucun souvenir de son enfance avant la mort de sa mère. Le black-out total. Peut-être que Seth avait été un père aimant ?

— Bon, il faut que je retourne au commissariat, ils veulent encore me poser des questions. Je repasse te voir ce soir.

— OK, embrasse tout le monde de ma part.

Tracy quitta la chambre et referma la porte derrière elle. Nimrod ferma les yeux et, repensant à Judith, il laissa couler les larmes si longtemps retenues.

Épilogue 1

Lundi 1er septembre

— *In nomine Patris et Filii et Spiritus Sancti. Amen*, conclut le prêtre.

Nimrod et quelques invités se signèrent en même temps que l'homme d'Église. Le cercueil de Judith fut alors descendu dans le trou creusé à côté de la tombe d'Abigail Russell. Huit jours étaient passés depuis que Nimrod avait mis les pieds dans ce même cimetière situé sur les hauteurs de White Forest. Huit jours qui avaient totalement changé sa vie. Il avait tiré sur son propre père et lui-même était devenu papa, les tests de paternité l'ayant attesté. Le petit garçon se tenait près de lui, habillé d'un joli costume qu'Holly lui avait acheté pour l'occasion dans la plus prestigieuse boutique de la ville.

Au grand soulagement de Nimrod, Holly avait oublié tous ses préjugés dès qu'elle avait rencontré l'enfant. Un vrai coup de foudre. Elle disait ne pas avoir la fibre maternelle, mais elle s'était découvert un amour inconditionnel pour le petit garçon. Tracy et Vernon s'avancèrent et prirent une rose mise à leur disposition, puis la jetèrent sur le cercueil.

— On est tous avec toi, dit Vernon qui lui posa une main sur l'épaule avant de partir.

Cela lui faisait un drôle d'effet de voir ses amis tout endimanchés. Melvin prit la rose suivante. Il était étonnement élégant dans son complet beige. Puis les parents de Paul Gibson vinrent également déposer une rose. Ils avaient tout fait pour obtenir la garde de l'enfant, mais dans l'attente d'un jugement ultérieur, le juge pour enfants avait décidé de confier Adam à son père biologique qui en avait fait la demande.

— Tu viendras nous voir quand tu voudras, proposa Amanda Gibson en embrassant son petit-fils.

Adam avait assuré à la police que les rares fois où il les avait vus, ils avaient toujours été gentils avec lui. Puis ce fut le tour des collègues de police, du docteur Joseph Paltrow et des clients du saloon qui vinrent, par respect pour Nimrod, offrir une rose à la mémoire de Judith. Enfin, Holly s'approcha et jeta elle aussi une rose, avant de venir s'agenouiller près d'Adam et de le prendre dans ses bras.

— Personne ne remplacera jamais ta maman. Personne ne l'oubliera jamais, assura-t-elle en le serrant tendrement.

Adam garda le silence. Nimrod sentit l'émotion le submerger et regarda la tombe de sa propre mère. Deux cercueils sans cadavre enterrés côte à côte. Père et fils unis par une terrible affliction, celle d'avoir perdu leur maman.

Un goéland vint se poser sur l'un des rares arbres du cimetière. Nimrod repensa aux légendes attachées à cet oiseau de malheur. Balivernes. Nimrod alla chercher les deux dernières roses. Il en donna une à Adam. Ils les jetèrent ensemble et restèrent un long moment à regarder le cercueil avant de rejoindre Holly qui les attendait en retrait.

Épilogue 2

UN FROID GLACIAL LA TÉTANISA. Des milliers d'échardes lui rentraient dans les chairs. Abigail eut le souffle coupé. Le flot tumultueux de la rivière l'emporta. Elle n'essaya pas de se débattre. C'en était fini. Elle allait disparaître à tout jamais et rejoindre le néant. La douleur s'atténua et elle se sentit partir. Aucune lumière ne lui apparut. « Non, après la mort, il n'y a que le néant », se dit-elle alors que sa tête allait buter contre un rocher qui affleurait à la surface. Le choc la sortit de sa léthargie, mais elle ne se débattit pas pour autant. À bout de souffle, elle ouvrit la bouche et avala de l'eau. La douleur fut abominable. Elle n'aurait jamais imaginé souffrir autant. Instinctivement elle tenta de la recracher, mais peu importait, elle serait morte dans quelques secondes. L'eau entra dans ses poumons, puis elle s'évanouit…

— Vous m'entendez ?

La voix était si lointaine.

Abigail ouvrit les yeux. Un visage barbu. Dieu ? Était-elle au paradis ?

— Vous êtes en vie ! s'exclama le jeune homme.

Cheveux fou et barbe hirsute.

— Quoi ? articula-telle.

Elle tremblait de tous ses membres. Sa tête la faisait terriblement souffrir.

— Ne bougez pas, je vais vous apporter une couverture. On va vous aider.

— Qu'est-ce qui s'est passé ?

Abigail entendait le débit de la rivière. Elle réussit à tourner la tête et la découvrit à trois mètres de là.

— Elle a eu une sacrée chance, dit une personne qui entra dans son champ de vision.

Une jeune femme au genre hippie.

— Ce n'est pas une question de chance, c'est le Seigneur qui nous l'a envoyée, la reprit l'homme. Comment vous appelez-vous ?

— Abigail.

— « La joie de son père », prénom biblique, se réjouit l'homme. Tu ne risques plus rien, le Seigneur va prendre soin de toi.

— Laissez-moi, je veux mourir.

— Cette femme veut se suicider. Tu n'aurais pas dû la sauver.

— Au contraire, tu ne comprends donc pas ? Elle va tous nous sauver, comme Moïse a sauvé le peuple hébreu.

— Ne me ramenez pas en ville, je veux mourir.

— Il en sera fait comme tu le souhaites, répondit l'homme, d'une voix révérencieuse.

— Qui êtes-vous ? demanda Abigail qui tenta de se redresser.

— Restez allongée. Je m'appelle Elie Jacobson...

Abigail eut un triste sourire en se souvenant de leur première rencontre. Tout cela était tellement loin. Pauvre Elie. Il avait été arrêté comme tant d'autres de ses frères et sœurs.

Mais les voies du Seigneur impliquaient souvent beaucoup de sacrifices. Elle osa croire qu'il saurait garder le silence, et ne la trahirait pas.

Au cours de l'expansion de leur mouvement religieux, Abigail avait laissé Jacobson prendre toute la lumière sur lui, lui permettant à elle de rester discrète et de tisser sa toile. Elle repensa à celle qu'elle avait été, la femme fragile et soumise que Seth avait rabaissée jusqu'à lui faire détester la vie. Abigail serra les poings. Cette femme-là était définitivement morte dans les eaux de la rivière Kanina. Une autre en était ressortie.

« Tu ne nous feras plus jamais de mal », se dit-elle en y associant le petit Adam. Elle eut une pensée émue envers cette pauvre Judith. Elle se rappelait leur rencontre, deux ans plus tôt, lors d'une réunion d'évangélisation. Dès qu'elle avait vu Adam, elle avait eu un choc. Le portrait de Nimrod au même âge. Puis elle avait vu les différences. Mais elle n'arrivait pas à croire qu'une telle ressemblance soit due au hasard.

Abigail avait tissé un lien privilégié avec Judith et lui avait fait avouer que cet enfant n'était pas celui de son mari, mais celui d'un ex-compagnon : Nimrod Russell ! Abigail s'était alors rendue compte que c'était l'œuvre de Dieu qui lui avait envoyé ce petit-fils inespéré. Dès lors, les deux femmes étaient restées très unies. Abigail avait fait comprendre à Judith qu'elle devrait garder le secret pour toujours pour le bien de l'enfant. Elle savait que Seth était toujours là, tapi dans l'ombre, prêt à faire le mal. Et ce n'était pas une simple coïncidence, si Judith avait épousé l'un des sbires de cet être maléfique. Non. La guerre entre les forces du bien et du mal avait commencé. Le diable jouait sa dernière partie contre le Seigneur. Le temps des changements était arrivé. Nimrod devrait jouer son rôle dans les événements à venir. Il était l'Élu et c'est lui qui les sauverait tous. Elle n'avait aucun doute là-dessus. Il suffisait seulement d'être patient et de garder sa foi intacte.

Elle entendit frapper à la porte. C'était l'heure de son prochain rendez-vous. Abigail alla ouvrir et, en l'espace d'une seconde, endossa son rôle de psychanalyste pour enfants qu'elle était pour tous les habitants de White Forest.

— Bonjour, entrez, je vous en prie.

— Bonjour, madame Preston, dit Tracy en poussant Ridley devant elle.

Remerciements

En tout premier lieu, je tiens à remercier celui qui est à la genèse de cette série. Une des rencontres qui vous marquent à tout jamais. J'ai nommé mon éditeur, Glenn Tavennec. Merci Buddy.

Évidemment, je n'oublie pas les personnes sans qui ce projet n'aurait pas été possible, c'est-à-dire les équipes des Éditions Robert Laffont qui ont mis toute leur énergie et leur enthousiasme à ce que *Tout le monde te haïra* soit un succès. Et en particulier, Cécile Boyer-Runge, Isabelle Votier-Mevel, Sandrine Perrier, Delphine De La Panneterie, Sylvie Bardeau et Camille Racine. Votre soutien tout au long de cette année m'a énormément touché. Merci les filles.

Bien sûr, un grand merci à tous les libraires qui ont défendu cette série. Il n'y a pas à dire, ça fait toujours plaisir de se voir bien placé dans une librairie !

Et pour finir, un très gros bisou aux lecteurs et blogueurs qui me suivent depuis tant d'années. Merci pour vos commentaires que vous laissez sur ma page Facebook et ailleurs. Vous n'imaginez pas le bien que cela fait.

Je vous donne rendez-vous l'année prochaine pour une nouvelle aventure de Tracy et Nimrod. D'ici là, je vous conseille de lire un des ouvrages cités juste derrière cette page, il n'y a que du très bon, faites-moi confiance.

PARUS DANS

LA BÊTE NOIRE

Tu tueras le Père
Sandrone Dazieri

Les Fauves
Ingrid Desjours

Tout le monde te haïra
Alexis Aubenque

Cœur de lapin
Annette Wieners

Serre-moi fort
Claire Favan

Maestra
L. S. Hilton

Baad
Cédric Bannel

Les Adeptes
Ingar Johnsrud

L'Affaire Léon Sadorski
Romain Slocombe

Une forêt obscure
Fabio M. Mitchelli

La Prunelle de ses yeux
Ingrid Desjours

Chacun sa vérité
Sara Lövestam

À PARAÎTRE DANS

LA BÊTE NOIRE

Les filles des autres
Amy Gentry
(janvier 2017)

Brutale
Jacques-Olivier Bosco
(janvier 2017)

Retrouvez

LA BÊTE NOIRE

sur Facebook et Twitter

Vous souhaitez être tenu(e) informé(e)
des prochaines parutions de la collection
et recevoir notre *newsletter* ?

Écrivez-nous à l'adresse suivante,
en nous indiquant votre adresse e-mail :
servicepresse@robert-laffont.fr

Cet ouvrage a été composé et mis en pages
par Étianne Composition
à Montrouge.

Imprimé en France par CPI
en novembre 2016

Dépôt légal : novembre 2016
N° d'édition : 55601/01
N° d'impression : 137616